KB052971

청소년을 위한 **발도르프학교**의

연극 수업

\ 무 대 위의 상 상 력 \

청소년을 위한 발도르프학교의 연극 수업_무대 위의 상상력

1판 1쇄 2019년 2월 1일
개정 2판 2023년 4월 30일

지은이 데이비드 슬론
옮긴이 이은서, 하주현

펴낸곳 사)발도르프 청소년 네트워크 도서출판 푸른씨앗
편집 백미경, 최수진, 김기원, 안빛 번역기획 하주현
디자인 유영란, 문서영 마케팅 남승희, 이연정

등록번호 제 25100-2004-000002호
등록일자 2004.11.26.(변경신고일자 2011.9.1.)
주소 경기도 의왕시 청계로 189 전화 031-421-1726
페이스북 greenseedbook 카카오톡 채널 @도서출판푸른씨앗
전자우편 greenseed@daum.net

greenseed.kr www.greenseed.kr

값 20,000 원
ISBN 979-11-86202-61-7

청소년을 위한 **발도르프학교**의

연극 수업

\ 무대 위의 상상력 \

데이비드 슬론 지음

이은서, 하주현 옮김

도서출판
ㅍㄹㅆㅇ
푸른씨앗

일러두기

_ 발도르프학교의 학제는 보통 1~8학년(만7~14세)까지 한 명의 교사가 8년간 학생들을 맡아 교육하는 담임 과정과 9~12학년(만15~18세)까지 상급 과정으로 나뉜다.
_ 본문에 실린 사진과 그림은 청계자유 발도르프학교의 연극 수업 장면이다.

차례

{활동}

한국어판을 내며

이 책이 처음 출간된 지 어느덧 20여 년이 흘렀습니다. 그동안 세상은 몰라보게 달라졌습니다. 2001년 9월 11일 뉴욕의 쌍둥이 빌딩이 무너진 사건은 이전과 차원이 다른 불안의 시대를 여는 서막이었습니다. 그 뒤로 나이와 상관없이 어린아이부터 노인까지 사람들은 하루하루 높아져만 가는 스트레스와 우울, 그 밖의 다양한 증상에 시달리게 되었습니다. 작년에는 우리가 얼마나 '안녕하지 못한' 상태인지를 단적으로 보여 주는 일을 경험했습니다. 새로 입학한 9학년 학생에게 얼마 전 완공한 학교 건물 이곳저곳을 안내하던 중이었습니다. 바닥부터 천장까지 모두 유리로 마감한 벽면을 지날 때 그 학생은 창밖으로 보이는 멋진 풍광에 감탄하는 대신 "이 창문은 방탄유리인가요?"라고 묻는 것이었습니다.

『발도르프학교의 연극 수업』 1장에서는 우리 삶 곳곳에 스며든 불안이 강력한 인터넷의 영향으로 한층 증폭되는 이 시대에 연극이 필요한 이유에 대해 이야기했습니다. 인터넷은 이미 우리 삶의 근간을 바꾸어 놓았으며, 놀라운 속도로 확산되는 스마트폰과 소셜 미디어로 인해 그 현상은 갈수록 심화되고 있습니다.

컴퓨터와 스마트폰, 가상 현실이 깨어 있는 시간 대부분을 지배하는 시대입니다. 얼마 전까지만 해도 인간 대 인간 사이에서 접촉과 상호 작용을 기반으로 이루어지던 많은 일에 기계가 들어서고 있습니다.

많은 부모와 교사, 건강 전문가는 아이들이 전자 기기에 매달려 보내는 시간이 가파르게 상승하는 세태에 걱정스러운 눈길을 보냅니다. 과학 기술이 우리 삶을 지배한 이래로 불거진 현상들을 분석한 연구 결과들은 그런 우려가 근거 없는 것이 아님을 보여 줍니다. 비만, 주의력 결핍 장애, 수면 부족을 비롯한 여러 심리, 정서적 문제의 극적인 증가는 디지털 기기 의존도 상승과 결코 무관하지 않다고 수많은 전문가는 지적합니다.

과학 기술이 세계를 하나로 연결하면서 우리 삶이 더 나아졌다고 반박할 수도 있을 겁니다. 눈 깜짝할 새에 전 세계를 오갈 수 있는 사회 관계망 덕에 오랫동안 헤어졌던 옛 친구를 다시 찾고 새로운 사람을 만날 수 있는 가능성이 높아졌음은 두말할 여지없는 사실입니다. 하지만 자기도취와 관음증의 경향 역시 확연히 상승했습니다. 그렇잖아도 우주가 자신을 중심으로 돈다고 여기기 쉬운 청소년들에게 디지털 미디어는 천국과도 같습니다. 과거에는 영화배우나 운동선수, 정치가처럼 몇몇 특별한 사람만 유명인사의 반열에 올랐지만, 지금은 누구나 '페이스북'의 스타가 되고, 수많은 '트위터' 팔로워를 모으고, '유튜브'에 엄청난 조회수를 기록하는 동영상을 올릴 수 있는 시대입니다.

그렇게 자신을 노출하고 사람들의 주목을 받는다는 건 당연히 그런 것에 반응하고 환호하는 사람들이 있다는 뜻입니다. 청소년들에게 전 세계를 대상으로 자신의 모습을 중계할 수 있는 능력을 부여하는 기술은 동시에 그들의 관음증적 욕구에 편승해 이익을 챙깁니다. 텔레비전 세대인 부모 아래에서 자란 부모 세대의 아이들이 다른 사람이 올린 글이나 사진을 끊임없이 소비하며 대리 만족을 갈망하는 건 어쩌면 당연한 결과인지도 모릅니다.

다행히 발도르프 교육을 만난 우리는 무서운 기세로 밀려오는 기술 문명의 '쓰나미'를 완화시킬 방도가 있다는 루돌프 슈타이너의 말에서 희망과 돌파구를 찾습니다. 슈타이너는 과학 기술이 세상을 얼마나 속속들이 지배하고 변화시킬지를 예견하면서도 결코 그것을 거부하고 차단하라고 말하지 않았습니다. 오히려 그는 기회 있을 때마다 사람들에게 현대 문명을 포용할 것을 촉구했습니다. 그리고 동시에 발도르프 교육에서 중심 역할을 담당하는 예술이 '그물망'처럼 촘촘하게 얽어매는 과학 기술의 덫을 바로잡고 치유할 수 있는 수단이 될 수 있음을 강조했습니다. "예술의 형태로 인간에게 작용하는 모든 것은 인간을 물질에서 벗어나 정신에 이르게 할 수 있습니다."(루돌프 슈타이너 『신비 지혜로 조명한 예술Kunst im Lichte der Mysterienweisheit』 GA 275, 1914년 12월 28일 강의)

예술이란 내적 노력을 요구합니다. 정신을 마비시키는 디지털 미디어의 현란한 자극에 대한 해독제는 분명 그 내적 노력입니다.

이 책 『발도르프학교의 연극 수업』은 연극 예술이 청소년들에게 얼마나 큰 성장과 변형의 동력이 될 수 있는지에 관한 이야기입니다. 최근 몇 년 동안 발도르프 교사 교육 과정 수강생들과도 본문에 수록된 연습을 이용해서 연극 수업을 진행하고 있지만, 본래는 청소년들이 상급 과정 연극 공연에서 맡은 배역을 깊이 만나고 이해하는 것을 도와주기 위해 개발한 연습들입니다.

이 책이 한국의 학생과 교사/연출자들은 물론 관객에게도 연극을 통해 풍부한 경험을 얻고 길을 찾는데 작은 도움이 되기를 소망합니다.

데이비드 슬론

미국 메인주 브런즈윅에서, 2018년 12월

I
들어가는 글

연극이라는 허상을 통해 진실을 발견할 수 있다는 점이다.
랄프 왈도 에머슨은 시가 "역사보다 더 진리의 핵심에 가깝다"고 했다.
연극 역시 시만큼이나 깊은 깨달음을 줄 수 있다. 하지만 대체 어떻게
허상에서 진실을 만날 수 있다는 것일까?

본문 19쪽에서

1. 영혼의 해독제, 연극

과거 어떤 시대보다 오늘날 청소년들에게 꼭 필요한 것이 연극이다. 살아 있는 직접 체험 대신 미디어의 가상 체험이 촘촘히 잠식해 가는 이 시대는 영혼의 차원에서 볼 때 황무지나 다름없기 때문이다.

휴대폰과 컴퓨터, 온갖 최첨단 기기가 눈 뜨면서부터 잠자는 순간까지 청소년들을 지배하면서 우려할 만한 증상이 꼬리를 물고 수면 위로 떠오르고 있다.

첫 번째로 자기 내면으로 움직이는 힘의 정도가 점점 약해지고 있다는 것이다. 현란한 겉모습과 포장 덕에 실제보다 몇 배로 과장된 이미지가 넘치고, 아이들은 스스로 표상을 창조하기보다 미디어에서 제공하는 이미지에 매달린다. 사실 영화 같은 매체가 생산하는 이미지는 너무나 강력하기 때문에 일단 노출되고 나면 내적 표상 세계를 글자 그대로 '수십 년이 넘도록 온전히' 지배한다. 포카혼타스나 모세같이 디즈니 만화로 만들어진 등장인물들 이야기를 해 보라고 하면 쉽게 확인할 수 있다. 외부에서 주어진 표상에 의존하는 정도가 심할수록 스스로 상상을 펼치는 능력은 시들기 마련이다.

두 번째, 다른 사람과 얼굴을 맞대고 관계 맺는 시간이 점점 줄어든다는 것이다. 마우스나 리모컨 단추만 몇 번 누르면 혼자서도 얼마든지 즐겁게 시간을 보낼 수 있는 세계의 문이 열린다. 기계와 소통하는 것이 훨씬 손쉽고 편리할 뿐 아니라 화날 일도 적다. 친구들과 어울리다 보면 일어날 수밖에 없는 갈등을 해결하기 위해 조율하고 공들일 필요가 없다. 컴퓨터는 작동자가 원하는 대로 움직인다. 이렇게까지 원하는 즉시 만족을 주는 존재는 지금껏 없었지만 그만큼 엄청난 위험을 내포하고 있는 것도 없다.

마지막으로 진짜와 가짜, 진실과 거짓을 구별하는 감각이 점점 무뎌지고 있다. 컴퓨터 게임과 영화, TV 프로그램을 꾸준히 섭취하며 성장한 세대는 허상과 실제의 경계가 눈에 띄게 흐릿하다. 시트콤이 진짜가 아닌 것은 분명하다. 그러면 실제 작전 중인 경찰을 찍은 TV 프로그램은 진짜일까? 뉴스에서 끔찍한 폭력 사건을 보도하면서 총알이 난무하고 폭탄으로 건물이 통째로 날아가는 영화 장면을 자료 화면으로 내보내는 것은? 존 F. 케네디, 잔 다르크, 오스카 와일드의 일생을 그린 다큐멘터리는 진실 그 자체일까 아니면 미화와 칭송 혹은 논란과 가십을 위한 '연출'일까? 어디까지가 진실이고 어디까지가 가상인지 확신하기 어려운 혼탁한 흙탕물 속에서 살아가는 청소년들은 더 이상 자기 감각을 신뢰하지 않는다. 그보다 더 무서운 예측은 청소년들이 도덕성이나 판단력을 키우지 못한 채 서로 '자신에게만 해당하는 진실'을 주장하는 상대적 세계에서 뿌리 없이 부유하며 살아갈 수도 있다는 것이다.

물론 연극 작업 역시 일종의 허상 위에서 진행된다. 하지만 연극으로 만나는 상상 세계가 영혼이 무너져 가는 우리 시대에 강력한 해독제가 될 수 있다는 이 책의 기본 전제는 다음과 같다. 먼저 연극이 상상의 힘을 활성화시킨다는 것이다. 인위적 표상들로 인해 이미 크고 작은 내상을 입었다 해도 청소년들 내면에는 여전히 크고 깊은 상상의 샘이 흐르고 있다. 청소년들은 풍요로운 상상으로 가득 찬 창조적 놀이가 일상이던, 뒷마당 바위가 해적선이 되고, 나무 막대기가 마법사의 지팡이로 변하고, 놀이터의 나무가 요새를 지키는 높은 탑이 되던 아동기를 벗어난 지 아직 얼마 되지 않았다. 물론 그 시절의 '자의식 없는' 기쁨과 재기 발랄한 상상력을 그대로 되살릴 순 없지만 연극 활동을 하다 보면 청소년들 내면에 잠들어 있던, 혹은 무디어졌던 생명력이 놀랄 만큼 쉽게 깨어나는 것을 느낄 수 있다.

뿐만 아니라 연극은 본질적으로 모든 예술 중 가장 협동적이며 사회적인 활동이다. 초등학교 수준이건 고등학교 수준이건 연극 작품 하나를 무대에 올리기 위해서는 수십 명의 재능과 예술적 감각을 한 자리에 모아야 한다. 무대 위아래에서 벌어지는 모든 움직임이 한 편의 연극 안에서 이물감 없이 유기적으로 연결되어야 하기 때문에 배우와 연출자, 배우와 배우 간에 끊임없는 상호 작용이 꼭 필요하다. 나와 학생들이 올리는 공연에서는 배우들 대부분이 연기와 함께 기술 작업을 병행하기 때문에 동료들과 떨어져 혼자서만 작업하는 것이 애초부터 불가능하다. 처음에는 멋모르고 혼자 다 해 보려 하지만 그렇게 해서는 일이 되지 않음을 깨닫는 데는 오랜 시간이 필요치 않다. 손톤 와일더Thornton Wilder의 『벼랑 끝 삶The Skin of Our Teeth』을 준비할 때였다. 세트 제작을 맡은 두 학생이 자기들끼리 알아서 하겠다며 밖으로 나갔다. 하지만 두 사람이 만들어 온 배경은 연극 전체 분위기와 전혀 맞지 않을 뿐 아니라 너무 커서 극장 문으로 들여올 수조차 없었다! 당연히 다시 명확하게 의사소통하고 협력해서 적당한 크기의 배경을 새로 만들어야 했다.

이처럼 함께 연극을 만드는 과정은 예술 작업인 동시에 진정한 공동체를 향한 사회성 훈련이기도 하다. 나서기 좋아하고 늘 사람들의 주목을 끄는 '스타' 학생은 모든 장면에서 주도권을 잡는 대신 건강한 수준의 겸손을 배우고, 비중이 작은 단역을 맡은 소심한 학생은 자기 역할의 중요성을 깨닫고 그 가치를 제대로 평가하며, 현실에서는 만나기만 하면 으르렁대는 경쟁자라도 극중에서만큼은 평소 감정을 내려놓고 둘도 없는 죽마고우를 연기할 수 있어야 한다. 무대라는 시련의 장을 통해 연극에 임하는 모든 이는 각자의 약한 고리와 정면으로 만난다. 또한 개인적 욕망과 허영을 잠시 포기하고, 의미 있는 무대 경험을 창조하기 위해 다른 사람과 함께 마음을 모으는 일이 얼마나 가치 있는 지를 배우게 된다.

마지막으로 이야기하고 싶은 것은 연극이라는 허상을 통해 진실을 발견할 수 있다는 점이다. 랄프 왈도 에머슨Ralph Waldo Emerson은 시가 '역사보다 더 진리의 핵심에 가깝다'고 했다. 연극 역시 시만큼이나 깊은 깨달음을 줄 수 있다. 하지만 대체 어떻게 허상에서 진실을 만날 수 있다는 것일까?

두 장면을 떠올려 보자. 둘 다 현실이 아닌 가상에 몰두하고 있다. 첫 번째 장면은 한 소년이 혼자 컴퓨터 앞에 앉아 있는 장면이다. 빠르게 명멸하는 스크린의 창백한 빛이 소년의 얼굴 위에서 아른거린다. 소년은 바깥세상에서 벌어지는 일과 완전히 분리된 세계에 있다. 구름이 모였다 흩어지는지, 바람이 부는지, 마당에서 개가 양동이를 엎고 제풀에 놀라 짖어대는지 알지 못한다. 지금 소년에게는 스크린이 세상의 전부다. 스크린 크기로 축소된 세상 앞에서 최면에 걸린 듯 전함을 공격하고, 화면 속 적군에게 총구를 겨눈다. 자판을 정신없이 두드려 무기를 든 외계인을 사이버 세상 속에서 처치한다.

이번엔 작은 극장의 무대 위, 등받이 없는 둥근 의자에 앉은 소녀를 떠올려 보자. 손톤 와일더의 『우리 읍내Our Town』에서 에밀리 웹 역할을 맡은 소녀는 지금 상상의 아이스크림 가게에 앉아 상상의 딸기 아이스크림 소다를 홀짝이는 중이다. 옆에는 이웃집 친구 조지가 앉아 있다. 말은 조금 더듬지만 성실한 조지와 에밀리는 막 연인으로 발전하려는 참이다.

조　지: 있잖아, 에밀리. 난 네가 굉장히 좋아하는 사람을 찾게 된다면 말이야…. 그러니까… 그 사람도 널 좋아한다면…. 음, 난 그게 대학에 가는 것만큼이나 중요한 일이라고 생각해. 아니 그보다 훨씬 더. 난 그렇게 생각해.

(에밀리가 대답한다)

에밀리: 나도… 그게 엄청 중요하다고 생각해.

조　지: 에밀리….

에밀리: 으 응, 조지?

조　지: 에밀리, 만약에 내가 진짜 괜찮아지고, 내가 엄청 변한다면…만약에 그런다면… 너 나의… 그러니까 내 여자친….

에밀리: 난… 지금도 그래. 그리고 난 쭉 그렇다고 생각해 왔어.

컴퓨터 앞에 앉은 소년처럼 이 두 사람도 최면에 걸린 것 같은 표정이다. 하지만 이들이 최면에 걸린 대상은 상대방이다. 꿈결 같은 눈빛으로 서로를 바라보는 두 사람은 그 순간 다른 세상에 속한 것처럼 보인다. 자석에 끌리는 듯 서로를 향해 다가가다가 입술이 스치기 직전 조지가 황급히 정신을 차린다. 당황스러움과 욕망을 감추기 위해 아무 말이나 던진다.

조 지: 그러니까 우리 지금 중요한 얘기하고 있었던 거 맞지.

얼떨결에 들켜버린 서로의 속마음에 둘은 어찌할 바를 모르고 고개를 돌린다. 에밀리가 짧게 대답한다.

에밀리: 그… 그렇지.

컴퓨터 게임도 즐거울 수 있다. 하지만 컴퓨터는 앞에 앉은 사람에게 자극-반사 동작 외에 아무 것도 요구하지 않는다. 이에 비해 연극 『우리 읍내』에서는 관객과 배우 모두 '인간됨의 정수'에서 나오는 힘을 훨씬 더 많이 발휘해야 한다. 장면의 대부분을 상상으로 채워 넣어야 하기 때문이다. 무대 위 소품은 달랑 둥근 의자 두 개뿐이다. 현란한 특수 효과는 물론, 분위기를 잡아 줄 음악조차 없다. 배우뿐 아니라 관객도 장면에 몰입하기 위해서는 각자의 내면에 의존하는 수밖에 없다. 하지만 제대로 연기를 한다면 에밀리와 조지 역을 맡은 두 사람은 잊을 수 없는 인상, 어린 시절 첫사랑의 번개 같은 떨림을 기억하는 모든 이가 공감할 '진짜'를 만들어 낼 수 있다.

생명력을 불어넣고 살아 움직이게 하는 상상의 힘, 연극 특유의 협동성과 사회성, 진실을 구현하기 위한 무대 위의 노력. 연극의 이런 속성에는 인간보다 기술을, 실제보다 가상에 가치를 두는 데서 오는 우리 시대의 부정적 측면을 중화하는 힘이 있다. 종이에 적힌 문자를 살아 있는 언어로, 입체적이며 생동감 있는 인물로, 찬란한 빛을 발하는 진실의 순간으로 변형시키는 모든 과정은 예술적 연금술이라 할 수 있다. 연극 작업의 핵심에는 '육화 경험'이 있다. 아동기와 청소년기를 거치며 천천히 개인의 고유성을 발현하고 자기 것으로 체화하는 성장 과정 역시 육화 과정이다. 가장 온전하고 건강한 의미에서 아이들이 자신의 참모습을 구현하는 인간으로 자라도록 돕는 것이 교사와 부모의 가장 큰 과제라면, 연극은 분명 그 성장과 개별성의 발현을 지원할 수 있는 매우 역동적인 수단 중 하나다.

2. 연극의 뿌리와 연극 수업

청소년들은 연기하는 걸 좋아한다. 자신의 참모습을 탐색하는 과정에서 아이들 대부분은 어떤 식으로든 연기를 하며 살아간다. 오늘은 어제와 다른 새로운 인격을 입어 보고, 새로운 걸음걸이를 개발하고, 내일은 또 새로운 방식으로 머리를 손질하고 새로운 웃음소리를 시도한다. 거울 앞에서, 친구들 앞에서 다양한 포즈를 취해 본다. 이렇게 만들어 보여 주는 모습은 자신의 내적 자아를 대담하게 드러내는 것일 수도, 완벽하게 감추는 것일 수도 있다. 연극은 그런 실험과 시도를 공공연히 드러내는 자리다. 청소년들은 늘 자신이 아닌 누군가가 되기를 꿈꾼다. 이것은 속으로 앓는 사춘기적 불안과 고통을 잠시라도 벗어나려는 몸짓이다. 또한 청소년들은 연극 제작 현장의 팽팽한 긴장과 강도 높은 작업 과정을 사랑한다. 자신에게 관객을 웃게도 울게도 할 수 있는 힘이 있음을 발견할 때 어린 배우들은 짜릿한 기쁨을 느낀다. 그리고 공연이 끝나면 쏟아지는 찬사와 격려에 한껏 도취되어 세상을 다 가진 듯 흥분한다. 하지만 바로 이 느낌이 고금을 막론하고 모든 배우가 빠지기 쉬운 함정이다. 스타로 만들어 준다거나 당장 유명인이 되게 해 주겠다는 약속, 브로드웨이나 할리우드로 진출하게 해 줄 것 같은 기회에 홀려 곧장 연예계로 뛰어들기 쉽다.

그래서 동료 교사들과 나는 다른 방식으로 연극 수업을 진행한다. 몇몇 돋보이는 배우와 배역만 주목을 받고 나머지는 모두 들러리가 되는 연극이 아닌 시작부터 마무리까지 모든 단계마다 앙상블 같은 작업으로, 모든 구성원이 화음을 맞추고 조화를 이루는 연극, 즉 눈에 보이는 모습 이면의 내실을 강조했다. 또 우리는 연극의 근원이 사람들 대부분이 생각하는 것보다 훨씬 깊고 본질적인 부분과 연결되어 있음을 학생들이 이해하기를 원했다. 그래서 상급 과정에 올라온 학생들이 처음 만나는 과목 중 하나가 '연극 이야기'다.('희극과 비극' 수업이라 부르기도 한다) 이 수업을 통해 서양 정통 연극의 모태인 그리스 연극을 배운 학생들은 연극이 원래는 단순한 오락이나 볼거리가 아니었음을 알게 된다. 고대 그리스인에게 연극은 가장 숭고하고 고귀한 정신적 추구의 직접적인 표현 양식이었다. 잘 알려진 '아카데메이아'는 젊은 청년들에게 기하와 체조 등을 교육하기 위해 설립한 학교이다. 고대 그리스에는 아카데메이아 외에 신에 관한 지혜를 보존하고 전수하는 신비 학교들이 있었다. 여기에 두 신이 등장한다. 각각 신비학적 지혜를 추구함에 있어 완전히 상반되는 두 가지 태도를 대표하는 신이다. 빛과 이성, 치유와 중용의 신 아폴론을 따르는 제자들은 깨달음을 얻기 위해 자연과 세상으로 눈을 돌리는 수행을 했다. 이들은 할 수 있는 한 감정을 배제한 채 계절 변화와 하늘의 움직임, 자연의 순환을 관찰하면서 영원불변하는 법칙을 이해하고, 그 법칙이 열어 준 창문을 통해 정신적 실재를 만나려 노력했다. 아폴론을 따르는 이들의 신조는 '어떤 것도 지나치지 않게'라는 문장으로 요약할 수 있다.

또 다른 신비 학교의 수행은 디오니소스 신에게서 나왔다. '내면의 신'을 의미하는 디오니소스는 포도주의 신일뿐 아니라 열정과 영감, 꿈의 신이다. 그의 추종자들은 외부 자연이 아니라 인간 본성 내부를 바라보았고, 신성한 지혜, 깨달음을 얻기 위해 자기 내면 깊은 곳을 탐색했다. 그들의 으뜸가는 좌우명은 나중에 소크라테스가 사용해서 유명해진 문장, '너 자신을 알라'이다. 디오니소스의 제자들은 방탕하게 술을 마시고, 황홀경 속에서 미친 듯이 춤을 추고, 희생 제물로 바친 염소의 피와 고기를 배불리 먹으며 디오니소스의 삶과 죽음을 숭배했다.(아이들은 이 설명을 들으면서 동물 제의만 빼면 흥겨웠던 지난 주말 파티가 디오니소스 제례 요소를 대부분 갖추고 있었음을 깨닫고 슬며시 미소를 짓는다)

디오니소스를 기리는 제례 의식은 공연자와 관객이 있는 축제로 진화했다. 대규모 합창단(코러스)이 운율에 맞춰 이야기를 들려주던 초기 형태에 어느 순간 혁명적 도약이 일어난다. 합창 단원 한 사람이 무리를 벗어나 단독으로 무대 중앙에 서서 '말'로 소통하기 시작한 것이다. 그리스어로 그런 배우를 '휘포크리테스'라고 불렀다. 전승에 따르면 이 사건이 처음 일어난 것은 기원전 534년으로, 테스피스Thespis가 영감을 받아 최초의 배우로 나서서 합창단과 대화를 주고받았다고 한다. 그로부터 한 세대가 지나기 전 아이스킬로스Aeschylus가 두 번째 배우를 추가하고 합창단 규모를 축소하면서 그리스 연극의 황금기를 이끌었으며, 뒤이은 소포클레스Sophocles와 에우리피데스Euripides가 이 형식을 더욱 정교하게 다듬었다. 아이스킬로스에 관한 흥미로운 일화가 있다. 관객석에 앉아 연극을 관람하던 사제들이 아이스킬로스가 연극을 빌려 엄중하게 보호해야 하는 신비 지혜를 누설했다고 확신한 것이다. 그 자리에서 처형하겠다고 펄펄 뛰는 사제들을 피해 디오니소스 제단으로 피신한 아이스킬로스는 자신은 신비 지혜를 전수받은 입문자가 아니며 교단을 배신하고 비밀을 폭로할 의도가 전혀 없었음을 거듭 밝힌 뒤에야 간신히 목숨을 건질 수 있었다고 한다. 이 이야기를 통해 고대 연극이 정신적 깨달음의 추구와 얼마나 밀접하게 연결되었는지 짐작할 수 있다.

아리스토텔레스Aristoteles도 비슷한 말을 했다. 그는 저서 『시학Poetica』에서 훌륭한 비극의 목표는 각각 연민과 공포를 의미하는 엘레오스eleos와 포보스phobos를 청중에게 불러일으키고, 극이 진행되면서 그 두 감정의 정화, 즉 카타르시스에 이르는 것이라고 했다. 흥미롭게도 디오니소스 학교에서는 지나치게 내면만 응시하다 보면 무엇이든 자기 맘대로 행하려는 이기심이 자라는 동시에 자기 열정의 노예가 될 위험이 있다고 가르쳤으며, 아폴론 학교에서는 모든 주의를 외부 세상에만 집중하면 우주의 광활함 앞에서 자기 존재에 대한 감각이 사라질 것 같은 엄청난 공포에 사로잡힐 수 있다고 경고했다. 디오니소스의 길을 가는 입문자는 타인에 대한 폭넓은 이해와 자신의 이기적 욕망과 열정 사이에서 균형을 유지할 수 있을 때 엘레오스를 일깨울 수 있다고 배운다. 아폴론의 길을 가는 수행자는 자신을 잃어버릴 것 같은 공포를 '두려움 없는 응시'로 변형시킬 수 있을 때 아리스토텔레스가 말한 포보스를 경험할 수 있다고 배운다.

이런 관점에서 볼 때 모든 비극 공연은 배우와 관객 모두가 영혼의 평정에 이를 수 있도록 강력한 카타르시스적 경험을 제공하는 일종의 '소규모 정신세계 입문 의식'이었다. 그 경험은 신비 학교를 입학하는 선결 조건과 많은 점에서 일치한다. 신비 학교에서는 본격적으로 입문해 정신적 힘을 수양하기에 앞서 저급한 욕망과 감정을 정화할 것을 요구했다. 고대 그리스의 연극은 사람들 대부분이 상상하는 것보다 훨씬 더 신성한 의식이었을지도 모른다.

그로부터 2500년이나 지난 오늘날에도 연극은 여전히 피안의 세상을 꿈꾸게 하는 원초적 매력으로 무대와 영화를 사랑하는 사람들을 끌어당긴다. 기원과 배경을 알고 난 어린 배우들은 지금도 연극이 지향하는 차원 높은 의도를 이해하게 된다. 우리는 무대에서 펼쳐지는 이야기에서 감동을 받고, 깊은 영혼의 울림을 느끼고, 오랫동안 사람들의 뇌리에서 멀어졌던 진리를 되새기는 동시에 새로운 진리를 발견하고 싶어 한다. 청소년들과 함께 연극을 만들 때 우리의 목표는 크고 작은 모든 활동과 리허설, 그리고 모든 공연에 가능한 한 깊고 풍부한 의미를 담는 것이다.

동시에 우리는 연극이 놀이임을, 청소년들에게 연기란 자아 탐색의 수단일 뿐 아니라 어린 시절 상상 놀이의 연장선임을 잊지 않게 하려고 노력한다. 학교에서 연극을 준비하는 과정에 놀이와 활동, 즉흥 연기가 큰 비중을 차지하는 이유는 학생들이 상상력을 마음껏 펼쳐 보는 행위 자체에서 순수한 기쁨을 만끽하게 하기 위해서다. 이어지는 본문에서는 지난 20년 동안 동료 교사들과 내가 청소년들과 연극 수업을 하면서 연구하고 발전시킨 여러 방법을 소개한다. 여기에는 비올라 스폴린Viola Spolin, 피터 브리몬트Peter Bridgmont, 키스 존스톤Keith Johnstone을 비롯한 수많은 사람의 귀한 자료들이 녹아 있으며, 그중에서도 특히 큰 비중을 차지하는 것은 미하일 체호프Michael Chekhov의 방법론이다. 그가 발전시킨 연극 방법론의 바탕에는 인간에 대한 루돌프 슈타이너Rudolf Steiner*의 통찰이 깔려 있다. 1차 세계 대전 직후 슈타이너는 모든 인간은 정신적 존재이며, 사고, 감정, 의지라는 주요 능력이 성장 과정에 따라 차례차례 펼쳐진다는 관점에 근거한 교육 모델을 창시했다. 그는 성장 단계마다 나이에 맞는 교육 내용으로 이 세 가지 능력에 적절한 양분을 공급해야 한다고 했다.

영유아 단계에서는 아이들의 의지를, 1~8학년 담임 과정에서는 느낌과 감성을, 9~12학년 상급 과정에서는 사춘기와 함께 싹트기 시작하는 새로운 개념적 사고를 중심에 놓고 교육할 학교가 필요하다는 요구에 따라 발도르프학교가 생겨났다. 하지만 이 세 가지 능력은 생애 주기와 별개로 모든 인간 안에 하나로 긴밀하게 연결되어 있기 때문에 발도르프 교육은 전인 교육이 교육계 안에서 매력적인 개념으로 대두되기 오래 전부터 이미 인간을 전인적으로 바라보며 교육해 왔다고 말할 수 있다. 오늘날 교육계의 가장 큰 비극 중 하나는 학생을 지적 훈련의 대상으로만 보는 데 있다. 그 결과 교과 과정은 머리 학습 영역만 비대하고, 머리만큼 중요한 감정 영역은 빈약해지고 있다. 교육에서 감정과 느낌 영역은 춤, 노래, 회화, 조소, 시 쓰기, 연극 같은 예술 활동을 위한 자양분의 원천이다. 하지만 역으로 예술

* 루돌프 슈타이너(Rudolf Steiner, 1861~1925)오스트리아 빈 공과대학에서 물리와 화학을 공부했지만 실은 철학과 문학에 심취해 후일 독일 로스톡 대학교에서 철학 박사 학위를 받았다. 바이마르 괴테 유고국에서 괴테의 자연 과학 논설을 발행하면서 괴테의 자연관과 인간관을 정립하고 심화시켰다. 이후 정신세계와 영혼 세계를 물체 세계와 똑같은 정도로 중시하는 인지학을 창시하고, 철학적, 인지학적 정신과학에서 실생활에 적용할 수 있는 학문 분야를 개척하기 시작했다. 인지학을 근거로 하는 실용 학문에는 발도르프 교육학, 생명 역동 농법, 인지학적 의학과 약학, 사회과학 등 인간 생활의 모든 분야가 포함되며, 이 외에도 새로운 동작 예술인 오이리트미를 창시하고, 연극 예술과 조형 예술을 심화 발달시켰다. 스위스 도르나흐에 세운 괴테아눔은 현대 건축사에 중요한 한 획을 그은 건축물로 손꼽힌다. 출판되고 있는 루돌프 슈타이너의 저작물과 강의록은 현재 약 360권에 이른다._ 편집자

활동을 통해 감정 영역이 양분을 얻으며 건강하게 성장하는 것도 사실이다.

슈타이너 교육론에서 내가 늘 감동 받는 부분은 우리 삶의 사건들이 결코 무작위나 마구잡이로 일어나지 않는다는 확고하고 일관된 주장이다. 자연을 지배하는 불변의 질서가 있는 것처럼 인간의 성장 발달에도 일정한 법칙이 존재한다. 사실 발도르프학교의 교육 과정은 그 법칙성을 수업 형태로 표현한 것이다. 그 법칙성을 잘 담은 교육은, 분명 자신의 참모습을 찾고 개별성을 펼쳐 나가는 육화의 단계마다 성장하는 아이의 진정한 요구에 올바로 응답할 것이다.

여러 해 전 우리가 연극 수업을 처음 시작했을 때는 몇 가지 이유로 발도르프 교육 과정의 합리적인 순서와 질서를 잘 담아내지 못했다. 특히 연극 제작의 중반부에 이를 때면 예기치 못한 비바람과 돌풍을 만난 풋내기 선원처럼 어찌할 바를 모르고 우왕좌왕하기 일쑤였다. 자기 목소리도 안 들리는 폭풍우 속에서 상대에게 헛되이 고함을 질러대고, 안전하게 발 딛을 곳을 찾아 갑판 위를 이리 비틀 저리 비틀 헤매고, 한치 앞도 보이지 않는 짙은 안개 속에서 더듬더듬 항로를 찾았다. 그 풍랑 속에 배가 뒤집어지지 않은 것이, 그 혼란과 난리 통 속에서 어찌어찌 무사히 연극을 마칠 수 있었던 것이 지금 생각해 보면 기적 같은 일이다.

그런 처절한 경험을 몇 번 반복한 끝에, 구체적으로 말하자면 배역 선정 과정의 팽팽한 긴장, 연출 맡은 아이가 이성을 잃고 길길이 뛰는 순간, 공연 준비 때문에 다른 수업과 학교 생활이 엉망이 되는 상황, 공연이 하루하루 다가올수록 모두가 숨도 제대로 못 쉴 정도로 중압감에 눌리는 상태 등을 여러 번 경험하며 우리는 이 모든 혼란이 연극 제작 과정에서 진정 건강한 모습인가 반문하기 시작했다. 긴장을 유발하는 혼란 요소를 없애고, 다른 발도르프 교과 과정처럼 '법칙성'에 따라 연극 수업을 이끌 수 있는 방법은 없을까?

여러 해 동안 좌충우돌하며 실패를 반복한 끝에 나온 것이 이 책에 소개하는 방법론이다. 이는 완성된 체계가 아니라 청소년과 연극을 통해 만나며 계속 변형 발전시킬 단초에 불과하다. 이 방법론에는 두 가지 전제 조건이 있다.

1) 청소년은 나이에 맞는 연극 놀이와 훈련을 차근차근 경험할 때 더 좋은 배우, 사회적 감수성이 더 뛰어난 개인으로 성장할 수 있다.
2) '인간 발달 단계'에 따른 접근법을 연극 제작 전 과정에 적용한다.

연극 작업을 해 본 많은 사람에게는 두 번째 문장이 지극히 당연한 소리로 들릴 것이다. 무대 의상을 디자인하고 바느질하는 과정이 끝나기 전에 드레스 리허설로 건너뛸 수 없으며, 등장인물을 제대로 파악하기도 전에 학생들에게 맡은 배역에 대한 깊은 이해를 요구할 수 없고, 무대 동선과 배우 위치를 확정하기 전에 등퇴장 순간을 지정할 수 없는 법이다. 이 책에서는 지극히 당연해서 따로 설명할 필요가 없는 일반적인 연극 제작 과정 외에 일련의 몸풀기 활동, 연극 훈련, 리허설 방법을 소개한다. 우리는 이 활동들이 모든 연극이 거치기 마련인 유기적 변형 과정에 힘을 실어 준다고 믿는다. 뿐만 아니라 이 방법론은 과정과 결과 어느 쪽으로도 치우치지 않고 균형을 잡으려는 우리의 노력에도 큰 보탬이 되었다. 교사이자 연출자인 우리는, 공연이 가치 있는 궁극의 목표라는 점을 당연히 잊어서는 안 되지만, 연극을 만드는 전 과정이 어린 배우들에게 내면의 새로운 차원을 발견하는데 긍정적으로 기여하도록 노력해야 한다. 동시에 우리는 연극 경험이 우리 시대에 적합한 공동체 수립에 꼭 필요한 사회적 감수성을 키워 줄 수 있기를 소망한다.

[팔레스트라 출신 최고의 배우, 헤르큘라니움]
_ 프레스코화, 1세기 로마, 이탈리아 나폴리 국립 고고학 박물관 소장

3. 전체 그림 보기

청소년들과 연극을 만들 때 반드시 해결해야 하는 네 가지 과제가 있다.

블로킹 시각적으로 흥미롭게, 동시에 등장인물 간의 상호 작용이 선명하게 드러날 수 있도록 물리적 공간을 설계하고 '혼'을 불어넣는 작업

타이밍 장면에 따라 극의 진행 속도가 달라져도 무대 위 연기가 일관된 질을 유지하며 매끄럽게 연결되도록 동작을 멈추고 시작하는 타이밍을 구체화하는 작업

분위기 장면마다 스며들어 내용을 강화시키는, 극 전체에 흘러넘치며 눈에 보이지는 않지만 통합된 흐름으로 장면을 연결시켜 줄 적절한 분위기를 만드는 작업

인물 성격화 등장인물의 갈등, 실패, 꿈, 승리에 관객들이 공감할 수 있도록 입체적이며 현실감 있는 인물의 개성과 이미지를 창조하는 작업

하지만 아무리 중요하고 다급한 과제라 해도 연극에 참여하는 사람

모두가 작품의 '전체 그림'을 이해하고 마음속에 분명한 표상을 세우기 전에 섣불리 그 과제에 달려들어서는 안 된다. 우리는 본격적인 연습에 들어가기 전 준비 단계에서 적어도 몇 주 동안 학생들과 대본을 소리 내어 꼼꼼히 읽는 시간을 갖는다. 이것은 중심 주제와 함께 전체적 리듬과 흐름을 파악하고 익히는 과정이다. 다른 모든 공연처럼 실무 단계에서 제일 처음 해결해야 하는 과제는 극 전체를 아우르는 핵심 이미지를 뽑아 예술적이면서 사람들의 눈길을 사로잡을 수 있는 포스터로 옮기는 작업이다. 학생들은 이리 궁리하고 저리 시도하면서 오랜 시간 이 과제에 매달린다. 『십이야Twelfth Night』 포스터를 만들 때 한 학생은 쌍둥이라는 주제를 위해 윤곽선만으로 복잡하게 얽힌 두 개의 거울 대칭 이미지를 그린 뒤, 흑백으로 음영을 넣어 효과를 극대화했다. 『분노의 포도Grapes of Wrath』 포스터의 중심 이미지로 사람과 냄비, 침구가 터질 듯이 들어 찬 고물 자동차를 그린 학생도 있었다.

극의 온전한 상을 파악하기 위한 이런 활동은 머리에만 국한된 작업이 아닌 단순한 실무 이상의 의미가 있다. 미하일 체호프는 배우들에게 1막 첫 장면에서도 막이 내리는 마지막 순간의 상을 지니고 연기해야 하며, 이를 위해 연극 위를 '날아'다니며 전체를 한눈에 조망하는 상상 연습을 제안했다. 왜 이런 조언을 했을까? 연기를 통해 관객에게 전해지는 내용에서 겉으로 드러난 요소만큼이나 감추어진 속마음, 희미하게 꿈틀대기 시작하는 충동, 들키고 싶지 않은 욕망처럼 눈에 보이지 않는 부분 역시 중요하기 때문이다. 배우의 사고 역시 엄연한 실재라고 볼 때, 연극 전체를 아우르는 상을 갖고 있는지 여부는 연기의 일관성과 통일성에 분명 유의미한 역할을 할 것이다.

상황이나 사건의 전체 그림을 보려고 노력하는 태도나 그럴 힘을 가진 사람이 점점 줄어드는 것은 우리가 너무나 복잡하고 파편화된 시대를 살고 있다는 반증이다. 특히 청소년기는 본질적으로 자기 생각에 빠져 주변을 보지 못하는 시기이다보니 '큰 그림'을 놓치기가 더 쉽다. 연극 수업의 목표 중 하나는 학생들이 연극의 전체 문양과 큰 흐름, 이면에 깔린 의도와 목표를 온전히 통찰하도록 돕는 것이다. 이런 훈련을 통해 젊은 배우들은 우리 시대에 점점 희귀해져 가는 폭넓은 시야를 터득해 간다.

배우들에게 작품을 다채로운 색깔이 유기적으로 연결된 하나의 태피스트리로 보는 눈이 열리면 비로소 우리는 위에서 언급한, 연극을 성공으로 이끌기 위한 핵심 과제들(블로킹, 인물 성격화, 타이밍, 분위기)을 수업 내용에 통합하기 시작한다. 그러면 이 요소들을 어떤 순서로 도입해야 할까? 과거에 이 모든 과제를 동시에 해결하려 할 때 얻은 것은 혼란과 과도한 중압감뿐이었다. 그래서 우리는 명확한 방향 설정을 위해 발도르프 교육의 기본, 즉 성장하는 인간에 대한 슈타이너의 통찰로 돌아가기로 했다. 연극이 구체적인 작품으로 육화되는 과정이 우리가 지도하는 학생들의 육화 과정과 내용면에서 많은 부분 일치한다고 보기 때문이다.

중력 이기기

생후 2, 3년 동안 아이는 주로 '공간' 차원에서 세상을 인식한다. 요람에 누운 아기는 처음에는 무질서하게 팔다리를 움직이지만 얼마 지나지 않아 몸을 뒤집고 팔로 상체를 들어 올리는 법을 터득하고 길 준비를 한다.

아이마다 성장 속도는 조금씩 다르지만 거치는 순서는 모두가 대동소이하다. 생후 6개월부터 기는 아이가 있고 좀 늦게 시작하는 아이가 있지만 기는 단계를 거친 뒤 걷는 것은 마찬가지다. 두 발로 일어선 뒤 기적과도 같은 첫 걸음마를 떼고, 걷기 시작한 뒤에 말을 시작한다. 이 시기 아이들은 중력을 극복하고 주변의 물리적 공간을 탐색하는 것이 존재의 의미인 것처럼 온 힘을 다해 집중한다. 깨어 있을 때는 쉬지 않고 움직이면서 주변 사물의 촉감과 모양을 익히고, 서서히 사물 간의 거리도 파악해 간다. 지금부터 20년 전, 당시 두 살이던 아들이 청명한 어느 겨울밤 부엌 유리문 앞에 못 박힌 듯 서서 휘영청 떠오른 보름달의 은빛 광채를 지켜보던 모습이 아직도 생생하다. 오랫동안 그렇게 서서 바라보던 아이는 팔을 뻗어 손가락으로 달을 움켜쥐려고 했다. 거듭된 실패에도 굴하지 않고 팔이 아플 때까지 시도하면서 아이는 저 멀리 있는 달을 행복한 얼굴로 우러러보았다. 셀 수 없이 많은 그런 순간을 통해 우리는 가능성과 함께 공간적 한계를 배운다.

타고난 인간 성향이 공간 속에서 자기 위치와 방향을 찾으려는 욕구가 다른 모든 것보다 앞선다는 점에 주목한 우리는 모든 연극 수업을 움직임과 동작 연습으로 시작해 그 기반 위에 다른 활동을 쌓아 올렸다. 셰익스피어William Shakespeare는 시인에 대해 '존재하지도 않는 것에 이름을 지어 주고 거처를 마련해 주는 자'(『한여름 밤의 꿈』 5막 1장)라고 했다. 이는 연극 연출자에게도 해당한다. 연극에서 블로킹(입, 퇴장 위치, 연기 공간 배치, 인물들 간의 공간적 관계 등에 대한 대강의 개요)은 세상 속에 사물의 자리와 이름을 마련해 주는 셰익스피어의 시인처럼 젊은 배우들이 무대 위에서 안정감 있게 자리를 잡게 해 준다. 아직은 연극 속에서 자기가 누구인지는 모를 수 있어도 어디에 서 있어야 하는지는 조금씩 파악해 간다.

'누구'라는 질문 역시 그냥 넘어갈 수 없다. 인물이 살아 움직이는 것이 결국 모든 연극의 기본이기 때문이다. 맡은 인물이 '어떻게' 움직이는지 아직 전혀 감을 잡지 못한 학생들을 무대 위에서 돌아다니게 하는 것은 말이 어느 방향으로 움직일 수 있는지 모르는 채 체스를 두려는 것과 같다. 따라서 처음에는 맡은 인물의 독특한 몸짓, 걸음걸이, 신체 특징을 몸에 익히는데 집중한다. 인물을 충분히 알고 나면 아이들은 두려움, 소망, 동기, 인물의 성장 동력처럼 인물 묘사에 깊이와 입체성을 더해 줄 내면 영역으로 자연스럽게 넘어갈 것이다. 사실 이 인물 작업이야말로 젊은 배우들에게 가장 비중 있고 의미 있는 과제다. 공연을 준비하는 처음부터 마지막까지 인물을 성장시키는 데 모든 에너지를 집중해야 한다.(이에 관해서는 '9. 다른 인물 이해하기'에서 자세히 다룰 것이다)

연극의 맥박

무대 공간과 인물의 움직임에 대한 감각이 안정되면 비로소 타이밍이라고 부르는 시간 요소를 정교하게 다듬기 시작한다. 연극 연출을 해 본 사람은 누구나 공감하겠지만 타이밍은 배우들의 동선과 위치를 정하는 블로킹보다 훨씬 어려운 일이며, 무대 움직임의 물리적 '지도'가 나온 뒤에야 정확하게 그려 넣을 수 있는 작업이다. 인생을 둘러싼 거대한 시공간의 연속체 위에서 살아가는 우리는 시간의 의미와 특질을 이해하기 오래 전부터 공간을 정복한다. 마당에서 놀고 있는 다섯 살짜리 아이에게 10분 뒤에 저녁 먹으러 들어오라고 말해 보라. 다시 부르지 않으면 아이는 해가 져서 어두워지는데도 민들레 솜털을 불며 하염없이 놀 것이다. 아니면 할머니 댁에 도착하려면 앞으로 세 시간만 더 차를 타고 가면 된다고 말해 준 다음, 아이가 한 시간 안에 몇 번이나 '이제 다 왔어요?'라고 묻는지 세어 보라. 6, 7세 무렵이 되면 사방치기나 긴 줄 넘기, 고무줄넘기 같은 리드미컬한 놀이를 통해 조금씩 시간에 대한 신체 감각을 키운다. 얼마 지나면 시간을 의식적으로 파악하고 활용할 수 있다. 발도르프학교에서는 3학년 때 시계 읽는 법을 가르친다. 9세가 되면 꽤 먼 과거도 돌아볼 수 있는 힘이 생기기 때문에 "어렸을 때 난 참 귀여운 아기였어." 같은 말도 곧잘 한다. 미래를 향해 무언가를 소망하거나 일어나지 않은 일을 걱정하기도 한다. 언젠간 죽을 수밖에 없는 유한한 존재라는 깨달음이 처음 희미하게 떠오르는 것도 이 시기다.

이런 아동기의 본능적 시간 감각이 연극에서는 인물의 속도를 파악하는 중요한 도구가 된다. 움직일 때 뒤꿈치를 질질 끄는가, 아니면 잰 걸음으로 날듯이 지나가는가? 신진대사가 참새처럼 신속하고 활발한가, 아니면 황소처럼 더딘가? 호흡이 느리고 안정적인가, 아니면 얕고 불안한가? 말소리가 지루하고 답답한가, 아니면 속사포처럼 쏘아붙이는가?

이런 질문을 특정 장면뿐만 아니라 연극 전체의 '호흡'으로도 확대할 수 있다. 셰익스피어는 극중 호흡의 완급을 조절하고 변화를 주는데 신묘하리만치 탁월한 솜씨를 보여 준다. 『햄릿Hamlet』에서는 모든 사건이 절정에 이르는 마지막 장 직전에 무덤 파는 이의 냉소적 유머를 기가 막히게 배치해서 관객이 꼭 필요한 순간에 '날숨'을 쉴 수 있게 해 준다. 이처럼 연극 안에 들숨과 날숨을 잘 배치하면 객석 전체의 호흡이 깊어진다. 반대로 속도 조절에 실패해 인물들이 정면으로 충돌하는 장면에서 숨도 안 쉬고 서로에게 퍼붓게 하면 객석의 입과 코를 틀어막는 것과 다름없기 때문에 관객과 배우 모두 갑갑하고 불만족스런 느낌을 갖게 된다.

이렇듯 작품의 시간적 구조는 행위가 펼쳐지는 공간만큼이나 확실한 인상을 남긴다. 연극 속 리듬이 연극의 내부 공간을 조각한다고도 말할 수 있다. 햄릿이 오필리어에게 '수녀원으로 가라'고 말하는 장면에서 그 강렬한 속도감에 빨려들지 않을 사람이 어디 있겠는가? 처음에는 일부러 아주 다정하게 인사를 건넨다. 그러다가 자기가 '미친' 원인을 찾느라 그녀를 그녀의 아버지가 매달아 놓은 '미끼'라는 햄릿의 의심이 불에 기름을 부은 듯 맹렬하게 타오르면서 걷잡을 수 없는 상황으로 치닫는다. 조금씩 빨라지다가 결국 탈선한 기관차처럼 예측할 수 없는 힘으로 폭주하는 햄릿의 말로 인해 오필리어는 그만 넋이 나간 채 무너져 버린다. 이런 역동적인 속도 변화는 찢어지는 마찰음을 내며 미끄러지는 자동차 타이어가 아스팔트 위에 새긴 검은 자국처럼 관객에게 선명한 잔상을 남긴다.

분위기 충전하기

관객의 마음을 사로잡는 작품을 보면 예외 없이 배우들이 무대 위에서 창조하는 일종의 '대기'가 있다. 그것은 눈에 보이지 않는 전기처럼 장면 속에 스며들어 분위기를 충전하고 확장한다. 청소년기 이전에는 '공간을 채우는 분위기'라는 개념을 이해하거나 실행하기엔 아직 어리다. 초등 과정 연극이 아무리 연기가 뛰어나고 무대가 정교해도 깊이나 차원이 부족하다고 느끼게 되는 이유 중 하나다. 살아 있는 떨림으로 분위기를 충전할 수 있는 힘은 사춘기 이후에나 가능하다. 어린이에서 청소년이 되는 기적 같은 변형은 매끄러운 대리석 계단 하나를 오르듯 수월하고 쉬운 과제가 아니다. 아동기와 사춘기의 차이는 촛불과 거대한 산불만큼이나 크다. 균형 잡힌 팔다리와 세상을 신뢰하는 맑은 눈동자를 지닌 10세 아이를 보면서 도저히 같은 아이라고 믿기 힘든 극적인 체형 변화와 폭풍 같은 내면 변화를 겪는 4, 5년 뒤의 모습을 누가 상상할 수 있겠는가? 보통 청소년에게 아이를 잉태할 수 있는 생물학적 능력이 생기는 신체적 성장에는 많은 의미를 부여한다. 하지만 지금까지와는 차원이 다른 개념적 사고, 추상적 사고를 형성하는 새로운 능력의 성장에도 그만한 주의를 기울이고 있을까? 청소년들이 매혹당하고 빠져들기 시작하는 낯설고도 풍부한 내면의 신세계에 대해서는 또 어떠한가? 아동기에는 호수를 보면서 그 표면을 살짝 스치고 가는 정도로도 만족하지만, 청소년들은 물속으로 풍덩 뛰어들어 이면에 도사린 으스스한 형상과 어두운 동굴, 현란한 색채로 가득 찬 경이로운 세계를 발견하고 싶어 한다.

새로이 깨어난 내면세계의 성장과 함께 찾아오는 예측 불가한 감정의 폭풍우를 경험한 뒤에야 비로소 그 소용돌이를 무대 위에서 재현할 수 있는 힘이 생긴다. 여러 해 전 7학년 학생들과 『기적을 만든 사람들Miracle Worker』을 무대에 올린 적이 있다. 정말 어려운 학급이었다. 최악일 때는 아무도 손댈 엄두를 못 내는 무례한 폭도가 되고, 최선일 때도 주체할 수 없을 만큼 힘이 넘쳐 누구의 말도 듣지 않는 아이들이었다. 이들과 함께 정서적 울림이 깊은 『기적을 만든 사람들』을 만드는 건 보통 위험천만한 도전이 아니었지만, 어찌어찌해서 아이들은 끓어 넘치는 에너지에 고삐를 걸고 따라와 주었다. 헬렌 켈러와 애니 설리번 역을 맡은 두 여학생은 재능이 매우 뛰어났는데, 그것이 가장 빛을 발한 건 식당 장면이었다. 헬렌 역을 맡은 학생은 정말로 어둠의 세상에 갇혀 버릇없이 자란 아이처럼 연기했다. 식사 중에 식탁 위를 마구 더듬으며 돌아다니고, 다른 사람 접시 위 음식을 내키는 대로 손으로 집어먹는가 하면, 먹기 싫은 것은 바닥에 집어던졌다. 이런 고삐 풀린 야만성을 더 이상 눈 뜨고 봐줄 수 없었던 설리번 선생은 다른 식구들을 모두 식당에서 내보낸 뒤 헬렌에게 기본적인 식사 예절을 가르친다. 이어지는 두 사람의 의지 대결은 연극사상 손에 꼽을 만큼 격렬한 전쟁에 속할 것이다. 헬렌과 정면으로 맞붙은 설리번 선생은 헬렌을 잡아 일으켜 의자에 앉히고 무릎에 냅킨을 펴 올린 다음 포크로 음식을 먹게 했다. 헬렌은 온 힘을 다해 반항하면서 발로 차고 물어뜯고 발버둥 쳤지만 단호하게 마음먹은 낯선 이의 강한 팔을 벗어날 도리가 없었다.

정말 아이러니하게도 이렇게 격렬한 몸싸움 장면은 자기 제어력이 상당한 배우만이 제대로 연기할 수 있다. 두 여학생은 상대가 다치지 않도록 자기 움직임을 철저하게 계산하는 동시에 모든 감정과 힘을 끌어내 분노와 쇠심줄 같은 고집을 표현해야 했다. 이런 면을 부각시키기 위해 이들은 장면 전체에 예민하고 까칠한 긴장감이 배어 있도록 노력했다. 당시 13세밖에 안된 아이들이었지만 두 배우는 각자의 생동감 넘치는 상상력과 막 깨어나기 시작한 감정의 힘에 기대어 불꽃 튀는 강렬한 장면을 창조했다.

그릇 키우기

20년 전에 나는 배우였던 친한 친구에게 사소한 문제를 두고 투덜댄 적이 있다. 친구는 내게 시야가 너무 좁고 혼자 생각에만 빠져 있다고 지적하면서 그렇게 하찮은 문제로 골머리를 앓는 건 수준에 맞지 않는 일이니 '그릇을 키우라'고 했다. 무슨 문제였는지 지금은 기억도 나지 않지만 친구의 조언은 한 번도 잊은 적이 없을 뿐 아니라 나의 어린 배우들에게도 그 지혜로운 말을 조언으로 자주 활용한다. 스스로 그어 놓은 한계를 벗어나 다른 사람과 만드는 상호 작용 속에서 생겨나는 새로운 가능성에 마음을 열 때 우리의 인격은 범위가 넓어지고 그릇이 커진다.

앞서 나는 어떤 작품이건 인물의 성격을 형상화하는 작업이 연극 제작의 핵심이자 막이 내리는 순간까지 계속 놓지 말아야 하는 과제라고 했다. 공간 속에서 위치와 방향 찾기, 적절한 속도감 익히기, 전체를 관통하는 객관적 분위기 만들기 단계를 거치면서 배우들은 설득력 있는 인물을 만들기 위해 노력한다. 하지만 실제 삶에서는 이 육화 과정이 세상 무엇보다 어렵고 힘든 과제다. 자신이 누구인지를 알아가는 것과 맡은 인물의 본성을 구현하는 육화 과정이야말로 인간됨의 본래 의미와 가장 맞닿아 있기 때문이다. 사람들은 이 비밀스러운 '자아'를 평생 동안 찾아 헤맨다. 어떤 이는 밝고 환한 대로를 걸으면서, 어떤 이는 출입이 금지된 오솔길에서 어렵게 길을 만들면서 자아를 찾는다. 그렇다면 아직 자아가 완전히 형성되지 않은 청소년은 맡은 배역의 본질적 자아를 어떻게 찾을 수 있을까?

여성 작가가 남성 주인공을 통찰력 있게 제대로 묘사한다거나, 젊은 극작가가 노인의 심리를 꿰뚫는 작품을 내놓는 경우가 있다. 젊은 배우들의 과제도 이와 비슷하다. 관찰력도 필요하지만 무엇보다 중요한 것은 경계를 뛰어 넘는 상상력이다. 월트 휘트먼Walt Whitman이 『나 자신의 노래Song of Myself』에서 노래한, '나는 거대하다, 나는 다수를 품고 있다.'는 분명이 보편한 진리를 가리킨다. 모든 사람의 내면에는 남자와 여자가 있다. 참

을성 많은 사람과 투지 넘치는 사람, 심약한 사람과 대담한 사람, 실수 많고 서툰 사람과 우아하고 품위 있는 사람이 모두 있다. 그 존재를 인지하고 풀어놓기만 하면 된다. 상상의 힘은 잠겨져 있는 모든 문을 열고 자신의 영혼 속 존재조차 몰랐던 아득히 먼 영역에 가닿을 수 있다.

그래서 우리는 수십 가지 상상 연습을 이용해 어린 배우들이 자기 안의 다양한 얼굴을 일깨우게 돕는다. 그중에 인물을 형상화하는 기초 작업으로, 눈을 감은 채 표상을 만드는 연습이 있다. 먼저 머리 위에서부터 원피스를 훌렁 걸치듯 글자 그대로 인물을 입으라고 한다. 이제 특정 장면에서 그 인물이 앉거나 선 자세를 떠올리고, 그 자세에서 대사 한 마디를 어떻게 할지, 그 대사를 할 때 손이나 머리로 어떤 몸짓을 취할 지 등을 차례로 뚜렷하게 시각화한다. 다음엔 눈을 감은 채 직접 그 자세를 취해 보라고 한다. 신호와 함께 모두 동시에 눈을 뜨면서 살아 있는 인물이 되어 마음속에 떠올린 몸짓과 함께 각자가 생각한 대사를 한다. 극중 인물이 6살 때는, 90살 때는 어떤 모습일지 즉흥 연기로 표현해 본다. 그 인물이 연인에게 보내는 연애편지를 써 보고, 본인의 장례식에 참석했다고 생각하며 짧은 연설도 해 본다.

상상을 이용한 인물 형상화

청소년들과 연극을 만들 때 상상력을 이용해 인물을 형상화하는 연습은, 요즘 가장 영향력 있는 연기 기법인 '메소드 이론'을 대체할 대안이 될 수 있다. 메소드 연기의 기본 원리 중 하나는 배우가 연기에 필요한 감정을 자신의 기억 저장소를 뒤져 찾아내는 것이다. 무대 위에서 분노를 표현해야 한다면 과거 경험 중 부모나 친구로 인해 분노가 치밀었던 상황을 찾는다. 감정을 찾아 일깨운 다음에는 현재로 불러낸 감정을 연기 상황에 맞게 제어하고 재현하는 법을 배운다. 배우에게는 아주 매력적인 방법이다. 연기의 질을 높이기 위해 개인적 경험을 깊이 들여다봐야 하기 때문이다. 20세기의 세계적으로 유명한 배우들 중에는 메소드 연기로 실감나는 연기를 펼친 사람들이 적지 않다.

하지만 이 기법이 청소년들에게도 적절할까? 이런 문제 제기에는 몇 가지 근거가 있다. 과거에 겪은 진짜 감정과 지금 예술적 목적을 위해 '다시 불 지핀' 감정을 구별하는데 필요한 객관성이 아이들에게 충분히 발달했을까 하는 것이다. 그 구분은 숙련된 성인 배우에게도 쉽지 않은 일이다. 예전에 순회 극단에서 맥베스 부인 역을 맡았던 배우 이야기를 들은 적이 있다. 그녀는 일주일에 8회씩 몇 주 동안이나 그 어려운 역할을 맡아 연기했다. 알다시피 멕베스 부인은 연극 역사상 가장 무자비하고 악의적인 인물에 속한다. 순회 일정이 절반쯤 지났을 때 극단은 그 배역을 다른 배우로 교체할 수밖에 없었다. 배우가 메소드 기법에 지나치게 몰입해 자신의 본모습과 멕베스 부인을 분리하지 못하는, 다시 말해 멕베스 부인에게 빙의되는 지경에 이르렀기 때문이다. 연기를 위해 기억을 뒤져서 찾아낸 자신의 어둡고 타락한 측면이 배우로서의 삶뿐만 아니라 개인적 삶까지 완전히 잠식해 버린 것이다. 그 배우는 끝내 자신이 만든 창조물을 벗어나지 못했다.

이런 식으로 배역과 깊이 얽히는 위험을 방지하고 싶을 때 좋은 대안이 앞에서 설명한 상상력을 이용한 방법이다. 상상을 이용한 연기는 그 타격이 크지 않으며, 자체에 안전장치도 있기 때문이다. 어떤 배역이든 연극 의상처럼 몸에 걸친다고 생각하면 벗는 것도 그만큼 쉽다. 나는 학생들이 막이 오르기 몇 분 전, 의상을 갖춰 입고 분장까지 한 상태에서도 평소 모습 그대로 재잘대다가 무대에 오르는 순간 『겨울 이야기A Winter's Tale』의 분노에 찬 레온테스나 『샤이오의 광녀Madwoman in Chaillot』의 광녀로 순식간에 돌변하는 것을 보며 늘 감탄하곤 한다. 그러다가 마지막 커튼콜이 끝나는 순간 언제 그랬냐는 듯 금세 산만하고 부산한, '약간 정상이 아닌 평소대로인' 10대 청소년으로 돌아와서 방금 끝낸 연극보다 뒤풀이 계획에 골몰한다. 상상을 이용한 연기는 청소년들에게 맡은 배역을 쉽게 벗을 수 있는 힘과 함께 연극을 만드는 과정에서 결코 침해해서는 안 되는 배우의 본질적 자유를 유지할 수 있는 힘을 준다.

청소년들에게 메소드 기법을 가르치는 것을 우려하는 또 다른 이유는, 그 기법이 아이들이 건강하게 세상을 만나도록 돕기보다 자기 안으로 더 깊이 빠져 들어가게 한다는 점이다. 청소년기는 원래 자신이 만든 주관적 틀 속에 갇히기 쉬운데 배우를 꿈꾸는 아이들은 말할 것도 없다. 지극히 주관적인 필터로 세상을 보는 것이 청소년기의 특성이기 때문이다. 루돌프 슈타이너는 상급 과정 교사들에게 아이들을 각자의 주관성에서 벗어나 더 넓고 객관적인 세계로 나가게 도와주어야 한다고 힘주어 말했다. 특별히 메소드 기법을 배우지 않아도 청소년 배우들은 연극의 진짜 핵심인 인물 간의 상호작용보다 오직 맡은 역할, 자기가 나오는 장면에만 집중하는 경향이 있다.

우리는 연습 후반부에 접어들면 학생들이 자기 역할이라는 좁은 한계를 부수고 나와 연극 속 모든 인물을 '포용'함으로써 각자의 세계를 넓히는 연습을 집중적으로 배치한다. 장면 연습 시간에 다른 사람과 대사, 소품은 물론 배역까지 통째로 바꿔서 연기해 보는 것이다. 무대 위에서 서로의 그림자가 되거나, 몸풀기 시간에 짝을 지어 상대의 대사나 동작을 비추는 거울이 되어 보기도 한다. 다른 사람의 경험 속으로 들어가는 연습을 되풀이 하면서 학생들은 자기 경계를 넘어서는 한 차원 높은 의식을 키워나가게 된다. 이런 측면에서 연극은 우리 시대가 맞닥뜨린 가장 어려운 과제, 즉 타인의 고유성을 인식하는 감각을 키우기 위한 창조적 도구가 될 수 있다. 자신의 자아도 잃지 않으면서 다른 모든 사람 안에 존재하는 개별 자아를 존중할 수 없다면 공동체가 무슨 의미가 있겠는가?

연극의 마지막 재료, 관객

연극이 어느 정도 모양새를 갖추도록 몇 주 동안 정신없이 이리 뛰고 저리 뛰었지만 공연 3일 전에 "딱 일주일만 더 있으면 이렇게까지 엉망인 상태로 공연을 올리지는 않을 텐데!"라고 한탄해 본 적 없는 연출자가 어디 있을까? 시간은 '늘' 부족하다. 막이 오를 때까지 5분도 남지 않은 순간이 되면 연출자는 조용한 구석을 찾아 마음속으로 간절한 기도를 올린다. 우리를 이끌어 주는 그 어떤 존재라도 좋으니 제발 테이프로 덕지덕지 붙여 놓은 무대가 무너지지 않게 해 달라고 기도하고, 분장실을 아무리 뒤져도 옷핀을 찾을 수 없어 머리핀을 구부려 간신히 고정시켜 놓은 주인공의 드레스가 터지지 않게 해 달라고 애원하고, 심부름꾼 역을 맡은 겁먹은 배우가 비록 지금까지 연습에서는 다섯 줄밖에 안 되는 대사를 한 번도 제대로 한 적이 없지만 무대에서만큼은 제대로 할 수 있게 해 달라고 겸손히 요청한다.

돌이켜보니 많은 경우 기도에 응답을 받았다. 무대는 무너지기는커녕 흔들리지도 않았으며, 드레스도 멀쩡하고, 심부름꾼은 대사를 제대로 기억했을 뿐 아니라 권위와 복종을 완벽하게 섞어서 표현했다. 『밀크우드 아래서 Under Milkwood』에서 캣 선장역을 맡은 배우는 갑자기 연출자가 처음부터 마음속에 그렸던 해묵은 바닷소금 같은 목소리를 정확히 냈다. 극 중 인물들은 그 어느 때보다도 생생하게 살아 움직인다. 지금까지 서로에게 제대로 눈길을 주지 않던 인물들이 진심으로 서로의 이야기에 귀를 기울인다. 배우들은 대사 중간의 공백을 진실한 감정으로 채운다. 어떤 배우들은 연습 기간에 한 번도 보이지 않았던 독창적인 몸짓을 자연스럽게 연기한다. 대체 무슨 일이 일어난 걸까? 무대 위로 신의 은총이 쏟아져 내리기라도 한 걸까?

이런 마법은 연극 제작의 마지막 재료인 관객을 더할 때 일어난다. 어린 배우들에게 첫 공연의 짜릿한 느낌, 온갖 감정을 동원해서 채워 보려 애썼던 주변 대기가 갑자기 기대와 흥분으로 맥박 뛰는 순간을 미리 알려 주고 준비시키기란 불가능하다. 설명하기 어려운, 연금술과도 같은 마법으로 관객은 배우가 지난 몇 달 동안 지겹도록 반복했던 대사에 생각지도 못한 완전히 새로운 활력을 불어넣는다. 이러한 기적이 일어나면 연극은 연출자의 노력과 상관없는, 별개의 생명력을 가진 존재로 살아나 숨을 쉰다. 연극에 참여한 남자들에게 이 과정이 새 생명을 출산하는 경험에 가장 가까이 다가가는 순간이라면, 여자들에게는 앞으로 겪게 될 산고의 예고편이라고도 할 수 있을 것이다. 그리고 연출자에게는 바로 이 순간이 막이 내리면서 쏟아질 박수갈채나 부모들이 건네는 찬사의 말, 아니, 그 모든 노력의 열매를 이제야 선명하게 볼 수 있게 된 어린 배우들의 감사 인사보다 더 간절히 바라는 순간이다. 이렇게 연극이 탄생하는 순간을 맞이할 때마다 우리를 이끌어 주는 정신 존재의 현존을 거듭 확신하게 된다. 연극에 찾아온 관객은 우리가 상상하는 것보다 훨씬 더 크고 많을지도 모른다.

모모
장소: 청계자유발도르프학교 강당
일시 : 2015년 12월 12(토), 13(일) 4시
8학년 이상 관람 가능
THE PRINCE AND THE PAUPER
8학년 졸업연극
8학년 마침연극
하얀 동그라미
재판
날짜: 2015년 11월 14(토)일 15(일)일
시간: 토 A 2:00 일 B 3:00
B 6:00 A 6:00
장소 청계자유발도르프학교 강당
Antigone
2012. 12학년 졸업연극
12월 14·15일 6시 학교강당

Ⅱ

연극 수업과 연기
_연극의 육화

연극에서 협동 작업을 가로막는 가장 큰 장애물이자,
이 세상에 진정한 공동체를 만드는 데 가장 큰 걸림돌은
다른 사람의 관점이 지닌 가치를 제대로 보지 못하는 우리의
무능에 있다. 우리는 자의가 아닌 운명의 강요로 다른 사람의
입장에 서 보고서야 비로소 그 가치를 인식하는 경우가 많다.
'역할 바꾸기' 같은 연극 활동은 그런 차이를 제대로 알아보고
귀하게 여기는데 필요한 인식을 확장하는데 도움을 준다.

본문 151쪽에서

4. 몸 자유롭게 하기

앞서 설명한 인간 발달에 상응하는 방식으로 연극 연습의 틀을 짠다면 첫 번째 단계는 아이들이 공간적으로 세상을 알아가는 영유아기에 해당한다. 그래서 우리는 먼저 배우들이 신체적 공간 감각, 방향 감각을 키우는 데 집중한다. 공간 속에서 방향 잡기는 크게 세 단계로 진행된다.

1) 먼저 참가자들이 팔다리와 몸을 쭉 펴고 이완하도록 돕는 몸풀기 활동과 놀이
2) 큰 틀에서 인물과 상황의 공간적 관계를 설정하는 길 만들기 과정인 블로킹 작업
3) 각자 맡은 인물의 신체적 특성을 탐색하는 과정

몸풀기 활동

배우도 전문 연주자나 가수처럼 자신이라는 악기를 조율하는 시간이 필요하다. 하지만 학생들과 함께 하는 연극 수업에서 이 시간은 '가볍게' 몸을 푸는 이상의 의미를 갖는다. 직전에 무슨 수업이나 활동을 했든 연극 수업에 몰입할 수 있게 하는 전환점이 되기 때문이다. 어린 배우들이 온몸의 피가 다 빠져나간 것처럼 팔다리를 무겁게 끌며 교실로 들어오면 몸을 따뜻하게 데워 주는 활동을 택한다. 반대로 아이들이 제멋대로 쓰러지는 볼링 핀처럼 무질서하게 뛰어 다닌다면 에너지를 집중하고 진정하게 만드는 활동을 한다. 때로는 청소년기에 자주 일어나는 내적 긴장을 해소하는 연습을 택한다.

몸풀기 활동은 수업이나 장면 연습 시간 처음에 배치한다. 언제나 그렇듯 연극 준비 시간은 늘 부족하기 때문에 이를 건너뛰고 바로 장면 연습으로 들어가고 싶은 유혹이 때로는 떨쳐버리기 어려울 정도로 크다. 하지만 지름길을 택하는 건 감자를 익히지 않고 날로 먹는 것만큼이나 어리석은 선택이다. 당시에는 학생들이 별 탈 없이 날감자를 주는 대로 꿀떡 삼킬지 모르지만, 시간이 지나면 분명 배가 아프고 소화가 안 된다고 투덜거릴 것이다. 몸풀기 활동과 놀이는 단거리 경주(바로 이어질 장면 연습)의 준비 과정일 뿐 아니라 장거리 경주를 위해서도 꼭 필요하다. 집중력과 융통성, 주변을 인식하는 힘, 현재에 충실한 마음가짐, 놀이하는 태도 등 연극의 밑바탕이 되는 기본 자질을 키워 주기 때문이다.

이제부터 소개하는 활동은 대부분 큰 원을 만들어 하는 것이 좋다. 원은 모두가 모여 전체를 이룬다는 생각을 강화하는데 가장 좋은 형태이기 때문이다. 원을 이루고 섰을 때 사람들은 다른 모두와 동일한 관계를 가지며 중심과도 모두 동일한 거리를 유지한다. 앞과 뒤에 숨을 곳도 없으며, 이끄는 사람과 따르는 사람이 분명하게 나뉘지 않는다. 원 안에서 일어나는 일은 본질적으로 흩어진 것을 하나로 연결하고 통합시키는 힘이 있다. 특히 이런 특성이 강한 활동을 중심으로 소개한다.

{활동 4-1} 네!

한 사람 A가 원에서 맞은편에 있는 사람에게 눈빛을 보낸다. 눈빛을 받은 B가 알아차리고 "네!"라고 말할 때까지 계속 쳐다본다. 그런 다음 처음 눈빛을 보낸 A는 원 가운데를 지나 B의 자리로 건너간다. A가 움직이는 동안 B는 맞은편의 C와 눈을 마주친다. C가 눈빛을 받아 "네!"라고 외치면, B는 또 C의 자리로 옮긴다. B가 움직이는 동안 C는 또 맞은편의 D와 눈을 마주치는 식으로 이어진다. 처음에는 천천히 진행해야 한다. 모든 사람이 다 눈을 마주치고 차례로 자리를 옮겼으면 대답 없이 눈만 마주치는 단계로 넘어간다. "네!"라고 외치는 대신 머리를 살짝 끄덕이는 식으로 반응하고 움직이는 것이다. 학생들을 집중시키고 차분하게 만드는 데 효과가 좋은 활동이다.

{활동 4-2} 공 던지기

한 사람이 테니스공이나 콩 주머니를 들고 선다. 공을 든 사람은 원 안의 누군가를 택해 눈빛을 교환한다. 그 사람의 이름을 부르면서 '잘 조준해서 아래에서 위로 신중하게' 공을 던진다. 이것은 던지는 사람과 받는 사람이 실제 공을 주고받기 전에 진정한 접촉과 교감을 나누는 것이 중요함을 강조하는 활동이다. 역동적인 무대를 만드는 핵심인 '주고받기'가 무엇인지를 단순하지만 상징적 차원에서 보여 준다.

조금 난이도를 높인 변형은 공 두 개를 동시에 돌리는 것이다. 또 다른 변형은 원으로 서 있는 사람들이 '바퀴가 구르듯' 한 방향으로 걸어가면서 함께 움직이는 상대가 받을 수 있도록 공을 던지는 것이다.

이제부터 원 둘레를 따라 뭔가를 전달하는 활동 몇 가지를 소개한다. 속도에 집중하는 활동도 있고, 정확성에 집중하는 활동도 있다.

{활동 4-3} 전기 전달하기

모두 손을 잡고 원을 만든다. 한 사람이 옆 사람 손을 꼭 쥐면 그 사람도 다른 쪽 옆 사람 손을 꼭 쥐어 전기를 전달한다. 가능한 한 빨리 전기를 전달해 맨 처음 보낸 사람에게 돌아오게 하는 것이 목적이다. 두 가지 변형이 있다. 1) 눈을 감고 전달한다. 훨씬 빠르게 전달될 것이다. 2) 능숙해지면 전기를 시계 방향과 반시계 방향으로 동시에 전달한다. 시작하기 전에 학생들에게 아주 정신없고 혼란스러울 거란 말을 미리 해 주어야 한다.

{활동 4-4} 스트레칭 전달하기

한 사람이 목을 돌리거나 허리를 돌리거나 발가락을 손으로 짚는 등 스트레칭 동작을 한다. 오른쪽 또는 왼쪽에 있는 사람이 처음 동작을 이어받아 똑같이 한 뒤 하나를 추가한다. 그 다음 사람은 첫 번째, 두 번째 동작에 세 번째 동작을 더한다. 이 활동의 목표는 몸의 긴장을 푸는 동시에 앞사람의 동작을 정확하게 관찰해서 가능한 한 똑같이 따라하는 것이다.

{활동 4-5} 표정 전달하기

한 사람이 우스꽝스러운 표정을 짓는다. 얼굴을 찌그러뜨리기 위해 손가락을 써도 좋고 안 써도 상관없다. 옆 사람을 향해 얼굴을 돌리고 그 사람이 똑같이 따라하는 동안 표정을 유지한 채 가만히 기다린다. 그렇게 계속 옆으로 전달한다. 이것은 절제력을 키우는 데도 아주 좋은 연습이다. 괴상한 얼굴을 옆 사람에게 전달한다는 사실만으로도 웃음보가 터지기 때문이다.

{활동 4-6} 소리 전달하기

이 활동은 입과 목, 호흡 등 연기에서 핵심 역할을 하는 기관의 긴장을 풀기 위해 배우들이 이용하는 수많은 발성 연습 중 하나다. 자음이나 모음 소리 하나를 내면서 옆 사람 쪽으로 돌아본다. 가능한 한 숨을 길게 내뱉으면서 "쉬이이이이"나 "크으으으으", "아아아아아아" 같은 소리를 낸다. 소리를 받은 사람은 지체 없이 옆 사람에게 전달한다. 모음으로 한 바퀴를 다 돌면 자음으로, 다시 모음으로 소리를 바꿔 본다. 한 방향으로는 이 소리를, 반대 방향으로는 다른 소리를 동시에 보낼 수도 있다.

{활동 4-7} 박수 전달하기

한 사람이 손뼉을 한 번 치는 것으로 시작한다. 옆 사람이 최대한 빨리 연결해서 손뼉을 치면서 '박수 파도'를 만든다.

{활동 4-8} 점프 전달하기

이번에는 쥐 한 마리가 둥글게 선 사람들의 발밑을 쏜살같이 뛰어간다고 상상해 보자. 쥐를 피하는 것처럼 한 사람이 한 발로 깡충 뛰면 다음 사람이 빠르게 연달아서 깡충 뛴다. 그 다음 사람도 보이지 않는 쥐가 지나갈 수 있도록 길을 내주면서 똑같이 따라 한다. 이 활동의 핵심은 '예상'이다.

{활동 4-9} 상상 속 물건 전달하기

이것은 사실 외과 의사가 지녀야 하는 정확성과 생생한 시각화를 요구하는 무언극 활동이다. 먼저 한 사람이 허공에서 팔과 손을 이리저리 움직여 우산 같은 일상적 사물을 만들어 낸다. 곡선으로 된 나무 손잡이, 우산 펼치는 단추까지 아주 섬세하고 정확하게 만들어야 한다. 몸짓으로 이런 사물을 만들어 내기 위해서는 강한 집중력과 몰입이 필요하다. 상상으로 떠올린 것을 손으로 섬세하게 빚어서 존재하게 만들었을 때만 진짜처럼 보이기 때문이다. 상상으로 만든 물건이라도 무게, 촉감, 명확한 경계, 부피, 심지어 색깔까지 표현해야 한다!

우산이 눈에 '보이게 되면' 옆 사람에게 건네준다. 그것이 무엇인지 알아본 옆 사람은 먼저 탁탁 두드려 빗물을 털어내는 식으로 우산을 이용한다. 그런 다음 다른 사물로 변형시킨다. 마법의 손으로 길게 잡아 늘이거나, 작게 뭉치거나, 속을 파내서 원래 사물에서 새로운 사물을 창조한다. 가령 우산을 이리저리 누르고 주물러서 요요로 만들었다면 완성된 요요로 몇 가지 재주를 부린 다음 옆 사람에게 넘겨준다.

지나치게 활동적인 학급에서 이 활동을 하면 학생들이 눈에 띄게 집중하는 동시에 차분해진다. 학생들은 자신들이 만든 상상의 사물과 재치 있는 변형들을 보며 즐거워할 것이다. 창의적이고 솜씨 좋은 아이들의 손이 아니면 대걸레가 개구리로, 또 갈퀴가 옷가방으로 변하는 것을 어디서 볼 수 있겠는가?

{활동 4-10} 노래로 안내하기

이 활동은 발성 연습이자 집중해서 잘 듣는 힘이 필요하다. 먼저 두 명씩 짝을 짓는다. 한 사람은 눈을 감는다. 다른 사람은 눈을 뜨고, 눈을 감은 짝의 '등 뒤'에 서서 노래를 부르거나 허밍을 한다. 다 아는 노래를 가사까지 불러도 되고 즉석에서 작곡한 허밍도 상관없다. 아무 노래나 부르면서 천천히 뒤로 혹은 옆으로 움직인다. 단, 눈 감은 짝이 들을 수 있을 만큼 거리를 항상 유지해야 한다. 호머Homeros의 『오디세이아Odysseia』에는 사이렌의 노래에 홀린 뱃사공들이 꼼짝 없이 그 소리에 끌려 다니다 물에 빠져 죽는 이야기가 나온다. 눈을 감은 사람은 그들처럼 짝의 노랫소리를 따라 걸어간다. 하지만 이야기처럼 난파시키는 것이 목표가 아니기 때문에 노래 부르는 사람은 눈 감은 짝을 다른 사람들과 부딪치지 않도록 안전하게 이끈다. 모두가 짝을 지어 동시에 교실을 돌아다니기 때문에 혼잡할 수 있어 주의해야 한다.

{활동 4-11} 조였다 풀었다

이 활동은 서서 해도 좋지만 등을 대고 누워서 하는 것이 더욱 효과적이다. 먼저 발가락부터 시작한다. 다섯을 셀 동안 발의 모든 근육을 꽉 조이고 숨을 멈추었다가 내쉬면서 발의 긴장을 푼다. 이번에는 종아리로 올라와서 다시 몇 초 동안 근육을 꽉 조이면서 숨을 참았다가 내쉬면서 푼다. 주요 근육들로 옮겨가면서 반복한다. 어깨와 목 부분에서는 특별히 주의를 기울인다. 떠들썩한 교실을 진정시키거나 긴장 가득했던 장면 연습을 마칠 때 매우 효과적이다.

{활동 4-12} 균형 찾기

가능한 한 바른 자세로 두발을 모으고 선다. 시선을 멀리 있는 한 점에 고정한다. 발을 움직이거나 균형을 잃지 않는 한도에서 최대한 앞으로 무게중심을 옮긴다. 앞으로 기울인 상태로 몇 초 동안 유지한다. 다시 한 번 균형을 잃지 않도록 주의하면서 이번에는 몸을 최대한 뒤로 젖힌다. 마지막으로 양극 사이의 균형점을 찾아 움직이며 자리를 잡는다. 이 활동을 통해 학생들은 평형 상태에서 찾아오는 안정감의 참맛을 느낀다

{활동 4-13} 돛대 되기

또 다른 이완 활동으로 참가자들은 눈을 감은 채 자기 몸이 배의 돛대라고 상상한다. 두 발을 모으고 허리를 꼿꼿이 편 채 잔잔하게 배에 부딪히는 파도의 움직임에 따라 앞뒤로 몸을 흔든다. 폭풍이 와서 파도가 거세지면 돛대도 중심을 잃기 직전까지 세차게 좌우로 또 아래위로 흔들린다.

{활동 4-14} 손 레슬링

몸무게나 키에 상관없이 둘씩 짝을 짓고 마주 본다. 손가락을 편 채 서로 손바닥을 맞대고 말없이 손으로 '대화'를 한다. 손으로 서로를 밀었다가 저항도 해 보면서 둘 사이의 공간을 탐색한다. 둘 중 한 명이 주도적으로 동작을 이끌고 다음 번엔 다른 사람이 이끈다. 그런 다음에는 둘 다 주도권을 잡지 않고, 즉, 누구의 의지도 내세우지 않은 채 두 사람의 손이 어느 방향으로 움직이고 싶은지 함께 '감'을 잡아 본다. 마지막 단계는 상당히 어렵다. 학생들에게 두 사람의 손이 전혀 닿지 않은 상태에서 상대의 움직임을 거울처럼 반영해 보라고 한다. (〈활동 6-2 거울〉 참조)

시작하기에 앞서 학생들에게 누가 이기고 지는 경쟁이나, 어느 쪽이 먼저 균형을 잃는 지를 보기 위한 활동이 아니라는 점을 미리 일러둔다. 이 활동의 목적은 손바닥으로 주의 깊게 '귀 기울이면서' 말로 표현하지 않지만 두 사람 간에 생겨나는 힘의 흐름을 듣는 감각을 키우는 것이다.

{활동 4-15} 수천 가지 방법으로 죽기

학생들에게 감정을 과장하는 신파극의 한 장면처럼, 혹은 우스꽝스럽거나 기발한 방식으로 죽는 법을 상상해 보라고 한 다음 각자 떠올린 죽음을 연기하라고 한다. 모두 동시에 해도 좋지만 가급적이면 차례대로 쓰러지게 한다. 몇 가지 인상적인 죽음 연기 중에는 칫솔을 삼켜 죽은 경우, 낙하산 착륙 실패로 납작해진 채 인생을 마감한 경우, 머리 위로 역기를 들어 올렸다가 떨어뜨리는 바람에 깔려 버린 경우, 바닥에 떨어진 전선을 손으로 집어서 감전사 당한 경우 등이 있다. 아주 오랫동안 고통에 시달리며 죽어가는 과정을 연기해 보는 것도 좋다. 칼에 찔린 상태로 천천히 죽어 가는 연기나 『한여름 밤의 꿈A Midsummer Night's Dream』에서 어이없을 만큼 오랫동안 헐떡이며 숨이 넘어가는 피라모스를 연상하면서 몇 분 동안 물 밖에 나온 물고기처럼 펄떡거리다가 죽는 연기, 또는 여러 번 죽음의 고비를 넘어갔다 되돌아오는 것처럼 오랫동안 신음 소리를 내며 온몸을 부르르 떨다가 잠잠해지기를 반복하는 연기를 해 본다.

{활동 4-16} 원 안의 거울

한 사람이 임의로 한 동작(너무 오래 생각하지 않게 한다)을 소리와 함께 한다. 예를 들어 팔로 날갯짓을 하면서 발을 교대로 깡충거리고 입으로는 "휘이이이입!" 하고 소리를 내는 식이다. 이 사람이 동작을 끝내면 둥글게 서 있는 모든 사람이 동시에 최대한 정확하게 그 동작과 소리를 따라 한다.

놀이

연극 수업에서 오로지 재미를 위해 놀이를 하는 경우는 거의 없다. 다음에 소개하는 모든 놀이에는 연극에 필요한 기본 능력을 신장하는데 도움을 주는 요소들이 있다. 기본 능력에는 어떤 것이 있을까? 대부분 놀이는 수준 높은 사회성과 외부에서 무슨 일이 일어나고 있는지 알아채는 예민한 감각을 요구한다. 빠른 사고와 민첩한 반사 신경, 침착함, 긴장된 상황에서 중심을 잡는 힘 등이 필요한 놀이도 있고, 내적 유연성을 키울 것을 요구하는 놀이도 있다. 이런 놀이들은 사실상 공연 도중 발생하는 예기치 못한 흐름에 적절히 대처하기 위해 배우에게 꼭 필요한 내적 민첩함을 키우는 훈련의 장이라 할 수 있다.

{활동 4-17} 잡았다!

A가 원 가운데 서서 B의 이름을 부른다. B는 자기 이름을 듣는 즉시 바닥에 웅크려 앉고, B의 양쪽에 있는 두 사람(C, D)은 서로를 가리키며 "잡았다!"고 말해야 한다. 이 놀이에서는 반응 속도가 느린 사람이 불리하다. 빨리 바닥에 앉지 못했을 경우 B는 양쪽 두 사람(C, D)이 B에게 불꽃을 보내고 그중 하나라도 맞으면 술래가 돼서 원 가운데 사람과 자리를 바꾼다. B가 빨리 몸을 숙이면 C와 D 중에서 "잡았다!"를 늦게 외친 사람이 술래가 되어서 원 가운데로 간다. 원 가운데 있던 술래는 자기 대신 들어온 사람 자리로 들어간다. 이 놀이는 이름을 익히고 친해지기 시작할 때 좋다. 구성원끼리 서로 잘 아는 사이일 때도 민첩함, 활력과 함께 엄청난 집중력을 자극하는 데 도움을 준다.

{활동 4-18} 집/잽/좁

'잡았다!'처럼 이 놀이도 빠른 반사 신경과 함께 벌새처럼 예민하게 주변을 느끼는 감각을 요구한다. 모두가 둥글게 서서 손가락이 위로 가게, 손바닥을 편 채 두 손을 모아 가슴 앞에 놓는다. 한 사람이 샌드위치처럼 포갠 열 손가락으로 맞은편 사람을 가리키며 "집"이라고 외친다. 지목 당한 사람은 다른 사람 또는 방금 자기를 지목한 사람을 향해 "잽"이라고 외친다. 세 번째 사람 역시 박자를 놓치지 않고 자기에게 '잽'을 보낸 사람 또는 또 다른 사람을 가리키며 "좁"이라고 외친다.

여기서 중요한 것은 '집, 잽, 좁, 집, 잽, 좁'의 순서를 틀리지 않게 말하는 것이다. 학생들이 놀이에 능숙해질수록 속도를 점점 높인다. 지목을 당했는데 박자에 맞게 대답을 못하거나 '집, 잽, 좁'의 순서를 틀리게 말하는 사람은 원에서 나가 적극적 관찰자가 된다. 주고받는 속도를 계속 높이다 보면 마지막엔 두세 사람만 살아남아 불꽃 튀는 결전을 펼치게 된다.

{활동 4-19} 인생 역전

이 놀이는 매우 역동적이기 때문에 넓은 공간이 필요하다. 참가자들은 두 명이 한 쌍이 되어 팔짱을 끼고 둥글게 선다. 쫓아가는 술래와 도망 다니는 사람을 한 명씩 정하고 시작한다. 쫓기는 사람이 도망 다니다가 팔짱을 끼고 있는 두 명 중 어느 한 사람의 팔짱을 끼면 술래에게 잡히지 않는다. 하지만 그 순간 세 사람 중 먼저 팔짱을 끼고 있던 반대쪽 사람은 팔짱을 풀고 술래가 되어야 한다. 그와 동시에 지금까지 술래였던 사람은 갑자기 쫓기는 사람이 된다. 이렇게 이 놀이는 정신없고 시끌벅적하다. 처지가 순식간에 바뀌는 상황에 침착함을 잃지 않는 법을 배우기에 이보다 더 좋은 신체 활동은 흔치 않다.

{활동 4-20} 대장을 찾아라

이 놀이는 비올라 스폴린이 쓴 독보적인 책 『연극을 위한 즉흥 훈련Improvisation for Theater』에 실린 수백 가지 역동적 활동 중 하나다. 학생들은 원을 이루고 선다. 술래를 자원한 한 사람은 대장을 뽑는 동안 교실 밖으로 잠시 나간다. 대장이 먼저 두드리기, 손뼉 치기, 고개 끄덕이기 같은 리드미컬한 움직임을 시작하면 다른 모든 사람은 최대한 정확하게 대장의 움직임을 따라한다. 교실 밖에 있던 술래가 들어와서 원 가운데 선 다음 움직임을 처음 시작한 사람이 누구인지를 찾는다. 술래가 대장을 찾는 동안 솜씨 좋은 대장은 살짝 움직임을 바꿀 수도 있다. 그러면 다른 사람들도 재빨리 따라해야 한다. 물론 대장을 표 나게 쳐다보아서는 안 된다. 누가 움직임을 시작했는지를 술래가 정확하게 맞추면 들킨 대장은 다음 번 술래가 되어 교실 밖으로 나간다.

{활동 4-21} 큰길과 골목길(고양이와 쥐)

한 줄에 4~6명씩, 적어도 4~6줄을 만들어 선다. 한 팔 길이 이내로 일정한 간격을 유지한다. 앞뒤 사람과 양쪽으로 손을 잡으면 '큰길(세로)'이 된다. 앞뒤로 잡은 손을 놓고 양옆에 있는 사람들과 손을 잡으면 '골목길(가로)'이 된다.

두 명은 따로 나와 선다. 한 사람은 고양이, 다른 사람은 쥐다. 고양이는 큰길의 한쪽 끝에서, 쥐는 반대편 끝에서 출발한다. 당연히 고양이가 쥐를 쫓는다. 고양이가 쥐를 손으로 건드리면 잡는 것이다. 하지만 교사가 "바꿔!"라고 말하는 즉시 서 있는 학생들은 '큰길'에서 '골목길'로, '골목길'에서 '큰길'로 대형을 바꾼다. 고양이가 달려가던 넓은 대로가 갑자기 높은 돌 벽으로 변하는 것이다. 고양이는 벽을 뛰어 넘거나 아래로 지나갈 수 없고, 학생들이 팔로 만드는 길을 통해서만 갈 수 있다. 교사는 "바꿔!"라는 구령을 자주, 그리고 예측할 수 없는 순간에 외쳐야 한다.

{활동 4-22} '하하'와 '히히'

교사와 아이들이 함께 둥글게 원을 이루어 자리에 앉는다. 교사는 연필이나 공, 책, 포크처럼 평범한 물건 두 개를 준비해서 하나는 '하하', 다른 하나는 '히히'라고 명명한다. (사실 이름은 무엇이든 상관없다. 얼마 전에는 '스포보'와 '필리'처럼 아무 뜻 없는 이름을 붙인 적도 있다) 그런 다음 왼쪽에 앉은 아이에게 물건 하나를 건네주면서 "하하를 줄게."라고 말한다. 여기 있는 사람들은 들은 것을 곧바로 잊어버리기 때문에 "뭐라고?"라고 되묻는다. 그러면 다시 한 번 "하하야."라고 말해 준다. 그러면 하하를 받은 사람은 다음 사람을 보면서 "하하를 줄게."라고 말하며 물건을 건네준다. 세 번째 사람이 "뭐라고?"라고 되묻지만, 두 번째 사람은 이미 까먹었기 때문에 다시 첫 번째 사람에게 물어야 한다. "뭐라고?"라고 두 번째 사람이 물으면 다시 첫 번째 사람이 "하하야."라고 대답한다. 그러면 다시 두 번째 사람이 세 번째 사람에게 알려 준다. "하하야." 물건이 몇 사람 손을 거치고 나면 서로 주고받는 말이 메아리와 메아리의 메아리처럼 빙빙 돌 것이다. "하하를 줄게." "뭐라고?" "뭐라고?" "뭐라고?" "뭐라고?" "뭐라고?" "하하야." "하하야." "하하야." "하하야." "하하야."

지금까지 설명으로도 충분히 복잡해 보일 수 있지만 진짜 혼란은 반대 방향으로 두 번째 물건을 건네줄 때 시작된다. 시계 방향으로는 '하하'가, 반시계 방향으로는 '히히'가 돌아간다. '하하'와 '히히'의 고리가 만나면 어떻게 될까? "뭐라고?" "뭐라고?"가 양 방향에서 동시에 오고, 다시 양 방향으로 돌려주어야 하는 이 순간에 혼란은 극에 달한다. 하지만 대개의 경우 어떻게든 정신을 차리고 두 물건을 제 길로 보내 주는데 성공한다. 여러 번 처음부터 다시 시작하고, 중간에 오도 가도 못하는 상황에 처하기도 하지만 배가 아프도록 웃을 수 있다.

{활동 4-23} 웃음 참기

이 놀이는 20년 전에 출간되어 거의 한 세대 동안 창의적이면서 경쟁적이지 않은 놀이를 확산시켜 온, 이제는 고전의 반열에 오른 『새로운 놀이들New Games』에 수록된 것으로, 무대 위에서 자신을 통제하는 힘을 키워야 하는 청소년들에게 안성맞춤이다. 아마추어 연극에서 공연의 질을 떨어뜨리는 대표적인 행동 중 하나는 배우가 역할에서 벗어나 적절치 않은 순간에 웃음을 터뜨리는 것이다. '웃음 참기'는 어리고 경험 없는 배우들이 빠지기 쉬운 이런 상황을 방지하는데 도움이 되는 놀이이다.

참가자들은 두 줄로 나누어 가운데 지나다닐 만큼 간격을 두고 마주보고 선다. 양쪽에 서 있는 사람들을 보면서 한 사람씩 천천히 통로를 따라 걸어간다. 서 있는 사람들은 걸어가는 사람을 어떻게든 웃게 만들려고 애를 쓴다. 우스꽝스런 표정을 짓고, 만화 주인공 목소리를 흉내 내고, 농담을 던지고, 야유를 보내고, 그 사람의 평소 말투나 몸짓을 따라하고, (저급하지 않은) 흉을 보기도 하는 등 직접 몸을 건드리는 것만 빼고 뭐든 할 수 있다. 간지럼을 태우거나 밀거나 쿡쿡 찌르거나 위협하는 행동은 엄격하게 금지한다! 그 사람이 입꼬리 한 번 올리지 않고 통로를 지나가면 축하를 받으며 줄 끝에 선다. 실패하면 한 번 더 통로를 지나기 위해 다시 앞줄로 돌아오고, 다음 사람이 그 길을 바위처럼 근엄한 표정을 유지하면서 지나기 위해 나선다.

{활동 4-24} 얼음 공

〈활동 4-2 공 던지기〉와 마찬가지로 물건을 던지는 사람과 받을 사람 모두가 서로를 민감하게 의식해야 한다. 그렇지 않으면 그 귀한 물건(사실은 공)이 깨지고 말 것이다. 양측 모두 성공적인 '의사소통'을 위해 둘 사이에 오가는 것(공)에 온전히 집중해야 한다.

이 놀이의 난이도를 높이려면 사람들을 움직이게 한다. 원을 따라 도는 것이 아니라 마음 내키는 대로 교실 여기저기를 돌아다닌다. 하지만 어디에 있든 모든 사람은 공을 가지고 있는 사람에게 집중해야 한다. 허공에 던진 공을 잡는 순간, 방 안에 있는 모든 사람이 얼음이 된다. 공을 잡은 사람이 움직여야 얼음에서 풀려난다. 놀이의 집중도와 긴장을 한층 높이는 방법은 공을 세상에서 가장 깨지기 쉽거나 소중한 물건으로 상상하며 주고받는 것이다.

먼저 공을 가진 사람이 받을 사람과 눈을 맞춘 뒤 공을 던지면 교실 이곳저곳을 돌아다니던 모든 사람이 받을 사람 쪽으로 쏜살같이 뛰어온다. 혹시라도 공이 빗나가서 바닥에 떨어지지 않도록 그 사람을 에워싸고 온 몸으로 공을 받아낸다. 아까와 마찬가지로 공을 잡는 순간 모든 사람은 얼음이 된다.

이 놀이는 연극에서 어떤 순간에도 가장 중요한 중심부에 항상 집중하고 주의를 기울여야 함을 가르치는데 더할 나위 없는 수단이다. 또한 공 던지는 사람은 자신의 몸짓 언어가 의미하는 바를 한층 확실하게 인식하게 된다. 공 받을 생각을 전혀 못하고 있는 사람에게 느닷없이 공을 던지기 쉽기 때문이다. 이 놀이의 진정한 과제는 자신의 의도에 대한 정확하면서 예리한 감각을 키우는 것이다. 분명한 의도를 갖고 행동할 때 다른 배우들은 안심하고 그 사람의 행동을 '읽을' 수 있다.

5. 블로킹

블로킹이란 용어가 연극의 공간적 지도를 만드는 과정을 의미하지는 않는다. 용어 자체는 오히려 경직되고 거추장스러우며, 한 번 정하면 변경할 수 없는 결정사항이라는 인상을 주기 때문에 사실 있던 의욕마저 사라지게 하는 따분한 작업이기 쉽다. 어떤 연출자는 미리 장면마다 배우가 꼭 해야 하는 몸짓, 동선을 종이에 완벽한 도표로 그려 온 다음, 그 계획에 따라 학생들을 장기판의 말처럼 무대 이쪽에서 저쪽으로 옮겨 놓는다. 그런 식으로는 활기 없는 연극이 나올 수밖에 없다. 그 인물이 왜 그렇게 행동하는지 전혀 파악하지 못한 어린 배우들은 미리 짜놓은 동선에 따라 무대 위를 기계적으로 왔다 갔다 할 뿐이기 때문이다.

초반 블로킹 작업은 훨씬 유연하고 역동적으로 진행하는 것이 좋다. 물론 연출자는 장면과 장면 사이, 장면 안에서 예상되는 전반적인 동선과 배치를 어느 정도 마음속에 그리고 있어야 한다. 그렇다고 장면 연습을 한 번도 해 보지 않은 상태에서 연극 전체의 블로킹을 정확한 지도로 그릴 수 있고, 그것이 털끝 하나 바꿀 수 없는 완전체라고 생각하는 연출자는 필시 스스로를 기만하는 사람이다. 등퇴장 위치는 무대 상황에 따라 달라져야 한다. 왼쪽에서 오른쪽으로, 뒤에서 앞으로 무대를 가로질러 가는 움직임은 추상적인 계획이 아니라 등장인물 간의 상호 작용 속에서 자연스럽게 자라나야 하는 것이다. 블로킹 계획에 일부러 주기적으로 작은 변화를 줄 수도 있다. 그러면 배우들이 더 새롭고 유연한 태도로 작품을 대할 수 있게 된다.

순회 공연에서는 블로킹이 달라질 수밖에 없다. 몇 년 전 10학년 학생들이 『윈저의 유쾌한 아낙네들The Merry Wives of Windsor』을 미국 북동부 여러 학교를 돌아다니며 공연한 적이 있다. 첫 번째 학교에서는 작은 체육관 한쪽 끝에 마련된 아주 불안정하고 어색한 공간에서 공연을 해야 했다. 객석이 무대 절반을 둘러싼 변형된 원형 무대로, 객석을 지나 밖으로 나가게 되어 있는 구조인 우리 학교 강당과 달리 이 학교의 무대는 깊이가 아주 깊고 폭은 절반밖에 되지 않으며 관객과 완전히 분리된 구조였다. 우리는 한 번밖에 없는 오후 연습 시간에 블로킹을 통째로 바꿀 수밖에 없었다. 더군다나 다섯 시간이나 버스를 타고 온 터라 나는 저녁 먹을 때쯤이면 새로 짠 블로킹의 절반은 아이들 마음속에서 깨끗이 증발할 거라 예상했다. 하지만 그날 저녁 공연에서 배우들은 지금껏 본 적 없는 생동감 넘치는 연기를 보여 주었다. 학생들이 즉흥적으로 동선을 바꾸고 상대의 바뀐 연기에 척척 대응해 주는 것을 무대 아래에서 지켜보면서 나는 긴장감에 안절부절 못하는 동시에 놀람과 경탄을 금할 수 없었다. 어떤 장면에서는 동선을 혼동한 배우가 원래 나오는 방향의 반대인 왼쪽에서 등장했다. 무대 위에 있던 여학생이 평소처럼 오른쪽으로 몸을 돌려 그를 부르는데 느닷없이 그가 등 뒤에서 나타난 것이다. 여학생은 얼른 고개를 돌리며 즉흥적으로 "어머, 거기 있었어요? 괜히 한 바퀴 돌았네."라고 말하는 것이 아닌가. 침착하게 맡은 배역의 마음가짐을 유지하면서 친구의 실수를 감쪽같이 덮어 준 것이다. 관객들은 지금 눈앞에서 펼쳐지는 연극에서 많은 부분이 즉흥 연기임을 전혀 눈치 채지 못했다. 우리가 기존에 한 블로킹 작업이 훨씬 경직되었다면 배우들이 바뀐 상황에 그렇게 잘 대처할 수 있었을까?

또 한 번은 『약소국 그랜드 펜윅의 뉴욕 침공기The Mouse That Roared』의 첫 공연 3일 전에 주연 배우 한 명이 스키를 타다가 다리가 부러진 적도 있었다. 대체할 배우가 없던 우리는 공연을 취소하는 대신 교수 역을 맡았던 그 배우가 휠체어에 앉아 연기하기로 했다. 휠체어가 다닐 수 있도록 경사면을 만드는 등 다급하게 블로킹을 수정했다. 하지만 이 때도 갑작스러운 변화로 인해 공연의 질이 떨어지는 대신 오히려 상승한 것을 느낄 수 있었다. 특히 인상적이었던 것은 다리를 다친 배우의 변화였다. 신체 언어를 이용할 수 없는 상황이 되자 그의 언어 표현이 놀랄 만큼 풍부해진 것이다.

무대라는 단어는 보통 인위적인 공간, 자연스럽지 못한 공간을 연상하게 한다. 연기자들은 전쟁터의 지친 병사, 숲속의 정령, 분노한 거리의 시위자, 법정에서 논쟁하는 변호사, 달빛 비치는 해변의 연인이 된다. 이 모든 역할이 인위적으로 디자인한, 극도로 한정된 연기 공간에서 펼쳐진다. 무대는 대부분 정면만 보이는 구조다. "배우는 관객에게 등을 보이지 말라."는 오래된 무대 원칙을 고집하다 보면 허리를 비틀어서 몸은 정면을 보고 고개는 옆으로 돌린 억지스럽고 불편하다 못해 고통스러워 보이는 자세를 취해야 할 때도 있다. 그러면 어떻게 해야 그렇게 한계가 뚜렷한 무대 공간의 제약을 인정하는 동시에 무대 위 움직임을 자연스럽게 연출할 수 있을까?

교사이자 연출자인 우리는 배우들이 무대 공간에서 움직일 때 고려하면 좋을 몇 가지 기본 원칙을 배워야 한다. 법칙이라고 하지만 당연히 모든 무대에 적용되지는 않는다. 예를 들어 객석이 부분적으로 혹은 완전히 무대를 감싼 원형 무대라면 장면마다 중심 방향을 어디로 잡을지 특별히 고려해야 한다. 객석 어느 부분의 시야가 막힘없이 열리도록 동선을 짜면 다른 부분의 시야는 방해를 받을 수밖에 없기 때문이다. 하지만 그 외 무대에서는 다음 원칙을 새겨둘 만하다.

높이가 다른 단이 여러 개 있는 무대는 똑같은 높이의 무대 하나만 있는 경우보다 훨씬 시각적으로 관객을 사로잡는 장면을 만들 수 있다. 연단, 비탈길, 사다리, 발코니, 대형 나무 상자, 나선형 계단, 나무둥치처럼 상상력을 발휘할 수 있는 수십 가지 무대 장치를 이용해서 무대에 다양한 높낮이를 만든다. 이런 장치를 전혀 이용할 수 없다면 최소한 배우들의 자세와 키 차이를 이용할 수는 있다. 한 사람은 서고 다른 사람은 의자에 앉거나 바닥에 쪼그리고 앉으면 배치가 훨씬 흥미로워진다.

어리고 경험 없는 배우들은 **무대 위에서 말할 때 상대에게 너무 다가서는 경향이 있다.** 무대 위에서나 평상시나 사람 간의 거리가 다를 바 없다고 생각해서일 것이다. 하지만 평상시에 친한 사람들끼리 대화하는 거리를 무대에 그대로 옮겨 오면, 관객 입장에서는 배우들이 한곳에 지나치게 몰려 있고 그 주변에 의미 없이 죽은 공간이 너무 많다는 느낌을 받는다. 몰래 음모를 꾸미는 장면이나 연인이 속삭이는 장면이 아니라면 일상적인 대화 상황보다 충분한 거리를 두어야 긴장감과 흥미가 한층 높아진다.

경험 없는 배우들은 일반적으로 **무대 위에서 움직임과 동작이 너무 작다.** 높은 받침대 위에 올린 실물 크기의 동상을 벽장에 넣어 놓았다고 상상해 보자. 공간이 좁기 때문에 동상의 크기가 엄청나게 크게 보일 것이다. 하지만 똑같은 동상을 극장 무대 위에 올려놓으면 거대한 주변 공간 때문에 갑자기 아주 왜소하고 작아 보일 것이다. 따라서 '실물 크기'인 배우들은 무대 위에서 실제보다 커져야 한다. 그렇지 않으면 실제보다 작아 보일 수밖에 없다!

이런 사실은 아내와 함께 브로드웨이에서 『거미 여인의 키스Kiss of the Spider』라는 공연을 보고는 한층 분명해졌다. 긴장이 최고로 고조된 순간에 주인공 역을 맡은 치타 리베라가 빛으로 엮은 거대한 거미줄 한가운데에서 검은 옷을 입고 등장했다. 그 순간 그녀는 신체의 경계를 뛰어넘어 거대하게 확장하면서 강렬한 에너지와 존재감, 기운으로 무대를 가득 채웠다. 공연이 끝난 뒤 우리는 운 좋게도 무대 뒤에서 치타 리베라를 만날 기회가 있었다. 거미줄에서는 그토록 거대했던 배우가 생각보다 너무나도 작은 체구여서 우리 부부는 놀라지 않을 수 없었다. 그녀는 분명 무대 위에서 '그릇 키우는' 법을 아는 배우였다.

배우들이 원형적인 움직임을 취하게 되는 상황이 있다. 이를테면 어떤 비밀이 누설되는 순간, 방백으로 대사를 할 때, 아주 친밀한 순간을 표현할 때 배우들은 거의 예외 없이 관객에게 가까이 다가가기 위해 무대 앞으로 이동한다. 두 배우 중 한 사람이 상황을 완전히 장악하고 있음을 보여 주어야 할 때, 또는 다른 인물보다 자신이 우위라는 것을 드러내야 할 때는 둘 다 관객을 바라보고 선 상태에서 상대 배우 뒤쪽으로 완만한 호를 그리며 천천히 이동한다. 무대 뒤쪽이라는 위치가 그 사람에게 권력이나 지식 같은 권위를 부여하거나 적어도 그런 분위기를 느끼게 만들기 때문이다. 다른 사람을 염탐하는 자는 항상 무대 뒤쪽에 몸을 숨긴다. 『십이야』에서 말볼리오가 몸을 숨긴 토비 벨치 경과 친구들 앞에서 가짜 연애편지를 아무 의심 없이 소리 내어 읽는 유명한 정원 장면을 떠올려 보라.

결정적인 순간에 정지 장면을 만든다. 연기 중인 배우들을 '얼려버리면' 시각적으로 관객의 주의를 한곳에 모을 수 있을 뿐 아니라 배우와 관객 모두를 깨우는 효과가 있다. 이런 '살아 있는 스냅 사진'을 오랜 시간 유지하는 건 대단히 어려운 일이지만 평소 속도대로라면 놓치기 쉬운 부분이 선명하게 드러난다. 이 기법이 남용된다 싶을 정도로 자주 쓰이지만 그래도 여전히 효과적인 경우는 한 사람이 관객에게 방백을 하는 동안 다른 인물들은 모두 정지해 있는 장면이다.

손톤 와일더의 『벼랑 끝 삶』 2막 끝부분에서는 노아의 홍수를 방불케 하는 대홍수가 애틀랜틱시티를 향해 다가온다. 낮게 깔리는 어둠과 소용돌이치는 바람 속에서 안트로부스 가족은 방파제가 무너지기 전에 방주에 오르기 위해 서로의 위치를 확인하면서 안간힘을 다해 뛴다. 엄마가 잃어버린 아들 헨리의 진짜 이름인 "케인!"을 외치는 순간 모두가 동작을 멈춘다. 숨 가쁘게 몰아치던 동작들이 그대로 얼어붙은 동안 관객은 가족들이 제각기 어떤 자세를 취하고 있는지 찬찬히 볼 수 있다. 그때 유일하게 무대에서 움직이는 인물인 헨리(케인)가 등장했다 퇴장한다. 그 모습은 다른 가족들과 동떨어진 그의 상태를 도드라지게 한다. 다음 순간 얼음에서 풀린 배우들은 노아를 연상하게 하는 결말을 향해 다시 눈이 핑핑 도는 속도로 움직인다. 예술적으로 가다듬은 정지 장면은 관객들 마음에 강렬한 인상을 남긴다.

어린 배우들은 실제로 무대에 발을 올려놓기 '전'에 **입장하는 법과 무대 출구 '너머'로 퇴장하는 법을 배워야 한다.** 보통은 무대 안과 밖을 구분하는 눈에 보이지 않는 문지방을 건너는 순간부터 연기를 시작한다. 하지만 유능한 배우는 무대에 오르기 30초 전부터 이미 연기를 시작한다. 그러면 평소 모습에서 무대 위 인물로 바뀌는 순간 어색함 없이 무대 밖에서 이미 속속들이 그 인물이 되어 걸어 들어갈 수 있다.

블로킹 짜기 제일 어려운 것이 군중 장면이다. 많은 사람이 무대 위에 모이는 경우는 대개 중심 사건의 전개를 거들고 거기로 초점을 모으기 위해서다. 하지만 그들이 아무런 생동감 없이 지루하게 자리만 채울 수도 있다. 무대 위 군중이 연극 속 사건에 대해 풀 뜯는 소떼 정도의 흥미와 에너지만 보인다고 생각해 보라. 실제 삶에서와 마찬가지로 군중 역할을 맡은 배우 대부분은 자기가 연극에서 이름도 존재감도 없다고 느끼기 때문에 장면의 성공을 위해 적극적으로 참여하려는 마음을 갖지 못하는 경우가 많다. 블로킹 측면에서 최악의 상황은 다음 두 가지다.

1) 경찰 저지선처럼 일렬로 늘어서는 경우
2) 히드라 머리처럼 한군데 몰려서는 바람에 일부 배우가 관객의 시야에서 완전히 차단되는 경우

전체 군중 안에 몇 개의 작은 집단이 여기저기 흩어져 있고, 하위 집단 구성원들이 주변 구성원들과 간간이 교류하는 상태가 생동감 있다. 이야기의 중심 흐름을 산만하게 만들지 않으면서 무대 위 모든 인물이 어느 정도 개별성을 가지는 것이 이상적이다.

효과적으로 군중 장면을 연출하는 진정한 열쇠는 군중 역할 배우들이 진짜 구경꾼처럼 옆에서 벌어지는 사건을 흥미롭게 지켜보고 귀를 쫑긋 세울 수 있느냐에 달려 있다. 그래야 관객의 모든 주의가 깔때기처럼 중심 사건으로 모이기 때문이다. 『겨울 이야기』의 절정 부분에서 레온테스와 신

하들은 오래전에 죽은 줄 알고 있던 아내 허마이오니의 조각상을 보러 간다. 휘장을 걷자 드러난 조각상이 조금씩 꿈틀대다 마침내 살아서 움직일 때 무대 뒤쪽에 있던 신하들은 레온테스와 같은 반응을 한다. 왕이 뒷걸음질 칠 때 같이 뒷걸음질 치고 숨을 헐떡일 때 같이 헐떡이던 그들은 어안이 벙벙한 채로 서 있다가 마침내 셰익스피어 희곡을 통틀어 가장 감동적인 재회의 목격자가 된다. 함께 있는 신하들이 레온테스(와 관객)의 반응을 강화하는 역할을 하지 않는다면 이 장면의 감동은 훨씬 줄어들 것이다.

무대 위에 선 모든 배우는 한 지점에서 다른 곳으로 이동할 때 반드시 어떤 목적을 갖고 움직여야 한다. 다시 말해 인물의 성격이나 상황 등 그 행동

을 낳은 분명한 내적 요구가 있어야 한다. 그런데 단순히 다른 인물이 등장할 공간을 만들기 위해 연출자가 배우들을 맥락 없이 움직이게 하는 경우가 있다. 그렇게 기계적인 이유로 자리를 옮기는 것은 그림을 그릴 때 숫자를 세며 붓질하는 것보다 더 나쁘다. 무대에서는 작은 과정 하나하나가 결과만큼이나 중요하기 때문이다. 그 인물이 얼마나 확신을 갖고 움직이느냐가 결국 그 움직임의 파급력을 좌우한다. 『한여름 밤의 꿈』에 나오는 연인들을 생각해 보자. 열렬한 구애를 퍼붓는 헬레네를 피해 꽁지가 빠지게 도망 다니던 데메트리오스가 갑자기 헬레네 쪽으로 몸을 돌리고 위협적인 몸짓으로 다가간다. 이는 단지 극의 재미를 위해서가 아니라 절박한 심정에서 나온 몸짓이다. 집요하게 따라다니는 젊은 숙녀를 피할 도리가 없다고 느낀 데메트리오스가 전략을 바꾼 것이다. 그는 이렇게 말한다.

> 데메트리오스: 정말 부끄러운 줄 몰라도 너무 모르는군. 그대는 지금 시내를 벗어나 인적도 없는 곳에서 자기를 사랑하지도 않는 사내에게 몸을 맡기고 있어. 무슨 일이 벌어질지 모르는 이 야밤에, 이 외지고 으슥한 곳에서 귀하디귀한 처녀의 몸을 맡기고 있단 말이오. (2막 1장)

일반적인 연극에서는 블로킹을 되도록 빨리, 1막부터 순서대로 짜는 것이 가장 합리적이다. 경험에 따르면 원작을 축약 각색한 경우라도 보통 일주일 동안 매일 한 시간씩 연습해야 충분히 전체 블로킹을 짤 수 있다. 이 시간에 학생들은 지문에 적힌 블로킹을 지우고 수정할 수 있도록 필기도구와 대본을 챙겨 와야 한다. 또 학생들은 무대 적응 훈련을 통해 무대 공간, 배우가 보는 좌우, 앞뒤 구분에 친숙해져야 한다. 객석을 바라보고 선 배우의 왼쪽, 오른쪽이 각각 무대의 왼쪽, 오른쪽임을 아는 학생은 별로 없다. 객석에서 제일 멀리 떨어진 공간을 무대 뒤쪽upstage, 객석과 가장 가까운 부분을 무대 앞쪽downstage이라고 부른다는 사실을 아는 경우는 그보다도 더 적다. 상대 배우가 자기보다 무대 뒤쪽에 서는 것이 무슨 의미인지 이해할 수 있어야 한다. 경사가 있거나 기울어진 무대에서 진행되는 작품을 관람하면 단번에 그 의미가 분명해질 것이다. 뒤로 갈수록 경사가 높아지는 무대에서 다른 배우 뒤쪽에 서 있다고 가정해 보자. '나'는 그들보다 키와 몸집이 커 보일 뿐 아니라 '나'에게 말을 걸기 위해 다른 배우들은 관객에게 등을 돌릴 수밖에 없다. 모든 관심이 '나'에게 몰리는 것이다! 어린 배우들은 자기도 모르게 다른 배우들 뒤로 물러나는 경우가 많다. 물론 무대 뒤쪽에 선 인물에게 관객의 주의가 집중되도록 다른 배우들을 중앙에 배치하는 것이 적절한 경우도 있다. 하지만 어디까지나 의도적인 작업이어야지 어쩌다 우연히 나온 결과여서는 안 된다.

6. 인물 형상화하기

일상생활에서 우리는 끊임없이 영혼의 분위기를 신체를 통해 표현한다. 교사가 신경이 날카롭고 예민한 날에는 보폭이 평소보다 짧고 빠르며 손길이 거칠고, 당장이라도 들이받을 것처럼 상체를 숙이고 있음을 학생들은 금방 알아차린다. 학생들이 교실에 앉아 있는 자세를 보면 그들이 얼마나 긴장했는 지 편안한 지를 알 수 있다. 팔, 다리를 방어적인 자세로 꼬았는가? 집중한 표정으로 허리를 반듯이 세우고 앉아 있는가? 중력이 지구보다 높은 목성이 잡아당기기라도 하는 듯 몸이 축 늘어져 있는가? 교사들은 학생들의 몸짓 언어를 '읽는' 법을 터득하게 된다. 물론 항상 맞는 건 아니다. 과장된 몸짓으로 허세를 부리며 교실에서 지배적인 위치를 차지하던 여학생이 있었다. 하지만 학급 여행 중에 단둘이 대화를 나눌 때 그녀는 스스로가 별 볼일 없는 존재 같아 괴롭다는 속마음을 털어놓았다. 누구에게도 마음을 열지 않고 차갑게 대하던 학생에게는 오랫동안 고통을 겪다 돌아가

신 엄마에 대한 기억이 자리 잡고 있었다. 냉담한 겉모습이 실은 누군가와 가까워졌다가 또 그 사람을 잃는 아픔을 겪을 지 모른다는 두려움을 감추려는 가면이었던 것이다.

하지만 신체 언어는 우리가 원하는 이상으로 속마음을 솔직하게 드러낸다. 불안이 가득한 아이는 책상을 쉴 새 없이 두드린다. 화가 잔뜩 난 아이는 마룻바닥을 '응징'하려는 듯 뒤꿈치로 세게 내딛으며 걷는다. 다혈질의 사교적인 아이는 발밑에 용수철을 단 듯 통통 튀어 다니고, 말할 때 현란한 몸짓을 구사한다. 소심한 여학생은 고개를 푹 숙이고 바닥만 보면서 손을 배배 꼰다.

학생들이 연기할 인물들도 마찬가지다. 작가가 전지적 시점에서 인물의 가장 내밀한 속마음과 감정을 낱낱이 밝혀 주는 소설 속 인물과 달리, 연극 무대 위 인물은 겉으로 보이는 의사소통(대사와 행동)에 의존하는 수

밖에 없다. 그렇기 때문에 학생들은 몸으로 의사를 전달하는 법, 움직임에 의미를 담는 법을 배워야 한다. 경험 없는 배우의 두드러진 특징 중 하나는 무의식 중에 모든 문장을 손으로 묘사하려드는 것이다. 말하는 내내 팔을 휘젓고 손가락질 하고, 팔다리를 과장되게 흔들며 불쑥 내밀었다 허공을 가로질렀다 하지만 감정을 잘 전달하기보다는 오히려 관객의 주의를 산만하게 만들고 만다. 이들은 먼저 사소한 곁눈질, 고개 기울이는 각도를 비롯한 모든 몸짓이 드러내는 영혼의 미묘한 색채를 자각해야 한다.

먼저 자신의 신체 언어를 체험하기 위해서는 아주 단순한 활동부터 시작해 본다. 학생들에게 자신의 걸음걸이가 어떤지, 발이 어떤 식으로 바닥과 만나는지, 발가락 위치는 어떤 지, 관절이 뻣뻣한지 느슨한 지, 팔을 어떻게 휘두르는지, 엉덩이와 등의 곡선이 어떻게 움직이는지, 어깨는 얼마나 경직되었는지, 턱의 각도는 어떤지 등을 의식하면서 교실을 돌아다녀 보라고 한다. 처음에는 대개 자기 움직임을 의식하는 것을 상당히 거북하게 느낀다. 특히 학급의 일부가 관객으로 앉아 있으면 더욱 그렇다. 그래서 이런 초반부 활동에서는 모두가 동시에 참여하는 것을 기본 원칙으로 삼기를 권한다. 정해진 시간 안에 최대치로 활동할 수 있을 뿐 아니라 다른 사람 눈을 의식하면서 행동하는 긴장을 줄일 수 있기 때문이다.

이제 자연스러운 자신의 걸음걸이를 어느 정도 파악했으면, 습관화된 행동 패턴을 깨고 몸짓 속에 새로운 '조형성'과 깨어 있는 자각을 불어넣기 위한 활동을 진행한다.

{활동 6-1} 날 따라 해 봐요

아주 단순한 아이들 놀이 중에는 중요한 능력 계발에 도움이 되는 것들이 많다.

4~6명씩 여러 모둠으로 나눈다. 모둠의 대장을 한 사람 정한 다음 나머지 학생은 대장 뒤에 일렬로 선다. 대장들은 독창적인 움직임을 만들어 모둠을 이끌고 교실 안을 돌아다닌다. 뒤에 선 사람들은 대장의 움직임을 가능한 한 정확하게 모방하면서 따라간다. 대장은 천천히, 리드미컬하게, 그리고 뒷사람들이 어느 정도 예상할 수 있는 움직임으로 이끌어야 한다. 교사가 신호를 주면 대장은 줄 뒤로 가서 서고 다음 사람이 대장이 되어 새로운 움직임으로 모둠을 이끈다. 모두가 돌아가며 대장이 될 때까지 계속한다.

{활동 6-2} 거울

둘씩 짝을 지어 마주 보고 한 팔 길이만큼 간격을 두고 선다. 둘 중에 아무나 한 사람만 손을 들라고 한다. 먼저 동작을 할 사람이다. 그는 전신 거울 앞에 서 있다고 상상하면서 아무 동작이나 천천히 신중하게 시작한다. 앞에 서 있는 짝이 바로 따라할 수 있을 정도로 천천히 움직여야 한다. 이 활동의 목표는 관찰자가 볼 때 시작한 사람과 따라하는 사람을 구별하기 어려울 정도로 두 사람이 완전히 한 몸처럼 움직이는 것이다.

처음에는 자기와 짝 사이에 놓인 2차원 평면인 거울을 탐색하느라 주로 손만 움직일 것이다. 점차 움직임의 범위를 온몸으로 확장하게 한다. 이제 자기 배역이 입고 있을 의상을 떠올려 보라고 한다. 스타킹, 허리띠, 양말, 신발, 보석류, 장신구, 풍성한 치마, 안전모 등등 가능한 구체적이고 세밀하게 떠올린다. 그런 다음 거울 앞에 서서 하나씩 옷을 입는다. 다 갖춰 입었으면 그 배역의 특징적인 자세를 취해 본다.

이 활동을 〈활동 4-5 표정 전달하기〉와 연결해서 변형시킬 수도 있다. 거울 앞에 선 사람이 여러 가지 괴상한 표정을 짓는다. 아침에 부스스 깨어 화장실 거울을 보면서 지을 법한 표정들이다. 앞니, 어금니를 보고, 혓바닥도 내밀어 보고, 안색은 어떤지, 수염은 얼마나 자랐는지 등을 살핀다. 교사는 적절한 순간마다 역할과 짝을 바꿔 주어야 한다.

청소년 배우들과 작업할 때 가장 든든한 아군은 바로 상상력이다. 학생들에게 모래, 진흙, 바위 등 다양한 지형과 특별한 상황 속에서 할 수 있는 움직임을 상상한 다음 그렇게 움직이라고 한다. 무궁무진한 가능성이 있지만 수업 중에 학생들이 정말 좋아했던 몇 가지만 소개한다.

{활동 6-3} 자연의 4요소 표현하기

먼저 '산사태로 무너져 내린 진흙'에 갇히는 상상이다. 진흙에 파묻히기는 했지만 아직 서 있을 수는 있다. 진흙은 부드러워서 손으로 밀 수 있지만 만만한 일은 아니다. 진흙의 저항 때문에 온 힘을 다해야 간신히 밀어낼 수 있다. 우리의 목표는 온 몸을 뒤덮은 진흙을 이리 밀고 저리 밀어서 움직일 수 있는 공간을 확보하는 것이다. 처음에는 팔꿈치와 무릎, 코, 손가락을 꼼지락거리는 정도로 시작하다가 손을 움직일 수 있을 정도가 되면 다른 부위의 진흙을 밀어 몸 주위로 '진흙이 하나도 없는 공간'을 만든다. 이 작업은 아주 애써서 어렵고 힘들게, 침묵 속에서 천천히 진행해야 한다.

다음 요소는 진흙의 끈적끈적한 느낌을 털어 줄 수 있는 물이다. 교실이 물에 완전히 잠겼다고 상상한다. 물속을 걸어 다니는 것처럼 느릿느릿 부유하는 느낌, 해초처럼 부드럽게 흔들리는 느낌, 풍선처럼 가벼워 위로 둥실둥실 떠오르는 기분 좋은 느낌에 집중한다. 물속 특성을 온전히 경험할 수 있도록, 평소처럼 빠르게 움직이려는 학생들에게 물속에서는 날카롭고 빠른 동작 전환이 불가능함을 계속 일깨워 준다. 물은 모든 급격한 몸짓을 느리고 부드럽게 만들며, 직선을 곡선으로 만드는 힘이 있다. 모든 배우가 물속에 완벽하게 적응하면 교실은 신비로운 분위기로 느리고 소리 없는 인어들의 춤으로 가득 찰 것이다.

다음은 하늘로 올라갈 차례다. 바람에 날아가는 나뭇잎이나 스카프, 혹은 구름이 되어 보자고 한다. 특별히 시키지 않아도 빙글빙글 돌고 퍼덕퍼덕 날갯짓하며 발이 땅에 닿을 듯 말 듯 팔랑팔랑 돌아다니거나 회오리바람처럼 쏜살같이 뛰어다닐 것이다. 이 경우에는 위로 떠오르려는 공기의 가벼움, 자유롭게 날아다니는 느낌, 중력의 족쇄에서 풀려난 느낌에 집중한다. 한 가지 주의사항이 있다. 함께 바람을 타고 날아다니는 다른 사람의 존재를 의식하지 않으면 공중 충돌이 일어날 수 있으니 신경 써야 한다.

마지막 불 요소는 다음 두 방법 중 목적에 적합한 것을 선택한다. 역동적이고 힘있는 움직임을 자극하고 싶을 때는 바닥에 뜨거운 석탄이 깔려 있다고 상상한다. 그 말이 떨어지자마자 학생들은 번갈아 까치발을 디디며 사방팔방 뛰어다닐 것이다. 순식간에 교실은 엄청난 에너지와 함께 그만큼의 소음으로 가득 찰 것이다. 좀 더 조용한 불을 만나고 싶을 때는 눈을 감고 양초나 횃불이 되었다고 상상한다. 가슴 안쪽에 꺼질 줄 모르고 타오르는 불이 있다. 자신이 무한한 온기와 빛의 원천이라 생각하며 교실을 돌아다닌다. 교실을 돌아다니면서 빛과 온기를 주변에 나누어 주는 동안 학생들의 자세가 반듯해지고 발걸음이 차분해진다면 빛의 특성을 정말로 내면에서 경험하고 있는 것이다. 이것은 고귀한 영혼으로 성장하기 위해 따뜻함과 너그러움을 키워야 하는 모든 어린 배우에게 깊은 울림을 남기는 훌륭한 연습이다.

자연에서 보는 4요소의 특성을 탐색하는 이 연습들은 단순한 물, 불, 흙, 공기의 움직임을 체험하는데 그치지 않는다. 이를 바탕으로 인간의 근본적인 네 가지 성격 유형을 인물로 구체화해 볼 수 있다. 루돌프 슈타이너는 교사들이 학생을 깊이 이해하는데 도움을 주기 위해 중세에는 보편한 개념이었던 '4가지 기질'을 다시 불러냈다. 순수하게 하나의 기질만 가진 사람은 현실에 존재하지 않는다는 사실만 잊지 않으면 네 가지 기질 유형은 배우에게도 아주 유용한 도구가 될 수 있다. 기질마다 나름대로 장점과 극복해야할 측면이 있다.

담즙질은 보통 불과 연결한다. 힘이 넘치고 자신만만하다 못해 물불 안 가리고 도전하는 담즙질은 열정 빼면 시체다. 내면의 불길을 조절할 수만 있으면 사람들에게 의욕을 심어 주는 지도자, 아무도 가지 않은 곳에 길을 내며, 새롭고 역동적인 계획의 첫 삽을 뜨는 사람이 될 수 있다. 하지만 욱하는 성질을 다스리는 법을 배우지 못하면 언제 터질지 모르는 화산이 되어 주변 사람을 조마조마하게 만든다. 물론 한번 터지면 주변은 초토화된다.

다혈질은 공기 같은 사람들이다. 쾌활하고 사교적이며, 주변에서 혀를 내두를 정도로 활기가 넘친다. 다혈 기질이 강한 사람은 관심 영역이 놀랄 만큼 폭넓을 뿐 아니라 하나도 포기하지 않고 모든 일을 한꺼번에 다 추진하고 싶어 한다. 레오나르도 다빈치Leonardo da Vinci나 토마스 제퍼슨Tomas Jefferson처럼 여러 분야에 재주가 뛰어난 팔방미인이 많다. 다혈질 아이들은 교실에 앉아서도 칠판을 잠깐 봤다가 친구의 도시락 가방을 참견하다가 어느새 창밖에서 날아다니는 축구공에 마음을 빼앗긴다. 감각이 놀랄 만큼 예민하고, 눈은 칠판을 보면서도 교실의 모든 아이가 하는 일을 다 알아챌 만큼 의식이 주변으로 퍼져 있다. 우리 딸이 어렸을 때, 이 다혈질적 주변 의식 덕을 톡톡히 보았다. 집안에서 일어나는 일은 모르는 게 없던 아이는 내가 안경이나 자동차 열쇠, 서류 가방을 아무 데나 놔 두고 쩔

쩔 매고 있으면 귀신같이 찾아 주었다. 충분히 짐작할 수 있듯이 이들이 빠지기 쉬운 위험은 너무 쉽게 주의가 산만해지는 것, 하던 일을 제대로 마칠 만큼 오래 집중하지 못하는 것이다.

우울질 성향은 쉽게 알아볼 수 있다. 이들은 담즙질이나 다혈질보다 삶을 훨씬 내면 깊이, 고통스럽게 받아들인다. 때로는 지나치다 싶을 만큼 예민하고 민감한 영혼을 지닌 사람들로, 그 섬세하고 세련된 감수성 덕에 예술 분야로 진출하는 경우가 많다. 이들은 내적 욕망과 외부의 요구, 지고한 이상과 가혹한 현실 사이에서 끊임없이 벌어지는 긴장을 안고 산다. 괴테는 파우스트의 입을 빌려 우울질 성향의 사람이 마음 깊이 느끼는 비통한 심정을 이렇게 표현했다.

파우스트 : 내 가슴속엔 아아! 두 개의 영혼이 깃들어서
하나가 다른 하나와 떨어지려고 하네.
하나는 음탕한 애욕에 빠져
현세에 매달려 관능적 쾌락을 추구하고,
다른 하나는 과감히 세속의 티끌을 떠나
숭고한 선인들의 영역에 오르려고 하네.

우울질의 요소는 흙이다. 이들에게 흙 요소는 무거운 짐이 될 수도 있지만, 쉽게 형태를 빚고 변형시킬 수 있는 재료가 되기도 한다.

점액질 사람들은 처음에는 졸고 있거나 멍하다는 인상을 준다. 이들의 생체 시계는 담즙질이나 다혈질보다 훨씬 느리게 흐른다. 학교 공부나 음식 모두 먹고 소화시키는데 다른 사람보다 오랜 시간이 필요하다. 하지만 시간만 충분하면 외향적인 유형보다 경험을 훨씬 내면 깊이 받아들인다. 점

액질은 사람들의 이목을 잘 끌지 않으며, 옆에서 굿을 하고 난리를 쳐도 혼자 다른 세상에 있는 것처럼 동요 없이 자리를 지킨다. 이런 이유로 인해 이들은 응급 상황에서 가장 믿고 의지할 수 있는 사람이다. 물을 닮은 이들의 성향과 차분하고 평온한 태도는 겁먹은 아이가 히스테리를 부리거나 사람이 밀집한 곳에서 공황 상태에 빠지는 것을 막는 힘이 있다. 점액질이 자신의 수동성과 내적 무기력을 이길 수 있으면 사회와 공동체에 치유를 가져오는 사람이 될 수 있다.

오래 전에 공 던지는 자세로 기질을 구별하는 법을 들은 적이 있다. 수십 년 경력만큼 지혜로운 발도르프 교사였던 그분은 이렇게 설명했다. 담즙질 아이에게 공을 던지면 자기에게 왔던 속도와 힘의 두 배로 되갚아 주고, 다혈질 아이가 공을 잡으면 몇 번 바닥에 튕겼다가 등으로 받았다가 손가락 끝에서 돌려 본 다음에 다른 사람에게 던져 주며, 우울질 아이는 세상에서 가장 억울한 일이라도 당한 목소리로 "왜 저한테 공을 던지셨어요?" 하고 물으며, 점액질 아이는 공을 받아놓고도 "무슨 공이요?"라고 되묻는다.

청소년 배우들이 인물의 성격을 구체화할 때 기질을 어떻게 활용할 수 있을까? 앞서 설명한 기질별 특징은 딱 떨어지는 구분이라기보다는 속성이나 성향에 가깝다는 점을 기억하면서 기질에 따른 전형적인 걸음걸이를 생각해 보자. 담즙질은 단호하면서 빠른 속도로 뒤꿈치를 쿵쿵 내딛으며 큰 보폭으로 걷는다. 다혈질은 가볍게 땅을 디디면서 발밑에 용수철을 단 것처럼 통통 튀듯 걷는다. 우울질은 주저하듯, 사려 깊게, 마지못해, 점액질은 성큼성큼, 땅을 딛기보다 산보하듯 느긋하게 걷는다. 담즙질의 몸짓은 명쾌하고 힘이 넘치며 공격적이거나 폭발적인 힘이 있다. 다혈질의 손은 가볍고 분주하게 이리저리 움직이는 반면, 우울질은 마음속에 얼마나 큰 고뇌를

짧어지고 있는지 보여 주려는 듯 신파조로 손을 움직인다. 점액질은 꼭 필요할 때가 아니면 되도록 팔다리를 움직이지 않으려 한다. 이런 식의 묘사를 고정불변으로 생각해서는 안 되지만 학생들이 실감나는 인물을 만들어 가는데 참고 자료로는 충분한 가치가 있다.

{활동 6-4} 여러 가지 걸음걸이

'늪'에 빠져서 허우적대며 걸어가는 상황을 상상한다. 처음에는 발목만 잠기지만 계속해서 무릎, 허리까지 차오른다. 활동은 대부분 소리 내지 말고 행동에 집중하라고 하지만 이 '늪'에서는 학생들에게 꿀렁거리고 철벅거리는 소리를 내면서 걸어보라고 권한다.

다음은 '상상의 외줄타기'다. 땅에서 15미터 정도 높이에 줄을 매고 그 위를 천천히 걸어가는 상상이다. 균형 유지를 위해 긴 장대를 가로로 들고 갈 수도 있다. 얼마쯤 걷고 나면 강풍에 줄이 마구 흔들리거나 술이나 약기운에 취한 상태를 주문해, 균형을 완전히 잃지는 않지만 이리저리 위태롭게 흔들리며 걸어 보게 한다. 어떤 일이 있어도 줄에서 떨어지지는 않는다. 어느 정도 익숙해졌다 싶으면 이제 외줄타기를 잘하게 된 학생들이 줄 위에서 놀라운 묘기를 펼치는 단계로 넘어간다. 공중제비나 제자리 돌기, 현란한 발동작 등 아래에서 지켜보는 관객들이 아슬아슬한 줄 위에서 멋지게 착지하는 줄타기 명인을 보며 숨죽이고 감탄할 만한 재주를 선보인다.

상상력만 받쳐 준다면 다른 걷기 연습도 얼마든지 가능하다.
몇 가지 예를 들면

- 콘크리트로 만든 신발 신고 걷기
- 발밑에 스프링을 달고 폴짝폴짝 걷기

- 수상한 사람이 뒤에서 쫓아올 때 걷기
- 카우보이처럼 걷기
- 로봇처럼 걷기
- 패션쇼의 모델처럼 걷기(남학생들도 모든 참가자가 동시에 비보가 될 수만 있으면 의외로 별 거부감 없이 참여한다)
- 괴물 또는 거인 걸음
- 난쟁이 걸음
- 체구보다 훨씬 큰 옷과 축 처진 신발을 신은 어릿광대 걸음
- 다섯 살 아이 걸음(이 경우에는 다른 아이와 5살 아이들처럼 놀아보라고 한다. 느닷없이 깡충깡충 뛰어다니거나 사방치기, 줄넘기, 모래놀이, 놀리기, 울기, 나무블록 쌓기, 남이 쌓은 블록 무너뜨리기 등 다양한 놀이와 상황이 벌어지면서 교실이 시끌벅적 활기가 넘칠 것이다)
- 95세 노인 걸음
- 첫발자국을 떼는 아기 걸음
- 세계적 보물인 귀한 명나라 도자기를 옮기는 사람처럼 걷기
- 초고도 비만인 사람의 걸음
- 모두의 주목을 한 몸에 받고 있는 사람의 걸음
- 제멋대로 움직이는 팔을 가진 사람의 걸음
- 몸에 뼈가 없는 사람의 걸음

{활동 6-5} 상상 물건 내면화하기

모두 눈을 감고 손을 움직이면서 나무 막대처럼 길쭉한 물건을 상상으로 만들라고 한다. 다 만들면 눈을 뜨고 그 막대기를 가지고 교실을 돌아다닌다. 지팡이처럼 기대기도 하고, 검처럼 휘두르기도 하고, 빙빙 돌리거나 바닥을 톡톡 치기도

한다. 이러다 보면 자기도 모르게 옆 사람에게 말을 걸기 쉽다. 대화 연습이 아닌 움직임에 집중하는 연습에서 잡담을 허용하면 집중력이 흐트러진다. 특별한 언급이 따로 없으면 몸풀기 같은 도입 활동에서는 입을 다물고 움직임에 최대한 주의를 기울이는 것을 원칙으로 한다.

막대를 이용해서 공간을 탐색하는 중에 아주 서서히 막대가 사라지면서 내면화된다. 손에 들고 다니는 것이 아니라 스스로 막대가 되는 것이다. 이제 아주 작은 몸짓 하나까지 달라진다. 학생들마다 해석하는 막대기의 특성이 조금씩 다르긴 해도 대부분 나무토막처럼 경직된 동작으로 교실을 걸어 다닌다. 관절을 뻣뻣하게 세우고 딱딱하고 각진 몸짓으로 천천히 걷는 막대기가 온 교실을 가득 채운다.

이쯤에서 '얼음'을 외쳐 움직이던 그대로 잠시 정지시켰다가 막대기 모습을 내려놓으라고 한다. 다시 한 번 눈을 감고 이번에는 커다란 비치볼을 상상한다. 눈을 뜨면서 비치볼을 손에 들고 교실을 돌아다닌다. 바닥에 튕겼다가 하늘 높이 쳐서 올리는 등 공을 가지고 놀면서 얼마나 큰지, 위치는 어딘지 등을 손으로 표현한다. 어느 정도 놀았으면 다시 손에 들고 있던 공이 서서히 사라지면서 배우 자신이 공으로 변한다. 모든 움직임에서 각이 사라진다. 곡선이 직선을 이긴 교실에서 아이들은 여기저기서 통통 튀고 뒤뚱거리고 데굴데굴 굴러다닐 것이다.

다음 두 물체도 같은 방식과 순서로 접근한다. 면사포를 내면화한 아이들은 하늘하늘한 스카프나 베일이 바람에 나부끼는 것처럼 가벼운 발걸음으로 나풀나풀 펄럭펄럭 교실을 날아다닌다. 불을 켠 양초(규모를 키우고 싶을 때는 횃불)가 되었을 때는 움직임이 훨씬 신중해진다. 처음에는 '불꽃'이 꺼질세라 천천히 조심스럽게 걷지만, 정말 양초를 내면화하고 나면 앞서 〈활동 6-3 자연의 4요소 표현하기〉에서처럼 스스로 빛을 발하는 존재가 되었다는 느낌을 준다.

이런 활동은 어린 배우들에게 단순히 창의적 활동거리를 제공하는 수준을 넘어 맡은 배역이 지닌 새롭고 놀라운 차원을 깨닫게 해 준다. 이를테면 『한여름 밤의 꿈』에서 허미아의 완고한 아버지 아이게우스는 딸이 자기가 선택한 사람하고만 결혼해야 한다고 고집을 부린다. 이런 인물을 연기할 때는 뻣뻣하고 다루기 힘든 나무막대기의 특성을 적극 활용한다. 성미 급한 데메트리오스를 연기하는 배우는 이글이글 타오르는 내면의 불을, 티타니아 여왕의 요정들은 한없이 가벼운 공기의 특성을 움직임에 녹여 낸다. 어떤 경우든지 어린 배우들은 다음 세 단계를 거쳐 이런 특성들을 내면화한다.

1) 외부 사물을 상상으로 떠올린 다음 가지고 논다.
2) 그것을 내면화하여 배우 자신이 그 사물이 된다.
3) 그 사물에 대한 내면 경험을 다듬고 걸러서 정수만 뽑아낸 다음, 인물을 생동감 있게 만들어 주는 바탕으로 삼는다.

{활동 6-6} 여러 가지 무게 중심

미하일 체호프가 제안한 인물을 형상화하는 효과적인 기법 중에 '중심 찾기'가 있다. 체호프는 연극의 모든 인물(사실 모든 사람)에게는 그 인물을 움직이는 특정한 힘의 중심이 있다고 말한다. 여기서 말하는 중심은 인도의 차크라처럼 불가사의한 힘이 아니다. 배우가 상상 속에서 중심을 창조하고, 구체적인 신체 영역을 선명하게 의식에 떠올린다. 예를 들어 그 인물을 움직이는 힘의 중심이 눈썹에 있다고 상상해 보자. 그 사람의 몸짓과 동작에서 그 중심이 어떻게 드러날까? 이렇게 질문을 던지는 순간, 교실을 가득 채운 청소년들이 일제히 거들먹거리는 태도로 눈썹을 치켜 올리고 세상 모두를 깔보듯 콧대를 세우고 큰 은혜라도 베푸는 듯 잘난 체하며 걸어 다니는 광경은 놀라우면서도 신선한 감동을 준다.

단지 특정 신체 부위에 주의를 집중하는 것만으로도 젊은 배우들은 인물의 본질 속으로 들어가는 열쇠를 찾고는 한다. 인물의 중심을 손가락 관절에 놓으라고 하면 누구라도 걸리면 흠씬 두들겨 주겠다는 태도로 주먹을 불끈 쥐고 교실을 돌아다니는 모습을 볼 수 있다. 중심을 머리보다 조금 위쪽에 놓아 보라고도 할 수 있다. 전문 배우들도 약간 모자란 사람이나 고주망태를 연기할 때 이 방법을 이용하기도 한다.

인물에 따라 중심의 위치와 함께 다른 변형도 시도한다. 중심을 채우는 기운을 다양하게 바꿔 보는 것이다. 힘의 중심에 시뻘겋게 달아오른 석탄 같은 뜨거움이 있는 사람은 종유석 석순 같은 날카로움을 품은 사람과는 동일한 사건에 사뭇 다른 반응을 보일 것이다. 이를테면 학생들에게 단단하고 작은 공 같은 중심이 코끝에 있다고 상상해 보라고 한다. 이런 상상이 움직임에 어떻게 영향을 줄까? 학생들 대다수는 머리를 앞으로 불쑥 내민 채 교실을 분주히 돌아다니면서 다른 사람의 영역에 코를 들이밀고 함부로 간섭할 것이다. 호기심 많고 참견하기 좋아하는 인물을 묘사할 때는 이런 중심이 제격이다.

반대로 중심의 위치를 아랫배로 옮기고 그 안을 부드럽고 질퍽한 젤리 같은 물질로 채우라고 하면 학생들은 느긋한 속도로 한가롭게 걸어 다닐 것이고, 대화를 할 때는 뒤를 길게 잡아 빼는 느린 남부 사투리가 나올 것이다. 이런 종류의 중심은 사람들에게 권태로울 만큼 편안한 느낌을 준다.

지금까지 예로 든 인물 형상화는 결코 이론이 아니다. 지금까지 나는 족히 수십 개 학급 학생들과 이 활동을 함께 했다. 중심을 어디 두느냐에 따라 움직임이 달라진다는 사전 개념을 전혀 주지 않은 상태로 시작한다. 개별적인 표현 방식은 당연히 조금씩 다르지만 중심 위치를 바꿀 때마다 거의 모든 학생이 놀랄 만큼 비슷한 유형으로 움직인다. 우리가 연극 연습에서 활용하는 이런 경험 이면에 객관적 진리가 존재하는 게 아닐까?

미하일 체호프는 감정에 따라 특정한 몸짓이 나오는 것처럼 (분노라는 감정은 주먹을 쥐는 동작으로 드러나는 등) 반대로 몸짓이 특정한 내면 반응을 불러일으킬 수도 있다고 생각했다. 인물의 중심을 이용한 활동을 하다 보면 체호프의 주장에 일리가 있음을 알게 된다. 간혹 우리는 학생들에게 아무런 감정도 담지 않은 채 그냥 주먹을 쥐어 보라고 한다. 그 자세로 즉흥극을 시작하면 백발백중 팽팽한 대립과 호전적 분위기로 이야기가 펼쳐진다. 상대를 향해 팔을 뻗는 몸짓을 취하게 한 다음 즉흥극을 하면, 공감의 대화와 함께 화해와 위로의 이야기가 펼쳐진다.

{활동 6-7} 눈 감고 상상하기

단언컨대 이 활동은 학생들의 인물 형상화 작업 전반에 가장 중요한 초석이다. 학생들이 공연 준비 과정에서 만나는 모든 연극 활동은 실제로 상상이라는 내면 활동에서 나온다. 우리는 이 상상의 힘에 확고한 신뢰를 갖고 있기 때문에 연극 준비 기간에 학생들과 눈을 감고 마음속에 상을 떠올리는 연습을 하루도 빼놓지 않는다. 관객이 학생들의 연기에서 예사롭지 않은 생명력과 확고한 안정감을 느끼는 첫 번째 이유가 바로 이 연습의 힘이라고 믿는다.

학생들에게 각자 어느 정도 움직일 수 있는 공간을 확보한 뒤 긴장을 풀고 편한 자세로 서서 눈을 감으라고 한다. 연극의 한 장면을 택해 자기가 맡은 인물의 모습을 상상한다. 연출자의 질문에 따라 인물의 신체 특징을 비롯해 어떤 옷을 입었는지를 발끝부터 시작해서 최대한 섬세하고 선명하게 상을 만들어 간다.

1) 그 인물은 어떤 자세로 서 있는가? 두 발이 확고하게 땅을 딛고 있는가, 아니면 주저하듯 일부만 대고 있는가? 몸무게가 발 전체에 고르게 실려 있는가 아니면 안쪽이나 바깥쪽으로 치우쳐 있는가? 걸을 때 뒤꿈치가 먼저 닿는가 아니면 발가락 끝이나 발 앞쪽이 먼저 닿는가? 안짱다리로 걷는가, 팔자걸음을 걷는가?

2) 다리는 어떤 느낌을 주는가? 젊고 건강한 느낌인가, 늙고 뻣뻣한 느낌인가? 무릎 관절은 얼마나 유연한가? 다리가 스프링 같은가, 피스톤 같은 느낌인가? 아니면 돌덩이가 매달린 느낌인가? 팔은 몸에 비해 긴가, 짧은가? 팔을 자유롭게 흔들면서 걷는가, 두 팔을 몸에 딱 붙이고 걷는가? 바깥일을 많이 해서 손이 거칠고 굳은살이 박였는가? 손가락이 민첩한가 아니면 어설프게 허둥대는가?

3) 엉덩이와 허리는 어떤가? 걸을 때 엉덩이를 유난히 좌우로 흔드는가? 괄약근이 단단하고 긴장되었는가, 느슨하고 이완되었는가? 걸을 때 허리가 먼저 움직이는가?

4) 배 부분은 어떤 느낌을 주는가? 소화 작용이 지나치게 활발해서 계속 꼬르륵 소리가 나는가 아니면 편안하고 건강한 느낌인가? 과체중에 배가 축 늘어졌는가, 군살 없이 탄탄한가, 아니면 앙상하다는 느낌을 줄 정도로 말랐는가?

5) 호흡은 어떤가? 천천히 깊게 쉬는가 아니면 빠르고 얕은가? 불규칙하고 거칠게 숨을 쉬는 흡연자인가 아니면 달리기를 해도 끄떡없을 정도로 건강한가? 심장 박동은 어떤가? 늘 규칙적으로 힘차게 뛰는가, 불규칙적으로 펄떡거리는가?

6) 어깨와 등에 '무언가를 짊어진' 것처럼 다니는가? 허리를 반듯하게 세우고 서 있는가 아니면 구부정하게 숙이고 있는가? 만성적 허리 통증이나 어깨 뭉침에 시달리는가? 허리를 구부리면 발가락이 손에 닿을 정도로 유연한가?

7) 목의 긴장도는 어떤가? 머리를 돌리는 데 어려움이 없는가 아니면 근육 경직으로 목이 잘 돌아가지 않는가? 목을 당당하게 길게 빼서 머리가 몸 위에 잘 얹혀져 있는가, 목을 잔뜩 움츠려서 머리가 어깨 사이에 파묻힌 것처럼 보이는가?

8) 얼굴 생김새는 어떤가? 꼭 다문 얇은 입술과 넓은 이마, 들창코에 혈색은 누르스름한가? 안정적인 시선으로 응시하는가, 신경질적으로 깜빡이면서 항상 곁눈질로 세상을 바라보는가? 머릿결은 어떤가? 두껍고 헝클어진 건초 더미 같은가 아니면 가늘고 윤기나는 머리를 가르마 양쪽으로 잘 빗어 넘겼는가?

목록을 바꿔가며 반복해서 연습하다 보면 학생들은 자기 배역에 점차 익숙해진다. "그 사람 무릎 관절이 아픈지 안 아픈지를 제가 어떻게 알겠어요? 전 38살 먹은 임신한 가게 주인이 아니잖아요!"라고 항의할 수도 있다. 늘 그렇듯 연출자의 과제는 젊은 배우들이 자신의 무궁무진한 상상력의 샘물을 신뢰하며 연기할 수 있도록 격려하고 힘을 주는 것이다.

이번에는 눈을 감고 맡은 인물의 의복을 속옷부터 시작해서 하나씩 떠올려 보라고 한다. 이 연습은 실제 무대 의상을 만들거나 입기 한참 전에 시작해야 아이들이 상상력을 자유롭게 펼칠 수 있다. 의상 전체를 양말, 신발부터 머리에 쓰는 작은 장식 하나까지 눈앞에 떠올려 보라고 한다. 맨발인가, 끈으로 묶는 부츠인가, 값비싼 이탈리아제 구두인가, 냄새나는 낡은 운동화인가? 어떤 옷을 입고 있는가? 정장 치마인가, 헐렁한 바지인가, 화려한 하와이언 셔츠인가, 매끈한 실크 블라우스인가, 거친 삼베 튜닉인가, 왕의 묵직한 비단 망토인가? 머리 장식은 어떤가? 중절모를 멋들어지게 썼는가, 가리개 달린 헬멧인가, 왕관, 챙 넓은 신사 모자, 꽃으로 장식한 밀짚모자를 썼는가? 인물의 옷차림새를 완성시켜 줄 장식품은 무엇인가? 조끼 주머니에 넣을 시계, 스카프, 진주목걸이, 검, 안경, 턱 밑의 염소수염?

연출자의 안내에 따라 의상의 형태와 특성을 하나씩 훑었으면 이제는 다 갖춰 입은 상태의 전체적인 외양뿐 아니라 옷감의 색깔과 재질에 주의를 기울일 차례다. 전체적으로 흐트러진 인상인가, 흠잡을 데 없이 단정한가? 옷이 몸에 딱 맞는가, 두 치수나 작은 옷을 억지로 껴입어 소시지처럼 보이는가? 신발이 꼭 끼는가? 모자가 자꾸 눈 위로 흘러내리는가? 내면뿐 아니라 외적으로도 역동적으로 만들고 싶다면 마음속에서 의상을 하나씩 완성할 때마다 마임으로 몸에 걸쳐 보게 할 수도 있다.

{활동 6-8} 장면을 살아 있게!

눈을 감고 상을 떠올리는 연습을 한 단계 더 발전시켜 연극의 '모든' 장면이 생생하게 살아 숨 쉬게 해 보자. 각자 맡은 배역의 대사가 있는 장면 하나를 선택하라고 한다. 그 순간 인물의 자세를 가능한 한 선명하게 떠올린다. 그가 손을 허리에 얹고 신분 낮은 아랫사람을 향해 눈을 부라리며 거만하게 서 있는가? 방금 전해 온 소식을 듣고 의자에 주저앉아 고개 숙여 울고 있는가? 사랑하는 사람을 품에 안으려 팔을 벌리고 있는가? 학생들에게 지금 떠올린 자세를 실제로 취해 보라고 한다. 머뭇거리며 대충 흉내 내는 것이 아니라 분명하고 확실하게 그 순간 그 인물이 되어 선다. 이제 상상 속에서 인물이 그 자세로 하는 말에 귀를 기울인다. 연출자가 하나, 둘, 셋 신호를 주면 일제히 눈을 뜨고 그 장면에 최대한 생생한 숨과 에너지를 불어넣으며 동시에 대사를 한다. 모든 사람이 짧은 대사를 마치면 다시 한 번 눈을 감고 방금 한 자신의 연기를 마음속으로 보고 듣는다. 필요하다면 같은 과정을 한 번 더 반복한다. 이때는 아까보다 동작과 대사, 자세를 더 키우라고 한다. 더 큰 소리로, 더 강렬하게, 더 확신을 갖고 연기를 한다. 떠올리는 장면을 바꾸면서 이 연습을 매일 반복하다 보면 조금씩 인물이 살아 움직이기 시작할 뿐 아니라 젊은 배우들의 통상적인 연기에서 훨씬 깊이와 차원을 갖춘 인물로 발전한다.

{활동 6-9} 상상 소품 이용하기

눈 감고 상상하는 활동의 또 다른 변형으로 학생들에게 맡은 인물이 소품을 든 장면을 상상해 보라고 한다. 대본에 나와 있는 소품도 좋고, 대본에는 없지만 그 인물이 사용할 것 같은 물건도 좋다. 최근에 공연했던 『밀크우드 아래서』 연습 때는 우산, 파이프, 책, 포대기에 싼 아기, 낚싯대, 맥주잔, 삽, 큰 식칼, 목줄을 건 개, 독약이 든 병과 같은 상상의 소품들이 등장했다. 먼저 눈을 감고 선 자세로 손을 이용해서 자기 앞에 그 물건을 만든다. 모양뿐 아니라 무게나 질감까지 생각하면서 최대한 구체적이고 선명하게 만들라고 한다. 신호를 주면 모두 눈을 뜨고 상상의 소품을 손에 든 극중 인물이 되어 교실을 걸어 다닌다. 몇 분이 지나면 둘씩 마주 보고 서게 한다. 말없이 몸짓으로 상대에게 손에 든 소품의 모양, 무게, 쓰임새 등을 보여 준다. 그런 다음 조심스럽게 서로에게 소품을 건네준다. 이제 자기 배역과 아무 상관 없는 소품을 손에 든 배우들은 배역의 정체성을 그대로 입은 채 교실을 돌아다니면서 새 물건을 이리저리 탐색한다. 어느 정도 시간이 흐르면 다시 새로운 사람과 짝지어 선 다음, 손에 든 물건을 상대에게 보여주고 교환하는 과정을 되풀이한다. 이 활동을 통해 배우들은 무대 위에서 상상의 소품을 실감나게 만들어 사용하는 법을 배울 수 있다.

{활동 6-10} 배역을 입었다 벗었다

눈을 감고 상상하는 준비 활동이 끝나면 본격적으로 배역 속으로 들어간다. 맡은 인물의 특징적인 걸음걸이를 떠올리는 것부터 시작한다. 이 활동은 배우들이 평소 자신의 걸음걸이와 인물의 걸음걸이가 어떻게 다른지를 몸으로 느끼게 해준다. 먼저 연습 공간을 둘로 명확하게 구분한다. 우리는 관객석을 만들 때 쓰는 넓은 평상 세 개를 나란히 붙여 공간을 만들고, 반대쪽 마룻바닥을 두 번째 공간으로 삼았다. 학생들에게 한쪽 공간에서는 평소처럼 걸으라고 한다. 그러다가 마룻바닥에 발이 닿는 순간 배우들은 연극 속 인물로 변신하는 것이다. 조금 전까지 마음대로 활개 치며 걷던 청소년들이 순식간에 쪼글쪼글한 노파가 되어 관절염에 걸린 다리를 질질 끌고, 난처한 상황에 빠진 사업가가 되어 허둥지둥 뛰고, 공주가 되어 찬사를 보내는 군중 사이를 위엄 있게 걸어간다. 그러다가 다시 두 공간을 나누는 선을 넘는 순간 평소 걸음걸이로 돌아간다.

학생들에게 『이상한 나라의 앨리스Alice in Wonderland』 속 거울이나 『나니아 연대기The Chronicles of Narnia』 속 장롱 뒷벽처럼 다른 세상으로 넘어가는 문지방을 상상하면서 두 공간의 경계를 넘어가라고 하면 더 몰입도를 높일 수 있다. 문지방을 넘는 순간 아이들은 어떤 예고나 적응 기간 없이 즉각 다른 영역으로 들어간다. 이 연습은 자연스러운 평소 걸음걸이와 인물의 걸음걸이를 확실히 구분하게 해 줄 뿐 아니라 좋은 연기에 꼭 필요한 내적 유연성을 키워 주는 효과가 있다.

{활동 6-11} 나는 어떤 사람일까

연극 속 등장인물들을 데리고 상상 속 여행을 떠나 보자. 각자 맡은 인물이 되어 여행 준비를 시작한다. 그는 여행 갈 때 어떤 옷을 입을까? 배우들에게 잠시 생각할 시간을 준 뒤 신호와 함께 그 인물이 가장 자주 입는 색깔을 동시에 큰 소리로 말하라고 한다. 여행 가방에 무엇을 넣어 갈까? 어떤 음식을 가장 좋아할까? 인물의 성격을 가장 잘 떠올리게 하는 악기도 반드시 챙겨 가야 한다. 여행을 시작하자마자(배우들이 교실을 걸어 다니기 시작하자마자) 인물은 어려움에 봉착한다. 어떤 어려움일까? 어떻게 극복할까? 학생들에게 자기 배역이 할 법한 행동을 실제로 해 보라고 한다. 길을 걸어가는데 웬 낯선 사람이 불쾌하게 시비를 건다. 상상 속 사람과 한바탕 말싸움을 벌인다. 단, 오직 지브리쉬로만 대꾸해야 한다. 낯선 이와 헤어진 뒤 인물들은 너무 지쳐서 개울가에 앉아 도시락을 먹는다. 샌드위치 포장을 벗기고, 치즈를 한 입 베어 물고, 개울물을 손으로 떠서 목을 축이는 등의 상황을 마임으로 섬세하게 연기한다.

점심을 다 먹었으면 악기를 꺼내 음악을 연주한다. 목소리로 악기 소리를 표현하게 한다. 이제 악기를 챙겨 넣고 다시 길을 떠난다. 길을 가다가 자기를 꼭 닮은 어떤 사물을 발견한다. 어떤 사물일까? 배우들은 그것을 집어 올려 최대한 사실적으로 시각화한다. 가지고 갈지 버리고 갈지는 마음대로 결정한다. 마침내 조

그만 오두막에 도착한 인물들은 그 안에서 지혜로운 할머니를 만난다. 할머니에게 "왜 저는 항상 화가 나 있을까요?", "제가 진실한 사랑을 찾을 수 있을까요?", "늘 안절부절못하는 성격을 어떻게 고칠 수 있을까요?"처럼 자기 본질에 관한 질문을 한다. 아무에게도 말한 적 없는 마음속 깊은 불안을 솔직하게 털어놓을 수도 있다. 질문을 마쳤으면 이제 다시 집으로 돌아갈 때다.

이 여행은 연출자 역량에 따라 아주 광범위하고 깊은 내용을 담을 수 있다. 기본적으로 학생들이 각자의 상상력을 이용해서 맡은 인물에 대한 이해를 높이는 것이 목적이다. 인물의 성격에 맞게 신체를 움직이며 다양한 동작을 하고, 나아가 인물의 심리 깊은 곳까지 파고들 수 있으면 여행의 내용이나 형태와 상관없이 학생들 자신의 성장에도 도움이 된다. 〈활동 9-4 인물의 인생 이야기〉는 이 활동의 확장판이다.

{활동 6-12} 어떤 동물일까

이 활동은 사실 이어서 소개할 대단히 효과적인 인물 형상화 작업(〈활동 6-13 동물의 특징〉)의 준비 운동에 해당한다. 먼저 학생들을 교실 이곳저곳에 흩어져 서 있게 한 다음, 천으로 눈을 가린다. (그냥 눈을 감으라고 해도 된다) 연출자는 귓속말로 각자의 동물을 알려 준다. 생쥐, 소, 코끼리, 사자, 돼지, 원숭이, 물개, 뱀, 하이에나, 벌, 고양이, 말, 까마귀, 곰, 늑대, 부엉이, 돌고래처럼 울음소리에 분명한 특징이 있는 동물이 좋다. 물고기 같은 동물은 울음소리를 내기가 매우 어렵기 때문이다. 목표는 모든 동물을 크기 순서대로 줄 세우는 것이다. 서로에게 줄 수 있는 유일한 단서는 동물의 울음소리뿐이다. 대화는 절대 안 된다! (가끔씩 우리는 학생 한 명을 그냥 '사람'으로 놔두기도 한다. 그는 이성을 가진 존재이기 때문에 동물들을 순서대로 분류하는 과정에서 조정자 역할을 할 수도 있다)

{활동 6-13} 동물의 특징

〈활동 6-12〉가 성공적으로 진행되었으면 이번에는 학생들에게 자기 배역을 닮은 동물을 떠올려 보라고 한다. 여기서 닮은 점은 겉모습이나 신체 특징에만 국한되지 않는다. 인간의 영혼 세계는 동물의 특성과 닮은 부분이 많다. 세계 각국의 신화나 전설에는 동물 머리와 인간의 몸을 가진 신들이 흔히 등장한다. 이집트 신화의 아누비스는 자칼의 머리를, 호루스는 매의 머리를, 토트는 따오기 머리를 가졌다. 그리스 신화에는 인간 여자와 바람을 피울 때 여러 동물로 모습을 바꾸는 제우스뿐 아니라 켄타우로스와 미노타우로스 같은 반인반수가 나온다.

일상 언어에도 동물과 인간의 경계가 지금보다 훨씬 모호하던 시절의 흔적이 남아 있다. 그렇지 않다면 왜 용맹한 사람은 '호랑이'나 '사자', 고집 센 사람은 '황소' 같다는 표현을 쓸까? 순진한 여자를 꾀어 이득을 취하는 남자는 '늑대', 교활한 사람은 '여우'에 비유하며, 비겁하고 야비한 사람은 '쥐'나 '뱀', 소심한 사람은 '새'에 비유한다.

이처럼 흔한 개념이기 때문에 학생들에게 등장인물의 성격과 유사한 동물을 찾으라는 것이 아주 뜬금없는 요구는 아니다. 영 갈피를 못 잡는 경우에는 신진대사가 불안정하고 예민하며 다람쥐처럼 재빠르게 움직이는지, 지독하게 소심하고 수줍음이 많아 거북이처럼 목을 잔뜩 웅크리고 다니는지, 수탉처럼 머리를 꼿꼿이 세우고 당당하게 걸어 다니는지, 당나귀처럼 시끄러운 소리로 웃는지 같은 질문으로 도움을 준다. 인물의 대표적 특성과 유사한 동물을 찾았으면 다음의 세 단계로 활동을 이끈다.

1단계_ 먼저 각자 선택한 동물의 특징적인 소리를 내며 움직여 본다. 쑥스러운 마음에 분위기가 우스꽝스러워지는 것을 방지하려면 모두가 동시에 동물이 되어 움직이는 것이 좋다. 순식간에 동물원으로 변해 버린 교실은 시끌벅적한 울음소리와 함께 웃음으로 가득 찰 것이다.

2단계_ 눈을 감고 상상 속에서 맡은 배역에 그 동물의 특징을 뚜렷하게 대입한다. 예를 들어 고릴라 같은 특성을 가진 인물이라면 팔을 길게 늘어뜨리고 가끔씩 몸을 긁는다. 뱀 같은 인물이라면 눈을 가늘게 뜨고 도발적으로 혀를 날름거리고, 말 같은 인물은 뒷발로 땅을 차거나 힘주어 말할 때 크게 콧소리를 낸다.

3단계_ 마지막으로 둘씩 마주 보고 서서 동물의 특성을 드러내면서 즉흥 대화를 나눈다. 처음에는 그저 과장된 동작만 주고받기 쉽다. 배우들이 그 특성을 세련되게 다듬어서 자연스럽게 내면화시키게 하는 것이 연출자의 역할이다. 연습을 계속하다 보면 결국에는 너무 노골적인 동물적 행동은 사라지고 배역에 생동감과 깊이를 더해 주는 분위기만 남게 될 것이다.

{활동 6-14} 과장된 거울

학생들이 매우 좋아하는 활동 중 하나가 서로 상대의 거울이 되는 것이다. 이 활동은 〈활동 6-2 거울〉의 확장판으로, 여기서는 신체 동작뿐 아니라 대사까지 따라한다. 앞서와 마찬가지로 눈을 감고 연극 속 대사 한 줄을 택해 그 순간 인물의 자세와 어울리는 몸짓을 구체적으로 상상한다. 이제 눈을 뜨고 근처에 있는 사람과 짝을 지어 선 다음, 조금 전 떠올린 자세, 몸짓과 함께 대사를 한다. 짝의 과제는 '시간차 거울', 다시 말해 상대가 대사를 마치면 그 사람의 동작과 몸짓을 반복하는 것이다. 단, 원래 동작보다 훨씬 크게 과장해야 한다. 보일 듯 말 듯 살짝 고개를 끄덕였다면 격렬하게 머리를 흔들고, 무심히 손을 들어 뭔가를 가리켰다면 찌르듯 힘차게 손을 내지르고, 가볍게 손을 흔들었다면 온 팔을 자동차 와이퍼처럼 좌우로 흔들어야 한다. 머뭇거리며 "물어볼 게 있는데요."라고 했다면 화가 머리끝까지 난 사람이 악을 쓰듯 비난을 퍼붓는다. 그런 다음 다시 역할을 바꿔 거울이었던 사람은 자기 대사를 하고 짝은 그것을 과장해서 모방한다.

학생들은 이 연습을 정말 좋아한다. 상대를 희화해서 흉내 내기를 즐기는 청소년들의 심리를 합법적으로 용인하는 활동이기 때문이다. 그렇지만 어디까지나 거울이 연극 속 인물을 풍자하는 것일 뿐, 아이들끼리 서로를 놀리는 것이 아니기 때문에 아무도 인격모독이라고 느끼지 않는다. 또한 이 연습은 굉장한 해방감을 준다. 지금까지 무난하고 안전한 선을 지키며 연기해 왔던 아이들, 나무토막처럼 경직되고 무표정했던 아이들이 생기 넘치는 어릿광대로 돌변한다.

하지만 연출자는 단단히 각오하고 있어야 한다. 아이들의 에너지를 강렬하게 끌어올리는 활동이기 때문에 다시 제자리로 돌리기가 매우 어렵다. 오랫동안 수많은 사람이 그 효과를 검증해 온 '얼음' 기법을 잘 구사할 수 없다면 말이다.

{활동 6-15} 얼음

이것은 활동이라기보다 고삐 풀린 말처럼 흥분해서 이리 뛰고 저리 뛰는 아이들을 진정시킬 때 쓸 수 있는 좋은 기법이다. 연극 수업이 '지나치게' 잘 진행되다 보면 아이들이 배역 탐색에 너무 몰입한 나머지 순간적으로 통제력을 잃거나 완전히 정신을 놓을 때가 있다. 그럴 때 '얼음'은 중심에서 너무 멀리 나간 아이들을 잡아 주는 효과가 있다. 활동 자체는 아주 단순하다. 모든 활동이나 놀이 중에 연출자가 '얼음'이라고 말하는 (교실이 소란한 정도에 따라 때로는 소리를 지르는) 순간 모든 학생은 움직이던 그대로 동작을 멈춘다. 걷던 중이든 말하던 중이든, 자세와 상태에 상관없이 얼음이 되어 손가락 하나 까딱하지 않는다. 말을 하거나 비틀거리는 것은 물론, 가능하면 눈도 깜빡이지 않는다. 몇 초 동안 꼼짝 않고 그 상태를 유지한다. 출처를 확신할 수 없는 이 멋진 활동은 다음 세 가지 중요한 역할을 한다.

1) 혈기왕성한 청소년 수십 명이 흥분해서 날뛸 때 교사/연출자가 단번에 아이들의 주의를 한곳에 모으게 해 준다. 2) 다음 활동을 설명할 수 있는 조용한 분위기를 만든다. 3) 젊은 배우들에게 내적, 외적 자기 통제력을 키우는 기회가 된

다. 불꽃처럼 감정을 분출하다가 '얼음!'이라는 말이 떨어지는 순간 완전한 침묵과 정지 상태로 전환하는 법을 배우는 한편, 몇 초 동안 손끝 하나 움직이지 않는 난이도 높은 과제를 수행하며 자기 몸을 통제하는 힘을 키운다.

{활동 6-16} 인물 조형하기

이는 사실 난이도 높은 〈활동 9-5 인물 관계 조형하기〉의 단순한 변형이다. 둘씩 짝을 지어 선다. 한 사람은 조형자, 다른 사람은 찰흙이 된다. 시작할 때 찰흙은 머리를 숙이고 팔을 아래로 늘어뜨린 자세로 서 있다. 조형자의 목표는 찰흙을 다듬고 빚어서 연극 속에서 찰흙이 맡은 배역에 어울리는 흥미로운 자세를 만드는 것이다. 찰흙은 당연히 생명이 없는 광물이므로 이것 역시 침묵이 필요한 활동이다. 조형자는 오직 손으로 찰흙을 이리저리 만져서 원하는 모양을 만들어야 한다. 조형자가 찰흙을 겁에 질려 웅크리고 있는 모양으로 빚으려 한다고 상상해 보자. 찰흙의 무릎을 가볍게 접고 어깨를 밀어 내리는 것부터 시작할 것이다. 그런 다음 찰흙의 손 모양을 주먹 쥔 자세로 바꾸고, 양 옆에 늘어진 두 팔을 들어 올려 방어하듯 얼굴 앞에서 교차시킬 것이다. 머리는 살짝 위로 젖히고 눈을 크게, 입은 살짝 벌린 표정을 만들면 완성이다.

물론 찰흙은 조형자가 움직이는 대로 따라 주어야 한다. 찰흙이 흐물흐물한 젤리나 콘크리트로 변해 조형자의 작업을 수포로 돌리는 경우도 빈번하다. 조형자가 찰흙의 팔을 들어 어딘가를 가리키는 모양으로 만들었으면 찰흙은 팔이 힘없이 툭 떨어지지 않도록 자세를 유지해 주어야 한다. 모든 작품이 완성되면 찰흙들은 그 자세를 유지하고, 조형자들은 교실을 돌아다니며 다른 작가의 작품을 함께 감상한다. 연출자가 신호를 주면 조형물들은 『겨울 이야기』 속 허마이오니처럼 한 번에 한 사람씩 혹은 모두 동시에 살아 있는 인간으로 돌아온다. 이때 깨어나는 조형물들은 조형자가 만들어 준 자세에 어울리는 대사를 몇 마디 한다.

이것은 상당히 '예민한' 활동이다. 다른 사람이 자기 몸을 만지면서 자세를 바꾸는 것을 불편해하는 학생들도 있다. 조형자의 판단력도 중요하다. 학급마다 자기 찰흙을 프레첼처럼 곡예하듯이 꼬아놓고 싶어 하는 아이들이 한두 명씩은 나온다. 조형자들은 찰흙의 심정을 최대한 섬세하게 살피며 작업을 해야 한다. 찰흙을 거칠고 무례하게 다루는 학생은 활동에서 퇴출될 수도 있다.

7. 연극의 맥박, 타이밍

어떤 공식, 어떤 무대 연출법, 어떤 교조적 주장으로도 연극에서 '타이밍'이라 부르는 설명하기 어려운 능력을 어린 배우들에게 가르칠 수는 없다. 배우 중에 (나이와 상관없이) 가령 편지를 받는 장면에서 얼마나 빨리 혹은 얼마나 시간을 끌면서 편지를 열어야 하는지를 정확하게 판단하는 재능을 타고난 사람은 그리 많지 않다. 하지만 연출자는 배우들 내면에서 일종의 직관적인 시간 감각을 일깨울 의무가 있다. 결국 연극은 작은 폭발처럼 강렬하고 농축된 장면들과 바이올린 연주의 마지막 음처럼 가늘고 길게 이어지는 장면들의 총합이기 때문이다.

연출자는 장면마다 얼마나 짧게 얼마나 길게 그 장면을 끌고 갈지를 결정해야 한다. 『우리 읍내』 3막에서 에밀리가 다른 영혼들 곁으로 가는 장면에서 배우는 어떤 속도로 무대를 가로질러야 할까? 햄릿은 '죽느냐 사느냐'로 시작하는 독백을 얼마나 신중하게 말해야 할까? 『시라노 드 베르주라크Cyrano de Bergerac』에서 시라노가 죽음과 결투를 벌이며 절규하듯 내뱉는 대사를 통해 평생 록산느를 사랑해 온 이름 없는 연인이었음이 밝혀지는 가슴 아픈 마지막 장면은 얼마나 빠르게 진행되어야 할까? 셀 수 없이 많은 이런 선택이 연극의 속도와 맥박을 좌우한다. 장면의 타이밍을 의식적으로 다듬고 정교하게 맞추지 않으면 모든 악기가 각기 다른 속도로 연주하는 오케스트라가 되고 말 것이다. 개별 연주자들이 아무리 이름난 거장이라 해도 그들의 협주는 불협화음을 낳을 뿐이다. 연극 연출자도 오케스트라 지휘자처럼 악장에 따라 연극의 흐름과 속도를 조절하는 사람이다. 연출자가 연극의 속도와 강약(레가토, 안단테, 리타르단도)을 어떻게 해석하느냐에 따라 밋밋하고 단조로운 작품이 흡인력 있는 생생한 작품으로 살아날 수 있다.

이토록 중요한 '타이밍 감각'이지만 이것만을 키우기 위한 활동은 그리 많지 않다. 그도 그럴 것이 그런 미묘한 속도는 무대 연습 속에서 주고받으며 조정하는 것이기 때문이다. 일단 하나의 속도를 정해 장면을 진행하면서 지루하게 질질 끌고 있는지, 섬세한 느낌을 다 뭉개고 대충대충 건너뛰고 있는지를 판단해야 한다. 장면의 전체 속도와 별개로 배역마다 움직이는 리듬이 저마다 다르기 때문에 한 명 한 명을 고려해서 화음을 만들어야 연극 안에서 모든 요소가 골고루 빛을 발할 수 있다.

장면에 적절한 속도를 찾아내기 위해 일부러 연기 속도를 빠르게 당겼다 늦추는 기법이 있다. 다음은 일종의 준비 활동이다.

{활동 7-1} 속도 바꾸기

모든 배우에게 화분에 물주기, 바닥 쓸기, 식탁 차리기, 창문 닦기, 빨래 개기, 울타리 손질하기처럼 몸으로 하는 쉬운 과제 하나씩을 생각하라고 한다. 처음에는 그 과제를 할 수 있는 한 정성스럽게, 가능한 한 느리게 수행한다. 다음에는 동일한 동작을 동영상 빨리 감기처럼 두 배 빠른 움직임으로 반복한다. 마지막으로 첫 번째와 두 번째 속도의 중간 어디쯤, 자기 배역의 리듬에 어울리는 속도로 한 번 더 반복한다.

{활동 7-2} 4단계 즉흥 연기 연습

이것은 상당히 난이도 높은 과제에 속한다. 그 이유는 즉흥극이기 때문이다. 그래도 준비 단계에서 어떤 내용을 주고받을지 미리 밑그림을 그려 놓을 수 있다는 점에서 즉흥 연기치고는 매우 안전한 편이다. 이 활동은 네 단계로 진행한다.

1) 네다섯 명의 지원자를 받아 다음과 같은 상황을 준다.
- 4중주 연습을 하는 음악가
- 공사장에서 일하는 노동자
- 식당 손님과 종업원
- 수술실 의사와 간호사
- 내야에서 수비를 담당하는 야구 선수
- 정상에 거의 다 온 산악인

배우들에게 30초 시간을 주고 대강의 줄거리, 인물의 역할 등 장면의 기본 방향을 짜게 한다. 그런 다음 대사 없이 마임으로 연기를 시작한다. 한 사람도 예외 없이 일정 분량의 역할을 맡아야 한다. 2, 3분 정도 지켜보다가 장면을 끝낼 만한 순간이 오면 '그만!' 하고 외친다.

2) 배우들에게 방금 했던 연기를 가능한 한 동작까지 똑같이 반복하라고 한다. 단, 이번에는 등장인물들이 '지브리쉬'로 대화한다. 지브리쉬는 즉흥 연기를 할 때 무슨 말을 할지 몰라 혀가 굳거나 꿀 먹은 벙어리가 되는 어린 배우들을 자유롭게 풀어 주는 효과가 있다. 이 활동에서 지브리쉬는 먼저 마임으로만 만들어 놓은 몸짓을 확장시킨다. 아이들은 실제 의미에 크게 구애받지 않으면서 억양과 창의적인 소리 조합으로 충분히 의사를 전달할 수 있음을 깨닫는다.

3) 이번에는 '말 아닌 말을 언어로 번역'해서 세 번째로 같은 장면을 연기한다. 즉흥성은 가장 떨어진다. 두 번의 준비 단계를 거치면서 장면의 개요가 다 잡혔기 때문이다. 이 단계의 목표는 마임만으로 연기할 때 만든 역동적인 몸짓, 지브리쉬로 연기할 때 내는 소리 패턴을 그대로 유지하면서 언어를 추가하는 것이다.

4) 마지막으로 같은 장면을 전혀 상반된 속도, 즉 아주 느리거나 보통 속도의 2배 중 하나를 택해 연기한다. 느린 속도를 선택하면 모든 면에서 다 느려져야 한다. 배우들의 대사 리듬은 옛날 레코드판을 분당 45회 대신 78회 속도로 돌릴 때의 소리 왜곡처럼 일그러질 것이다. 보통 속도의 2배를 선택했다면 옛날 무성 영화의 빨리 감기 장면처럼 모든 배우가 정신없이 빠르지만 일사분란하게 연기를 주고받아야 한다.

{활동 7-3} 빨리 감기

방금 소개한 〈활동 7-2 4단계 즉흥 연기 연습〉에서 제목처럼 극의 속도를 한층 더 빠르게 해 보는 활동이다. 연극 연습 막바지에 이르렀을 때 진가를 발휘하는 활동이기도 하다. 공연이 일주일 정도 남으면 연습이 시들해지기 쉽다. 대사도 다 외웠고 어디로 어떻게 움직이면 되는지 동선도 다 파악했다. 처음 작품을 고르고 배역을 정할 때 느꼈던 설렘과 흥분은 시들해졌지만, 공연 전날이나 전전날쯤 찾아오는 터질 것 같은 흥분, 술에 취한 것처럼 들뜬 상태는 아직 오지 않았다. 한 마디로 장면 연습이 기계적 반복으로 전락하기 쉬운 시점인 것이다.

분위기가 이렇게 무미건조해졌을 때 딱 좋은 활동이 〈빨리 감기〉다. 이 활동의 목표는 평소 시간의 절반 안에 공연을 마치는 것이다. 어떤 기준에서 봐도 미친 짓처럼 보일 수 있다. 만사가 귀찮은 청소년들에게 느닷없이 정상 속도의 두 배로 연기하라고 요구하면 배우들은 틀림없이 반발할 것이다. 하지만 연출자가 배우들의 도전 의식을 불러일으킬 수만 있다면 〈빨리 감기〉는 연극의 에너지를 새로운 차원으로 끌어올리는 역할을 할 수 있다. 이 활동은 연출자에게 엄청난 집중력을 요구한다. 처음엔 빨리 진행되다가도 갈수록 늘어지게 되어 있다. 그럴 때 연출자는 옆에 서서 쉴 새 없이 "빨리, 더 빨리! 계속 그렇게! 질질 끌지 말고! 넘어가! 어서!"라고 소리쳐야 한다. 무대 위는 시장바닥처럼 소란스러워질 것이다. 배우들은 속사포처럼 대사를 읊고, 쏜살같이 등장했다 쏜살같이 퇴장하고, 동선이 꼬여 서로 부딪치고, 배가 아프도록 웃느라 지금 어디를 하던 중인지 놓치고, 인물의 성격이나 대사의 미묘한 느낌 같은 건 아예 포기한 채 정신없이 다음 장면으로 넘어간다. 하지만 배우들 안에 활력이 되살아나고 무질서와 난장판 속에서 마음껏 웃고 즐거워할 수 있다면 잠시 예술성이나 형식을 포기할 가치는 충분하지 않을까.

여백의 힘

보통 두 가지 경우에 젊은 배우들이 대사를 망치기 쉽다. 하나는 어색하고 단조로운 억양으로 '국어책 읽듯' 외운 것을 기계적으로 반복하는 경우고, 다른 하나는 크게 힘들이지 않고 술술 대사를 하지만 의미에 대한 고민이 전혀 담기지 않은 경우다. 두 경우 모두 순간을 의미 있게 만들어 주는 '여백'의 힘을 무시한 결과다. 청소년들은 일반적으로 침묵을 좋아하지 않는다. 이들이 가는 곳마다 음악이 함께하는 것만 봐도 알 수 있다. 이들은 힙합을 들으며 아침을 맞이하고 옛날 가요를 들으며 잠이 든다. 우리 아이들도 십 대 시절 차를 타면 자동적으로 하던 두 가지 행동이 있었다. 하나는 안전벨트 매기, 다른 하나는 라디오 켜기였다. 당연히 이들은 무대 위에서 소리로 채워지지 않은 정적을 아주 짧은 순간도 견디기 힘들어 한다. 하지만 진짜 연극은 바로 그곳, 말과 말 사이, 대사와 대사 사이 여백에 존재한다. 이 점을 잘 보여 주는 인물 중 하나가 『리어왕King Lear』의 글로스터다. 앞이 보이지 않는 글로스터에게 리어왕이 "당신은 세상이 어떻게 돌아가고 있는지 보겠지."라고 하자 글로스터는 한 박자 늦게 "저는… 느낌으로 알 수 있을 뿐이지요."라고 대답한다.(4막 6장) 글로스터는 세상을 '느낌'으로 먼저 만난다. 그리고 느낌은 가득 찬 '침묵' 속에서 전해진다. 펌프에서 쏟아져 나오는 차가운 액체에 이름이 있다는 인식이 헬렌 켈러의 내면에서 깨어나는 동안 무대에는 강렬하고 짜릿한 정적이 흐른다. 그 여백 속에서 관객의 마음에는 경이로움과 환한 빛이 차오른다.

학생들이 이런 연극의 진리를 어떻게 배울 수 있을까? 먼저 인물 간에 벌어지는 모든 상호 관계는 연극 안에서 나름의 의미를 가지기 때문에 어느 하나도 소홀히 해서는 안 된다는 점을 깨달아야 한다. 또한 여백과 침묵에도 여러 종류가 있다는 사실을 알아야 한다. 질문을 받은 다음 상대를 기만하는 대답을 짜내느라 뜸을 들이는 경우도 있다. 오셀로의 마음에 의심의 싹을 심기 위해 덫을 놓는 이아고가 그런 인물이다. 이때 여백에는 악의적 의도가 가득하다. 끔찍한 운명과 마주친 순간을 나타내는 침묵도 있다. 비로소 진실을 알게 된 오이디푸스는 아무 말도 하지 못한다. 자기 인식의 침묵이다. 사랑 때문에 말문이 막히는 경우도 있다. 『좋을 대로 하시든지As You Like It』에서 로잘린드가 목걸이를 주자 올란도는 너무 놀라 눈만 끔뻑거린다.

한 순간의 침묵에 연극 전체가 담기기도 한다. 내가 아는 한 가장 많은 이야기를 담은 침묵은 단연 스타인벡Steinbeck의 『분노의 포도The Grapes of Wrath』를 멋지게 각색한 프랭크 갈라티Frank Galati의 희곡에서, 샤론의 장미(로자샨)와 어머니가 아사 직전인 남자와 그의 어린 아들이 머무는 헛간으로 비틀거리며 들어가는 마지막 장면이다. 샤론의 장미는 사산아를 출산한 지 얼마 되지 않은데다 홍수로 강물이 불어나면서 그나마 집이라 여기던 고장난 화물 기차를 떠나 머물 곳을 찾느라 자기 몸을 추스르기도 힘든 허약한 상태였다. 길을 가다 발견한 낡은 헛간에 들어가 보니 한 남자가 반쯤 의식을 잃은 상태로 쓰러져 있다. 남자의 아들은 두 여자에게 아버지가 굶어 죽어가고 있으니 뭐라도 먹거나 마실 것을 구해달라고 애원한다. 그 순간 엄마는 샤론의 장미를 돌아보며 아무 말 없이 눈빛으로 묻는다. "네가 이 남자를 도와줄 수 있겠니?" 몇 초간 침묵이 이어지고, 관객은 남편에게 버림받은 설움, 직장과 집을 잃고 겪었던 멸시, 엊그제 아이를 잃은 고통 등 샤론의 장미가 그동안 겪었던 모든 일을 함께 느낀다. 그와 함께 우리는 샤론의 장미의 마음속에 또 다른 힘, 즉, 자기보다 더 비참한 사람에게 자기가 가진 유일한 것을 주고 싶다는 소망이 솟아나는 것을 느낀다. 그 정적 속에서 불운으로 점철된 조드 가족의 여정 전체가 의미를 얻고 고귀해진다. 샤론의 장미는 짧게 "그럴게요."라고 대답하고 남자에게 다가가 몸을 굽혀 자기 가슴에 그의 입을 가져다 댄다.

이처럼 중요하고 상징적인 장면의 성공 여부는 궁극적으로 젊은 배우들이 내면의 힘을 끌어 모아 그 여백의 순간을 적절한 질료로 채울 수 있느냐에 달려 있다. 다음 장에서는 학생들이 짧지만 중요한 한 순간 또는 장면의 전체 분위기를 깊이 있는 울림으로 채우는데 도움이 되는 활동들을 소개한다.

8. 분위기 충전

고등학교 농구부의 토너먼트 경기 마지막 4쿼터가 한창인 체육관에 들어가 본 적 있는가? 한쪽에선 "디~펜스! 디~펜스!"를 외치는 우렁찬 함성이, 반대편에선 그룹 퀸Queen의 'We will Rock You'를 목청껏 부르는 노랫소리로 경기장이 떠나갈 듯하다. 양쪽 응원단이 함성을 지르고 야유를 퍼붓고 발을 구를 때마다, 공이 골대로 빨려 들어갈 때마다, 심판이 호루라기를 불 때마다, 패스한 공을 상대에게 빼앗길 때마다 체육관 건물 전체가 파르르 떨린다. 열광과 흥분으로 공기마저 짜릿하다.

또 다른 장면을 떠올려 보자. 둥근 지붕 안쪽 아치형 천장이 사람들 머리 위로 6층 높이만큼 솟아 오른 큰 건물이다. 쏟아져 들어오는 햇살에 커다란 스테인드글라스 창문들과 긴 꼬리를 남기며 하늘로 올라가는 향불의 연기가 눈부시게 빛난다. 촛불이 제단 주변에서 깜박인다. 간간이 숨죽인 기침소리나 옷 스치는 소리가 들릴 뿐 긴 의자에 앉은 사람들은 쥐 죽은 듯 조용하다. 고개 숙인 사람들의 머리 위로 내려앉은 무거운 침묵을 깨는 건 라틴어로 기도문을 낭송하는 사제의 목소리뿐이다.

미사 중인 성당의 경건한 분위기는 농구 경기가 한창인 경기장과 확연히 다르다. 이는 누가 봐도 분명한 사실이다. 대체 어디에서 그런 차이가 생길까? 공간의 힘이 그 속에 있는 사람들에게 저절로 어떤 분위기를 갖게 하는 걸까? 체육관에서 종교 의식을 해도 성당에서와 같은 엄숙함으로 공간이 가득 찰까?

배우에게는 이런 질문이 단순한 호기심에 그칠 수 있는 문제가 아니다. 꼼짝 못 할 공포를 실감나게 전달하기 위해 갑자기 불타는 건물 속으로 무대를 옮길 수도, 시공간을 뛰어넘어 역사의 한 장면 속으로 순간 이동할 수도 없다. 배우는 무대라는 중립적 공간을 원하는 모든 장소로 변형시킬 수 있어야 한다. 마음대로 무대를 꾸미고 세련된 음향 효과와 조명, 화려한 의상을 동원할 수 없는 상황이라면 배우들은 온전히 자신의 상상력으로 무대에서 마법을 빚어내야 한다.

원하는 분위기를 만드는 연습이 성공하기 위해서는 다음 요소들이 필요하다.

1) 깨어 있는 침묵 상태_ 적어도 초반 기초 연습은 깨어 있는 침묵 상태에서 진행한다. 어느 정도 익숙해진 다음에야 대화를 포함한 난이도 있는 연습으로 넘어간다.

2) 협동_ 무대 위에 한 사람만 있을 때는 손에 잡힐 듯 선명한 분위기를 만들어 내기가 상대적으로 쉽지만, 모든 배우가 그 분위기를 함께 느끼지 못했다면 다 같이 무대에 오를 때 강도가 희석된다.

3) 점진적 강화_ 처음에는 어딘지 찜찜하다 정도로 막연한 느낌이 시간이 지나면서 확신에 찬 의심으로 발전한다.

4) 내면화_ 처음에는 주변에 존재하는 객관적 느낌이나 분위기였던 것이 조금씩 인물의 심경에 변화를 주다가 마침내 내면을 변형시킨다. 외부 요소가 내면으로 이동하는 과정이다. 배우는 이에 반비례해 점점 깊이 파고드는 감정을 강하게 밖으로 표현한다.

{활동 8-1} 극단적인 날씨 표현하기

다른 연극 활동과 마찬가지로 처음에는 '구체적'이며 쉽게 접할 수 있는 물리적 환경으로 시작하는 것이 효과적이다. 이런 측면에서 극단적인 날씨는 아주 좋은 소재다. 눈을 감고 눈보라를 상상한다. 이제 눈을 뜨고 몸을 움직인다. 살을 에는 강풍과 거세게 몰아치는 눈발을 피해 몸을 잔뜩 웅크리고 옹기종기 모여 선다. 그칠 줄 모르고 퍼붓는 눈에 이제는 종아리까지 파묻혀 서 있기조차 힘든 지경이다. 그때 저 멀리 희미하게 반짝이는 불빛이 보인다. 산지기의 오두막이다. 힘겹게 한 발 한 발 떼며 간신히 오두막 문 앞에 당도한다. 탈진 상태지만 마지막 힘을 쥐어짜 눈에 파묻힌 크고 튼튼한 문을 힘겹게 열고 집 안으로 쓰러지듯 들어간다. 그대로 잠시 문가에 누워 모진 바깥 날씨와 딴판인 실내의 아늑함을 즐긴다. 이제 창문 너머로 잉잉대는 거센 바람소리는 폭풍우에서 벗어났다는 안도감을 더해 줄 뿐이다. 젖은 외투를 벗고 벽난로 앞으로 간다. 장작에 불을 붙이고 따스한 온기와 환한 빛이 오두막 구석구석으로, 눈보라에 시달렸던 사람들의 마음속으로 퍼져 나간다.

연출자는 배우들이 깊이 몰입할 수 있도록 최대한 생생하게 상황을 묘사하며 이끌어야 한다. 세부 묘사와 설명이 자세할수록 상상하는 공간 속에 온전히 빠져들 수 있다.

이 밖에도 숲이 울창하고 습도가 엄청나게 높은 정글에서 늪지대를 지나가거나, 머리 위에서 태양이 이글거리고 물 한 방울 없는 사막을 가로지르는 여행 등 여러 가지 극단적인 기후 속에서 하는 여행을 생각해 볼 수 있다. 다음은 그만큼 선명하지는 않지만 학생들과 해 볼 수 있는 다른 여행들이다.

- 어두운 곳에서 밝은 곳으로 나가는 여행. 이를테면 칠흑같이 어둡고 축축한 동굴을 지나 눈부시게 빛나는 산 정상으로
- 아주 좁고 답답한 공간에서 광활한 공간으로 나가는 여행. 이를테면 사람이 빈틈없이 들어찬 엘리베이터에서 높은 산의 탁 트인 초원으로
- 아주 뜨거운 곳에서 추운 곳으로 나가는 여행. 이를테면 용암이 흘러내리는 화산 언저리에서 빙산 위로
- 고립된 곳에서 인파가 붐비는 곳으로 나가는 여행. 이를테면 아무도 살지 않는 열대의 해변에서 금요일 저녁의 도심 한복판으로
- 정신없이 번잡한 곳에서 평화로운 곳으로 나가는 여행. 이를테면 월드컵 결승전 경기장에서 힌두교 수행자 마을로

위의 상황 속에는 상상이긴 해도 기후라는 물리적 환경이 있기 때문에 학생들이 창의력을 발휘해 구체화시키기가 상대적으로 용이하다. 이에 비해 정서적 분위기는 훨씬 미묘하기 때문에 구현하기가 아주 어렵다. 하지만 그만큼 성과도 큰 도전이다.

{활동 8-2} 정서적 분위기

처음에는 평소처럼 교실을 이리저리 걸어 다닌다. 그러다가 주변 공기를 떠도는 왠지 모를 불안을 감지한다. 사방에서 엄습해 오는 불안의 강도가 커짐에 따라 행동이 달라진다. 몸짓은 점점 방어적이 되고, 편안하고 안정적이었던 시선은 주

변을 경계하고 염탐하는 눈길로 바뀐다. 미심쩍었던 분위기가 의혹으로 굳어진다. 막연한 불안과 의심이 강박으로 발전하면서 세상 그 누구도 믿을 수 없게 된 나머지 주변 친구들을 힐난하는 눈초리로 쏘아보기에 이른다. 뒤에서 감시하는 눈길을 피하고 다른 사람을 은밀히 감시하기 위해 구석지고 어두운 곳으로 파고든다. 이제 배우들은 불안하게 흔들리는 눈동자, 흠칫흠칫 놀라는 몸짓, 불안정한 숨소리로 주변 대기에 빈틈없이 파고든 걷잡을 수 없는 의혹을 표현한다. "모든 침대 밑에 빨갱이가 있다"며 미국 전역을 공산주의 색출 광풍에 몰아넣었던 1950년대 초반, 매카시즘 시대에 수백만 명에 이르는 미국인이 숨 쉬던 공기가 이런 분위기였을까?

이외에도 점진적으로 표현해 볼 만한 여러 가지 정서적 분위기, 태도가 있다.

짜증 → 분노 → 격노
낙심 → 우울 → 비통
불안 → 두려움 → 극심한 공포
흥미 → 예리한 주의 집중 → 경악
미심쩍음 → 어리둥절 → 혼돈
결심 → 용기 → 무모함
영리함 → 사기
무관심 → 무시 → 방치
기대 → 열정 → 광분
소망 → 부러움 → 탐욕
공손함 → 친절 → 박애
관심 → 끌림 → 욕정
놀림 → 조롱
자존심 → 교만
좌절 → 격분

{활동 8-3} 분위기 바꾸기

이 활동에서는 내적 유연함이 중요한 역할을 한다. 한 분위기에만 집중하는 것이 아니라 특정 분위기에서 시작해 조금씩 정반대 분위기로 변형시키는 것이 목적이기 때문이다. 이를테면 교실을 체념한 분위기로 가득 채웠다가 조금씩 결심하는 분위기로 전환하거나, 화목한 분위기에서 적대적 분위기로 옮겨갈 수도 있다. 다음은 같은 맥락에서 양극적으로 분위기를 전환해 볼 수 있는 주제들이다.

실의 → 희망
이완 → 긴장
냉소 → 경외
소외 → 합일
무관심 → 자비
지루함 → 매혹
소심함 → 자신감
이기심 → 성인聖人

{활동 8-4} 개인의 분위기

보통 함께 등장하는 배우들이 장면에 각자의 색깔을 입히면서 최종 분위기가 만들어진다. 하지만 그 전체적이고 지배적인 분위기는 지엽적이며 대조적인 개인 분위기가 총합되어야 만들어지는 경우가 많다. 예를 들어 『벼랑 끝 삶』 2막의 전반적인 분위기는 시시각각 다가오는 대홍수 앞에서 사람들의 불안이 치솟는 상태다. 하지만 미인 대회 우승자이자 미모를 무기로 돈 많은 남자를 꼬셔 보려는 요부의 전형인 사비나에게 목표는 단 하나다. 수단과 방법을 가리지 않고 조지 안트로부스를 유혹해 아내와 가족에게서 떼어 놓는 것. 사비나에게는 유혹하는 자의 분위기가 충만하다. 반면 조지는 장면 초반부터 부인에게 짜증이 나 있다. 재미 좀 보며 살고 싶은데 부인이 속박하려 들자 갈수록 노골적으로 적의를 드러낸다. 그런 상태에서 자신을 유혹하는 사비나를 만났지만 조지에게는 기회가 없다. 관객의 시선을 사로잡는 긴장 조성에는 이런 개인 분위기의 충돌도 큰 역할을 차지한다.

연습은 가장 기본적인 개인 분위기를 만들어 보는 것부터 시작한다. 〈활동 7-1 속도 바꾸기〉와 비슷한 활동(스웨터 입기, 샌드위치 먹기, 풍선 불기, 벽에 그림 걸기, 고양이 먹이주기, 전구 갈기, 선반 먼지 털기, 말뚝 박기, 계란 프라이 만들기 등)을 이번에는 특정 분위기를 가진 사람의 태도로 수행한다. 이를테면 고양이에게 먹이를 주는데 처음에는 부끄러운 듯이, 다음에는 결단력 있게, 냉정하게, 폭력적으로, 열정적으로 등 분위기를 바꿔가며 수행하는 것이다. 분위기를 전환할 때마다 그 상태가 배우 개인을 넘어 주변 대기까지 온전히 물들이도록 확장시켜 보라고 한다.

다음 분위기로도 연습해 볼 수 있다.

어색하게	점잖게	오만하게
낙담해서	바보같이	복수심에 불타서
감상적으로	지루하게	시름에 젖어서
조롱하듯	미친 듯이	무시무시하게
산만하게	애써서	회의적으로
신랄하게	명상적으로	아무렇게나
갈망하듯	당당하게	친밀하게

이 활동은 난이도가 높은 즉흥 연기를 위한 기초 작업이라 할 수 있다. 이어지는 〈활동 8-5〉에서 그 점이 명확히 드러난다.

{활동 8-5} 감정의 거울

이것은 두 명 이상이 짝을 지어 상대의 바뀌는 감정 상태를 거울처럼 따라하는 활동이다. 이를테면 로즈라는 학생이 절망 같은 특정한 감정 상태를 염두에 두고 연기를 시작한다고 하자. 로즈는 친한 친구 세실리아에게 자신의 처지가 얼마나 암울한지, 그래서 집을 떠날 수밖에 없다는 이야기와 함께 새롭게 시작한, 아직 서로 알아가는 단계의 연인에 대해 털어놓는다. 세실리아는 로즈의 절망을 그대로 모방하는 것으로 시작한다. 그러다가 문득 좋은 생각이 떠오르면서 세실리아의 표정이 밝아진다. 번잡하고 붐비는 도시를 벗어나 여행을 떠나자! 북쪽 숲에도 들러 오두막에 혼자 계시는 로즈의 아버지도 뵈면 좋겠다! 로즈도 세실리아의 넘치는 쾌활함을 모방하며 즉시 얼굴이 환해지더니 한술 더 떠 두 사람 모두와 친한 청년 토니도 데려가자고 한다. 토니는 두 사람을 웃게 만드는 재주가 아주 뛰어난 친구이다.

이쯤 되면 어쩐지 셰익스피어가 떠오르지 않는가? 사실 위 이야기는 『좋을 대로 하시든지』에서 로잘린드가 삼촌인 프레데릭 공작에게 반역죄로 몰려 왕국에서 추방당하는 장면을 요즘 시대에 맞게 각색한 것이다. 프레데릭 공작의 딸이자 로잘린드의 둘도 없는 친구 셀리아는 로잘린드의 우울한 기분을 풀어 주기 위해 변장을 하고 아덴 숲에 유배 중인 로잘린드의 아버지를 뵈러가자고 제안한다. 단박에 활기를 되찾은 로잘린드는 안전을 위해 둘 다 남자로 변장해서 길을 떠날 생각, 궁정 광대인 터치스톤을 꼬셔서 함께 갈 생각에 행복해한다. 이 장면은 두 아가씨가 비밀 계획을 세운 뒤 기대감에 부풀고 의기양양해진 모습으로 끝난다.

상대의 감정을 그대로 따라가기 위해서는 배우들이 서로에게 주파수를 정확하게 맞추어야 한다. 먼저 시작한 사람이 어떤 분위기를 만들든 상대는 즉시 그 감정을 모방, 보강한다. 한 사람이 의기소침하다 의기양양해지거나 냉소적이다가 경탄하는 등 정반대 분위기로 넘어가기 시작하면 얼른 맞장구를 친다. 이 연습은 이어지는 〈활동 8-6 감정 그네〉와 함께 난이도가 매우 높은 활동에 속한다. 11, 12학년은 되어야 이 활동이 요구하는 바를 수행할 내면적 힘이 생긴다.

{활동 8-6} 감정 그네

학생 한 명에게 어떤 한 분위기(이를테면 지루함)를 선택하라고 한다. 다른 학생에게는 흥분한 분위기를 상대에게 전달하라고 한다. 이 활동의 목적은 짧은 대화를 주고받는 과정에서 한 사람의 감정을 상대와 맞바꾸는 것이다.

A : 이 따분한 병원 접수대에 앉아 있는 거 이젠 도저히 더 못 하겠어! 4시간 동안 환자가 한 명도 없잖아.

B : 이것 좀 봐! 지난주에 심은 씨앗에서 싹이 났어! 이 예쁜 아가들이 쑥쑥 자라고 있어.

A : 내가 언제 그런 일에 관심 갖는 거 본 적 있어? 난 밖에 나가 돌아다니고 싶어 몸살이 날 지경이라고!

B : 여기 좀 봐! 줄기에서 벌써 분지된 잎들이 나오기 시작해.

A : 분…뭐라고?

B : 분지된 잎, 작은 잎이 둘로 갈라지는 거 말이야. 식물학 시간에 배웠잖아, 알지?

A : 그렇게 화분을 코앞에 들이밀 필요는 없잖아… 가만… 이걸 며칠 전에 심었다고? 이 식물 이름이 뭐야?

B : 주키니 호박일걸. 아니면 해바라기? 이름표를 붙여 놨어야 했는데.

A : 정말 귀엽네. 잎이 꼭 작고 예쁜 애기 혓바닥 같아. 이야, 정말 예쁘다… 맙소사! 이를 어째! 화분이 깨졌네. 난 네가 화분을 잡고 있는 줄 알았어.

B: 안 잡고 있었어. 네가 화분을 안았잖아. 난 몰라. 다 죽었을 거야.

A: 아냐, 안 죽었어. 이거 봐, 흙을 쓸어 모아서 다른 화분에 넣으면 돼.

B: 됐어, 포기해. 그래봐야 소용없을 거야.

A: 기다려! 내가 다시 심었어. 아까처럼 말짱해졌지? 내가 뭐랬어. 이제 이 예쁜 아가들이 무럭무럭 자라서 노래를 부를 거야. "호박밭에 호박이 불쑥 불쑥 불쑥 불쑥 불쑥 불쑥 잘도 자라네." 이거 봐!

B: 됐어. 다 끝났어. 난 이제 관심 없어.

이것은 훨씬 어려운 활동이다. 대사를 즉흥적으로 만들어 내야 할 뿐 아니라 서로의 상태를 예민하게 느끼면서 그에 맞춰 반응해야 하기 때문이다. 둘 다 상대의 감정과 완전히 상반된 자기만의 감정 상태를 만들어야 하며, 직접 알려 주는 대신 행동을 보며 어떤 감정인지 관찰자가 알아채게 해야 한다. 그런 다음 서로의 분위기를 맞바꾸는데 그 과정이 너무나 매끈해서 공연이 끝난 뒤 관찰자가 곰곰이 생각해 봐도 언제 감정 교환이 일어났는지 콕 집어 말하기 어려워야 한다.

작품을 올리는 과정에서 연출자는 젊은 배우들이 어떤 개인 분위기를 연습하는 것이 특정한 영혼의 힘을 키우는데 도움이 될지 함께 고민해 줄 수 있다. 이를테면 『십이야』에서 위조된 편지에 적힌 내용을 올리비아의 지시라고 오해한 말볼리오가 노란색 양말에 십자 대님을 매고 정신 나간 사람처럼 실실 웃으며 올리비아 앞에 등장하는 장면을 보자. 이 장면에 넘치는 분위기는 기대감이다. 편지 위조범은 아무 것도 모르는 여주인에게 구애하러 나선 말볼리오가 얼마나 우스꽝스러운 모습으로 나타날지 기대에 부풀어 기다린다. 말볼리오는 올리비아의 선택을 받은 자라는 자신감을 숨김없이 드러낸다. 그동안 억눌러 왔던 올리비아에 대한 욕망이 충만하다. "사랑스런 아씨,

하, 핫!" 반면 올리비아는 말볼리오의 기괴한 차림에 대한 충격에서 그가 아픈 건지도 모른다는 걱정으로 바뀌는 분위기다. 그래서 올리비아는 "침대로 가서 좀 눕는 게 좋겠네요, 말볼리오."라고 말하지만, 허영과 욕망 때문에 판단력을 상실한 말볼리오는 올리비아의 말을 오해한다. "(자기 손에 입을 맞추며) 침대로요? 그래요, 내 사랑, 가 있으면 나도 그리로 가리다."(3막 4장) 이처럼 판이하게 다른 개인적 분위기가 갈등하는 장면에는 대형 태풍 두 개가 정면충돌할 때와 같은 역동적 상호 작용이 일어난다.

분위기를 만들고 변형시키는 연습은 젊은 배우들에게 엄청난 공부가 된다. 이를 통해 배경뿐 아니라 손에 잡힐 듯 구체적인 분위기를 무대 위에 만들어 올리는 법도 터득할 수 있기 때문이다. 드라이아이스나 연기를 피워 올려 무대 위 공기 밀도를 무겁게 만드는 것처럼 학생들은 어떤 장면이든 감각으로 느낄 수 있을 만큼 생생한 분위기로 충전시키는 법을 배운다. 원하는 분위기를 현실화시키고 유지하는 힘이 생기면 어느 순간 연기 중에 배우들이 그토록 꿈꾸는 초월적 느낌을 경험할 수도 있다. 수영을 하다가 지쳤을 때 주변의 물이 몸을 둥둥 떠받치는 것을 느끼듯 무대 위의 배우 역시 걸어 다니고 움직이는 공간의 힘이 자신을 들어 올리고 고양시키는 듯한, 형언하기 어려운 감정을 경험할 때가 있다. 이것이 바로 분위기가 창조하는 마법이다.

9. 다른 인물 이해하기_ 마음 모아 함께하는 연기

청소년은 본성상 이상이나 진리를 추구하는 존재다. 본질적 목적이나 일관성, 공동체 같은 가치를 상실해 가는 현대 문화 속에서 이들은 삶의 의미와 진정한 관계를 목마르게 찾는다. 배우는 연극에서 의미와 관계성을 자신의 행위 속에 통합시킬 기회를 얻는다. 아니, 그러지 않으면 끝까지 밀고 나갈 힘을 얻지 못한다. 이 시기 아이들이 그렇게 연극에 빠져드는 이유는 의미와 관계성을 통합할 수 있는 드문 기회이기 때문일 것이다. 경험과 연륜이 쌓일수록 '연극은 가장 사회적인 예술'이라는 말이 연극의 본질에서 나왔음을 깨닫게 된다. 지금까지 무대에 올렸던 크고 작은 모든 공연은 사실 '농축된 공동체'를 창조하는 과정이었다. 본격적으로 연극 준비를 하는 3, 4주 동안 배우들은 일종의 협연을 한다. 서로가 어떤 존재인지를 알아봐야 할 뿐만 아니라 상대에게 '힘을 주는' 동시에 자기도 그 관계에서 '힘을 얻어야' 한다는 뜻이다. 무대 위에서 서로가 맡은 인물에게 진심으로 반응하지 않으면 장면은 빈 냄비처럼 공허한 메아리가 되고 아무런 진실이 담기지 않는다.

공연을 준비하는 첫 순간부터 우리는 어떤 배역을 맡으면 돋보일지, 그래서 미래에 공연계로 나가려고 할 때 지름길이 될지 같은 생각을 깨끗이 지운 상태로 임한다. 배우가 껍데기로 무대에 서 있으면 아무리 연기력이 뛰어나도 관객을 감동시킬 수 없다. 한 편의 연극은 일종의 유기체이며 모든 배역은 그 유기적 전체성을 구성하는데 없어서는 안 될 요소들이다. 이런 태도를 키우는데 도움이 되는 몇 가지 활동이 있다.

{활동 9-1} 의자 없는 의자

아이들은 순전히 재미있는 놀이라 생각하며 참여하겠지만 아주 잠깐이라도 의미를 생각해 보는 시간을 가지면 협동의 귀중함을 새삼 깨닫는 기회가 될 수 있다. 모든 사람이 시계 방향으로 앞 사람의 등을 바라보며 원을 이루고 선다. 원 중심을 향해 다 함께 몇 발짝씩 들어가면서 편안히 숨은 쉬되 앞사람 등과 닿을 정도로 간격을 좁혀 나간다. 연출자가 신호를 주면 모든 사람이 동시에 아주 천천히 엉덩이를 내려 바로 뒷사람 무릎에 앉는다. 모두 앉는데 성공하면 원은 외부 지지대 없이 온전히 자체의 힘만으로 지탱하는 거대한 의자가 된다.

이 균형 상태는 아주 쉽게 무너뜨릴 수 있다. 한 사람만 삐딱한 마음을 먹고 앞사람을 지탱하는 다리를 빼면 순식간에 와르르 무너진다. 하지만 이 활동에서는 그런 어리석음조차 의미 있는 가르침이 된다. 단 한 명이라도 등퇴장을 잘못하거나 역할을 제대로 소화하지 못하거나 중요한 소품을 잊어버리면 장면 전체가 망가질 수 있다. 모든 등장인물이 지금 함께 만든 커다란 의자처럼 전적으로 서로의 힘에 기대고 있음을 실감하는데 이보다 더 좋은 활동은 없다.

{활동 9-2} 기계 장치 만들기

함께 큰 원을 만들어 선다. 한 사람이 원 중심에 서서 아주 단순하고 반복적인 동작을 시작한다. 그의 역할은 그 동작으로 규칙적인 리듬을 만들고 연출자의 특별한 지시가 없는 한 활동이 끝날 때까지 흔들림 없이 리듬을 유지하는 것이다. 이제 두 번째 사람이 나와서 첫 번째 사람과 직접적인 신체 접촉은 없지만 어떤 식으로든 연결되는 또 다른 동작을 시작한다. 두 번째 동작의 리듬이 첫 번째와 똑같을 필요는 없지만 어느 정도 박자는 맞아야 한다. 계속해서 새로운 사람들이 자기만의 창의적인 동작을 전체 움직임 속에 통합시키면서 '기계'에 움직이는 부품을 추가한다.

마지막 사람(부품)이 들어오기 전까지는 모두 소리 없이 조용히 동작만 한다. 마침내 기계가 완성되면 자기 부품이 움직일 때 어떤 소리를 낼지 상상해서 소리를 내 보라고 한다. 말이 떨어지기 무섭게 시작되는 불협화음은 언제나 큰 즐거움과 웃음을 가져다 준다. 끝내기 전에 기계의 작동 속도에 변화를 주는 과제에 도전해 본다. 첫 번째 사람에게 속도를 높이거나, 모든 장치가 '끼기기긱' 소리가 멈출 때까지 속도를 늦추라는 지시를 준다. 다른 부품들은 기계 전체의 동작과 소리가 원활하게 움직이도록 첫 번째 사람에 맞춰 속도를 조절한다.

기계 장치 만드는 활동의 변형으로 일상에서 흔히 보는 기계나 움직이는 물건을 만들어 볼 수도 있다. 기억에 남는 작품으로 자동차(공중제비를 넘는 '타이어'까지 완벽하게 갖춘), 세탁기, 돛단배, 구식 레코드플레이어, 타자기, 석유시추기, 굴착기 등이 있었다. 때로는 그 장치를 작동시키는 인간 역할을 맡은 학생도 있었다.

{활동 9-3} 생물체가 되어 보자!

기계 대신 '유기체'를 만들어 볼 수도 있다. 몇 명씩 모둠을 지어 나무, 코끼리, 화산처럼 자연에서 볼 수 있는(적어도 움직이는) 생물체를 만들어 보는 것이다. 코끼리라면 여러 명이 함께 몸통을 만들고 네 사람이 각각 다리 하나씩을 맡고, 한 사람은 꼬리, 한 사람은 기다란 코를 맡는 식이다. 식물은 씨앗에서 싹이 트거나 어린 묘목에서 커다란 참나무가 되는 것처럼 시간에 따라 성장하는 과정을 표현하면 좋다.

{활동 9-4} 인물의 인생 이야기

〈활동 6-11 나는 어떤 사람일까〉는 학생들이 상상력을 동원해서 맡은 인물을 확장시키는 활동이었다. 그때는 다른 배우들과 상호 작용 없이 개별적으로 인물을 연구했다. 이번 활동에서는 배우들이 함께 즉흥 연기를 하며 서로의 배역을 알아 가는데 도움을 주고받는다. 먼저 모든 배우에게 자기 인물이 6살일 때의 모습을 상상하라고 한다.

어느 정도 그림을 떠올렸으면 그 6살짜리들이 학교 쉬는 시간이나 토요일 오후 공원에서 모여 함께 노는 장면을 연기해 보라고 한다. 줄넘기, 술래잡기, 블록 쌓기, 소꿉장난 등 어떤 놀이도 상관없다. 중요한 것은 인물의 개성이 막 드러나기 시작하는 상태를 표현하는 것이다.

첫사랑, 결혼, 소중한 사람을 잃는 사건 등 인생의 여러 순간이나 시기로 옮겨가며 즉흥 연기의 과제를 준다. 꼭 해 봐야 하는 사건은 인물이 80세쯤 되어 세상을 떠날 때가 가까워진 순간이다. 둘씩 짝을 짓고 앉아서 극중 인물의 눈으로 지난 삶을 돌아본다. 즉흥 연기로 대화를 나누면서 가장 행복했거나 불행했던 순간, 가장 영광스러운 순간, 이루지 못한 꿈 등을 이야기한다. 죽기 전에 마음의 짐을 덜고자 수십 년 동안 혼자 간직했던 비밀을 털어놓을 수도 있다.

{활동 9-5} 인물 관계 조형하기

이것은 〈활동 6-16 인물 조형하기〉를 좀 더 발전시킨 활동이다. 조형자와 찰흙으로 역할을 나누는 것은 동일하지만 여기서는 한 조형자가 두 개 작품을 동시에 작업한다. 조형자의 목표는 연극 속 두 인물의 특성을 작품으로 보여 주는 것이다. 〈활동 6-16〉과 동일한 기법으로 조형물을 빚으면서 두 인물 간의 관계가 드러나도록 자세와 위치를 잡는다. 조형물 하나는 키스하려는 자세로, 다른 하나는 원치 않는 접근을 물리치는 자세로 만드는 식이다.

모든 작품이 완성되면 조형자들이 서로의 작품을 감상하는 동안 찰흙은 잠시 그 자세를 유지한다. 연출자가 신호를 주면 조형물들은 생명을 얻고 빚어 놓은 자세에 따라 상대 조형물과 짧은 즉흥 연기를 한다. 한 번에 한 쌍씩 연기할 수도, 모든 조형물이 동시에 연기할 수도 있다. 실제 연극에서 두 인물이 함께 등장하는 장면이 있는지는 중요하지 않다. 이 활동을 통해 생긴 인물 간의 상호 관계는 배역에 입체감과 생동감을 더해 준다.

{활동 9-6} 다른 인물의 걸음걸이

이것도 연극에 참여하는 모든 배우가 마음을 모으고 다른 인물에 대한 이해를 넓히는데 도움이 되는 활동이다. 한 사람(관찰자)만 바닥에 앉고 다른 배우들은 모두 관찰자가 맡은 인물이 되어 교실을 걸어 다닌다. 대사를 해도 좋다. 자신의 배역을 다른 배우들이 연기하는 모습을 주의 깊게 관찰하는 이 활동을 통해 창의적인 동작이나 몸짓을 찾아 실제 연기에 응용할 수도 있다. 장면 연습 기간 중에 모든 배우가 자신의 역할을 다른 배우가 표현하는 것을 관찰할 기회를 갖게 한다.

{활동 9-7} 소리와 단어의 교향곡

모든 배우가 교향악단처럼 정면을 보고 두세 줄로 나란히 선다. 연출자는 지휘자 역할을 맡는다. 첫 번째 줄은 바닥에, 두 번째 줄은 의자에 앉고 세 번째 줄은 의자 뒤에 선다. 앉아 있는 학생들에게 맡은 인물의 본질적인 특성을 드러내는 소리를 생각해 보라고 한다. 서 있는 학생들에게는 인물이 가진 삶의 철학을 한 마디로 요약해 주는 단어를 생각해 보라고 한다. 모두가 마음속에 한 가지 소리나 단어를 떠올리면 한 사람씩 돌아가며 자기 소리를 말한다.

연주할 재료가 어떤 소리들인지 확인했으면 교향곡을 시작한다. 이를테면 먼저 '그르르르' 소리를 택한 학생에게 어떤 속도와 리듬으로 소리를 이어갈지 정해 준다. 이어서 다른 소리나 단어를 가진 학생들을 차례로 지적하면서 주된 선율과 나란히, 혹은 강약의 변화를 주며 들어가도록 지시한다. 모든 소리가 들어갔으면 어떤 성부는 강하게, 어떤 성부는 여리게 소리를 내라고 하면서 본격적인 '음악' 연주를 시작한다. 손가락으로 가리키고 손을 휘두르는 동작으로 신호를 주면 단어를 말하는 성부는 연주를 멈추고 소리 내는 성부는 점점 커지는 식으로 지휘를 한다. 서너 명의 독주자를 택해 특정한 주제 선율을 강조할 수도 있다. 이 교향곡을 어떻게 연주할지는 연출자의 상상력에 따라 무궁무진하게 변형할 수 있다.

{활동 9-8} 둘이 함께 쓰는 편지

두 명씩 짝을 지어 맡은 배역의 입장에서 연극에 등장하는 또 다른 인물에게 편지를 쓴다. 하지만 손이 아니라 소리 내서 말로 쓰는 편지다. 사전에 아무런 계획을 짜지 않은 채 두 사람이 번갈아 단어를 말한다. 한 사람이 '친애하는'이라고 하면 다른 사람이 '바톰 씨에게'라고 덧붙인다. 이를테면 계속해서 당신에게

- 드릴 - 말씀이 - 있습니다. - 내 - 애인이 - 생각하기에 - 당신은 - 어마어마한 - 얼간이 - 입니다. - 사랑스럽게 - 늘어진 - 귀와 - 고귀한 - 그러나 - 거대한 - 동굴 같은 - 콧구멍이 - 귀엽습니다 등.
이런 종류의 즉흥 연기에서는 서로 분위기를 맞추고 조화를 이루어야 편지가 어느 정도 일관성을 띨 수 있다. 하지만 연습을 아주 복잡하게 변형할 때 오히려 예기치 못한 반전이 쉽게 일어날 수도 있다.

{활동 9-9} 머리가 넷

배우 네 명을 선정한다. 이들은 극 중 한 등장인물이 가진 '네 개의 입'이다. 이들 중 한 명이 맡은 배역이어도 좋지만 꼭 그래야하는 건 아니다. 머리가 넷인 이 인물에게 다음 질문에 즉흥적으로 대답하라고 한다.

- 가장 당혹스러운 기억은 무엇입니까?
- 몰래 연정을 품고 있는 사람이 있나요?
- 바꿀 수 있다면 당신의 삶에서 무엇을 바꾸겠습니까?
- 어린 시절과 지금을 비교한다면 어떤 방향으로 달라졌습니까?
- 부모님과 가장 닮은 점이 무엇입니까?
- 지금까지 가장 잘한 행동은 무엇인가요?
- 목숨을 걸 만큼 원하거나 좋아하는 일이 있습니까?
- 주변에 아무도 없다면 무엇을 해 보고 싶나요?

질문을 들은 머리 네 개 달린 인물은 머리 하나에 한 단어씩 돌아가며 대답한다. 다음은 "자신에 대해 가장 마음에 드는 점이 무엇입니까?"라는 질문에 말볼리오가 네 개의 머리로 대답했을 때 나올 수 있는 답변이다. 각 머리는 한 단어만 말할 수 있으며, 이상적으로는 앞 단어와 연결되는 단어를 말하면서 문장을 만들어 간다.

"내 - 발가락은 - 나의 - 가장 - 소중한 - 보물이에요 - 나는 - 발가락을 - 젖은 - 시멘트에 - 담그는 것을 - 아주 - 좋아해요 - 그리고 - 내 여자 친구와 - 우아하게 - 탭댄스를 - 추는 것을 - 좋아해요 - 내가 - 가장 - 좋아하는 - 다른 - 부분은 - 제 - 눈썹이에요 - 아마 - 보실 수 - 있을 걸요? - 제 눈썹이 - 얼마나 - 멋진 - 아치 모양인지 - 마치 - 예쁜 - 바나나처럼요."

네 개의 입이 만든 문장은 위의 예보다 더 말이 안 되는 경우가 많다. 하지만 이 연습에서 중요한 것은 내용이 아니라 네 개의 입이 한 몸이 되어 말하는 과정에서 생기는 서로에 대한 느낌, 함께 발을 맞춘다는 느낌이다. 네 명이 죽이 척척 잘 맞으면 하는 사람과 관객 모두가 웃느라 허리를 못 펴기 쉽다. 이어지는 단어 하나하나가 사고의 흐름을 전혀 예상할 수 없는 방향으로 몰고 가는 촉매가 되기 때문이다.

{활동 9-10} 더빙

젊은 배우들은 연기할 때 극중 인물의 말과 행동을 일치시키지 못하는 경우가 많다. 대사에는 온갖 감정과 힘을 싣지만 팔다리는 나무토막처럼 뻣뻣하게 서 있기도 하고, 대사 내내 무의식적으로 손을 빙빙 돌리거나 휘두르기도 한다. 한 사람은 연기만 하고 다른 사람이 대사를 입히는 더빙 활동은 관객의 주의를 산만하게 만드는 불필요한 몸짓을 자각하고, 언제 어떤 동작이 대사의 효과를 극대화시킬지를 깨닫게 한다. 뿐만 아니라 두 사람이 한 몸처럼 움직이는 경험은 배우들에게 함께 호흡을 맞추고 있다는 각별한 느낌을 준다.

〈더빙〉의 예행 연습으로 '말 거울' 활동을 해 볼 수 있다. 두 사람이 마주보고 선다. 대화를 이끄는 역할을 맡은 사람이 아주 천천히 말을 시작한다. 다른 사람은 즉시 억양과 단어까지 똑같이 따라한다. 합이 잘 맞고 연기가 훌륭한 경우 두 사람이 거의 동시에 말하는 것처럼 보이기 때문에 관찰하는 사람은 누가 주도하는 사람이고 따라하는 사람인지 구분하기 어렵게 되기도 한다.

본격적으로 〈더빙〉 활동을 하기 위해서도 연기하는 사람과 대사하는 사람 한 명씩 짝을 짓는다. 대사하는 사람은 연기하는 사람 뒤를 따라다니며 말한다. 외워도 좋고 대본을 실감나게 읽어도 좋다. 연기하는 사람은 입은 벙긋거리지만 소리는 내지 않는다. 오로지 대사와 어울리는 표현력 있는 동작에 집중한다. 대사하는 사람이 흐느끼면 울고, 대사하는 사람이 소리를 지르면 단어 이면에 숨은 격한 감정이 전해지도록 동작에 힘을 실어야 한다. 다른 사람의 입으로 자신의 대사를 듣는 경험은 거의 예외 없이 배우들에게 새로운 차원과 가능성을 열어주곤 했다.

{활동 9-11} 즉석 연극

아이들이 아주 좋아하는 활동 중 하나로 협동 활동의 정수라 할 수 있다. 먼저 두세 쪽을 넘지 않는 짧은 이야기 중에서 등장인물과 이야기가 풍부하고 다채로운 것을 선택한다. 경험으로는 '자루에서 두 개', '보물', '꾀 많은 농부' 같은 러시아 민담이 이 활동에 가장 적합했다. 구성원 중 한 명이 실제 꾸었던 꿈이나 겪었던 사건을 이용해도 좋다. 하지만 그 경우 연출자는 본래 의도와 달리 심리극으로 흘러가지 않도록 주의해야 한다. 심리극은 아주 흥미진진한 활동이 될 수도 있지만 감정이 걷잡을 수 없이 폭발할 가능성도 크기 때문이다.

어떤 이야기든 이 활동은 다음 세 단계를 확실히 밟고 가는 것이 좋다.

1) 아이들에게 이야기를 읽어주거나 들려준다. 이야기가 끝나면 줄거리를 다시 말해야 한다고 미리 일러둔다. 이야기를 생생하고 생동감 있게 들려줄수록 학생들은 정확하게 기억할 것이다.

2) 모두 둥글게 앉은 다음 한 사람이 한 장면씩 돌아가며 이야기한다. 세부 사항을 잊어버리거나 사건 순서를 뒤섞으면 다른 사람들이 틀린 부분을 고쳐 주거나

보충한다. 물론 “야, 이 멍청아. 그게 아니지. 먼저 그 남자가 목욕을 하러 들어갔지. 그 사이에 욕심 많은 엄마가 마법 자루를 보통 자루와 바꿔치기 했잖아. 어쩜 넌 이렇게 쉬운 이야기도 제대로 기억을 못 하니?”처럼 윽박질러서는 안 된다. 모든 아이가 비슷한 분량을 이야기할 기회를 가질 수 있도록 인원수에 맞게 적당히 길이를 조절해 준다. 다시 한 번 강조하지만 먼저 귀 기울여 듣고 그것을 기억해서 이야기해야 한다. 잘 생각이 안 난다고 책을 돌려가며 읽어서는 안 된다.

3) 세 번째 단계는 우리가 아는 협동 작업 중 가장 창의적이면서 난이도 높은 활동에 속한다. 아무런 사전 준비나 계획, 역할 분배 없이 즉석에서 그 이야기를 연극으로 만드는 것이다. 게다가 사람만이 아니라 이야기에 등장하는 중요한 소품, 동물들까지 표현해야 한다. 오두막, 마차, 파도, 돼지, 모자, 탁자, 북풍, 황금 등 살아 있는 것이든 아니든 이야기를 생동감 있게 전개하는데 필요한 모든 요소를 모두 배우의 연기로 표현해야 한다. 합리적이고 질서 정연하게 계획을 짤 수 없기 때문에 두세 명이 동시에 해설이나 주인공, 난로나 염소 연기를 하는 순간도 생길 수 있다. 괜찮다. 여러 명이 동시에 한 역할을 하는 건 엉망진창이며 엉뚱하지만 기발하고 근사한 연극 활동의 참맛을 더해 주기 때문이다. 한 명도 빠짐없이 적극적으로 참여할 것, 그리고 원작의 줄거리를 될 수 있는 한 충실하게 따를 것. 이 조건만 지키면 된다. 한두 사람만 북 치고 장구 치며 설치기보다 서로의 존재를 존중하며 한마음으로 움직이는 경험을 하는 것이 이 활동의 목표다. 시작할 땐 해설자였던 아이가 어느새 빗자루가 되고 다음 순간엔 노파, 마지막엔 묘비가 될 수도 있다.

준비 중인 연극에도 동일한 기법을 적용해 볼 수 있다. 공연 준비 막바지에 이르러 모두가 지쳤을 때 생기를 북돋는데 큰 도움이 된다. 자기 배역을 제외한 모든 역할과 모든 소품을 연기해 보라고 하는 것이다. 이때도 여러 명이 동시에 한 역할에 달려들어도 아무 상관없다. 피곤하고 의욕도 떨어져 연극 연습이 빈사 상태에 빠졌을 때 심폐 소생에 준하는 효과를 발휘하는 활동이다.

{활동 9-12} 연기 중심 주고받기

이 활동은 상당히 어려운 활동으로 어린 학생들도 시도해 볼 수는 있지만 17세 이상 청소년에게 더 적합하다. 무대를 두 개의 연기 공간으로 분리한 다음 양쪽에 탁자 하나씩을 놓고 배우 두세 명이 둘러앉는다. 테니스와 골프, 개와 고양이, 클래식 음악과 헤비메탈, 시골 생활과 도시 생활에서 볼 수 있는 상대적 장점처럼 논쟁에 가까운 열띤 토론을 벌일 만한 주제 하나씩을 준다. 모둠마다 주제가 달라야 한다. 준비되면 두 모둠이 동시에 대화를 시작한다. 결과는 당연히 '불협화음'일 것이다. 그러다가 연출자가 한 모둠의 논쟁이 무대 위 연기의 중심이 되도록 다른 모둠에게 '목소리를 낮추라'고 지시한다. 어느 정도 지나 다시 신호를 주어 작게 말하던 모둠으로 연기 중심을 이동한다. 한 모둠의 토론 소리가 점점 커지고 활발해지는 한편 다른 모둠의 대화는 분위기와 내용을 그대로 유지한 채 배경 소음 수준으로 줄어든다. 몇 번 주거니 받거니 하다 보면 배우들은 주연 자리와 조연 자리를 점점 능숙하게 오갈 수 있게 된다.

이 활동은 젊은 배우들에게 무대 위에서 끊임없이 벌어지는 미묘한 중심 이동을 제대로 알아보는 안목을 키워 준다. 이런 측면에서 볼 때 연극 속 움직임은 야구 경기와 별반 다르지 않다. 야구 경기에서 사람들의 관심은 당연히 공과 공에 가장 가까이 있는 선수에게 쏠리지만, 다른 모든 선수들 역시 공에 온 신경을 집중한 채 그에 맞춰 계속해서 위치를 바꾸고 다음 순간 공이 어디로 날아갈지를 예측하며 움직인다. 방망이에 맞은 공이 외야로 날아가는 순간 우익수처럼 지금까지 경기의 주요 장면에서 다소 소외되었던 선수가 순식간에 주인공으로 떠오른다. 자기 앞으로 날아온 공을 침착하게 받고 재빨리 2루로 던져 주자를 아웃시킨다. 쏟아지는 관중의 환호와 박수갈채에 모자를 벗어 답례한 뒤 다시 외야석 그늘 아래 주목 받지 못하는 위치로 돌아온다.

연극도 비슷하다. 초보 배우들은 무대 중심으로 나설 때와 장면의 흐름을 위해 뒤로 물러날 때를 배워야 한다. 함께 장면을 만들어 간다는 의식을 갖고 전체를 읽을 때 지나침과 모자람 사이에서 적절한 균형을 찾을 수 있다. 구석 자리에 선 배우의 연기가 너무 튀면 관객의 시선이 무대 중심에서 벗어나게 된다. 이는 긴장감 때문에 목석처럼 얼어붙어 다른 배우와 자연스러운 감정 교류를 전혀 못하는 경우만큼이나 연극을 망치는 행동이다. 과도하게 튀는 배우는 관객의 주의를 산만하게 만들고 아무 반응이 없는 배우는 극의 역동적 에너지를 진공청소기처럼 흡수해 분위기를 맥 빠지게 만든다.

10. 안전 그물 없이 외줄타기_ 여러 가지 즉흥 연기

지금까지 여러 경로를 통해 수집하거나 새롭게 창작한 활동과 놀이는 대부분 다음 세 가지 목표를 가지고 있음을 알 수 있다.

1) 무대에서 망가진 모습을 보이는 두려움을 떨쳐버리게 하는 활동
2) 연기를 위한 상상의 샘물이 자기 안에 풍성하며 무한하다는 자신감을 심어 주는 활동
3) 다른 사람들과 마음을 모아 함께 작업할 때 허상에서 연극적 진실이 창조되는 마법이 일어남을 체험할 수 있는 활동

지금까지 여러 활동과 놀이를 소개하면서 첫 번째 목표를 위해서는 모든 학생이 동시에 연기하는 것이 좋다고 설명해 왔다. 그 자리에 있는 모든 사람이 동시에 망가지면 아무도 쑥스러움을 느끼지 않기 때문이다. 하지

만 어느 시점에 이르면 학생들도 '안전 그물 없이 외줄에 오른' 상태, 즉, 관객 앞에서 즉흥 연기를 펼치는 모험에 도전해 그 짜릿한 흥분을 맛볼 필요가 있다. 어떤 학생들은 (솔직히 말해 연출자들도) 사람들 앞에서 즉흥극을 한다는 생각만으로도 식은땀을 흘릴 것이다. 대중 연설을 앞둔 사람들은 '상어와 함께 수영'할 때보다 더 긴장된다는 표현을 쓴다. 하지만 원고를 미리 준비할 수 있는 대중 연설보다 즉흥 연기가 몇 배나 떨리는 일이다. 그래도 관객이 모두 같은 반 친구들이라면, 그리고 교사가 여러 활동을 예술적으로 구성해서 젊은 배우들에게 한번 해 볼 만하겠다는 생각을 조금씩 키워 줄 수 있다면 즉흥 연기에 대한 불안은 그만큼 희열이 되어 돌아올 것이다. 그리고 그 과정에서 맛본 극도의 긴장감은 젊은 배우들의 내면에 '현재'라는 순간과 그 순간들을 함께 만들어 가는 동료 배우에 대해 초자연적일 정도로 강렬한 인식을 심어 줄 수 있다.

안전 그물 없는 외줄타기는 한 번도 안 해 봤지만 암벽 등반은 20년 넘는 세월 동안 꾸준히 해 왔다. 암벽 등반과 즉흥 연기는 놀랄 만큼 공통점이 많다. 둘 다 안전한 보호막 없이 날것으로 노출되었다는(물론 하나는 신체적 차원에서) 느낌을 준다. 동시에 조금이라도 발을 헛디디면 떨어질 수 있다는 위기감 때문에 등반가/배우로서 발휘해야 하는 감각, 특히 순간 집중력이 극대화된다. 암벽 등반 중에는 바위 표면 상태를 현미경 수준으로 파악할 정도로 감각이 예리해진다. 바위 표면의 손톱만한 돌출부, 실금 같은 틈이 다음 순간 발가락이나 손가락을 얹고 몸을 지탱할 지지대이기 때문이다. 즉흥 연기에서도 이런 기민함이 필요하다. 배우들은 말이나 행동을 다음 순간으로 일관성 있게 혹은 유기적으로 끌고 나갈 작은 기회도 놓치지 않기 위해 모든 감각을 총동원한다. 또한 즉흥극을 하는 배우는 함께 공연하는 동료 배우들과 자신이 떼려야 뗄 수 없는 한 몸임을 쉽게 배우게 된다. 누군가 던진 대사 한 마디, 동작 하나가 모두에게 영향을 주고, 그로 인해 극의 흐름이 바뀔 수도 있기 때문에 서로의 마음을 읽고 한 몸처럼 움직이기 위해 최선을 다하지 않을 수 없다. 암벽을 오르는 등반가들은 로프를 이용해 글자 그대로 서로를 한 몸으로 연결한다. 로프는 이들의 생명줄인 동시에 의사소통 수단이다. 서로의 안전을 지키기 위해 등반가는 자기 머리 위나 발밑에 연결된 사람의 작은 움직임 하나도 놓치지 않는 예민한 감각을 키워야 한다.

물론 로프는 일종의 안전그물 역할도 한다. 사전에 장비를 꼼꼼하게 점검하고, 여유 있는 마음가짐으로 등반하고, 무모한 행동을 삼가는 한편 자신과 동료의 직관을 신뢰하는 등 안전 수칙만 제대로 지키면 무사 귀환은 물론 중력과 자신과의 싸움에서 이기고 한 뼘 성장해서 돌아올 수도 있다. 즉흥 연기라는 모험에 도전하는 배우들에게도 이런 생명줄이 있을까? 손으로 잡을 수 있는 건 아니지만 있긴 하다.

산을 오르다 보면 순간 몸이 얼어붙어 꼼짝도 못하는 상태에 한두 번씩은 빠지곤 한다. 이를테면 왼쪽 머리 위에 튀어나온 바위 너머로는 더 이상 올라갈 방법이 없어 보인다. 갑자기 다리가 후들거리고 팔에 쥐가 난다. '대체 나는 이 높은 데서 뭘 하고 있는 거지? 미친 짓을 했구나. 이제 난 떨어져 죽고 말 거야.'이런 생각이 물밀 듯 밀려들며 숨이 가빠질 때, 경험 많은 등반가는 망설이지 않고 왼쪽 바위 위로 가볍게 올라간다. 일단 올라가면 아래에서는 상상도 못했던 새로운 가능성이 보이리란 걸 알기 때문이다. 즉흥 연기 도중 만나게 되는 위기 상황도 본질적으로 같다. 어딘가로 끌고 나갈 가능성이 전혀 보이지 않는 순간을 맞닥뜨렸을 때 얼어붙어 아무 행동도 안하거나 갑자기 연기를 중단하고 '나 못 하겠어요.' 하고 무대를 내려와 버리고 싶은 충동에 사로잡힌다. 하지만 뒤를 어떻게 연결할지 전혀 모르는 상태에서 눈 딱 감고 한 발 내딛을 배짱만 있으면 그 전까지 전혀 보이지 않던 새로운 가능성이 펼쳐진다.

이어서 나오는 활동들은 이 배짱을 키울 수 있는 연습이다.

{활동 10-1} 무조건 수용하기_ 고맙습니다

키스 존스톤은 저서 『즉흥 연기Improv』에서 이 활동을 즉흥 연기를 훈련하고 싶은 모든 배우가 준비 운동 삼아 꼭 해 보아야 할 연습이라고 설명했다. 즉흥 연기의 기본 원칙 중 하나는 상대가 어떤 '제안', 즉 새로운 방향을 제시했을 때 거부하거나 막지 않아야 한다는 것이다. 이를테면 한 사람이 "당신 아내는 어디 있습니까?"라고 묻는데 "난 아내가 없습니다."라고 대답해서는 안 된다. 두 번째 배우가 첫 번째 배우의 제안을 무효화시키면 장면이 더 이상 발전할 수 없는 막다른 벽에 부딪치기 때문이다. 두 번째 사람이 새로운 내용을 추가해 음모라도 꾸미려는 듯 작은 목소리로 "벽장 속에 숨어 있어요."라고 답한다면 그 말을 토대로 장면을 얼마든지 흥미진진하게 발전시킬 수 있다.

다음에 소개하는 간단한 활동은 동료 배우가 던지는 실마리를 잘 수용하는 연습이다. 둘씩 짝을 짓는다. 한 사람이 이를테면 야구 방망이를 든 타자 같은 자세를 취한다. 다른 사람이 이 자세를 이리저리 바꾼다. 자기 머리를 칠 것 같은 자세로 방망이 위치를 옮길 수도 있고, "손들어, 나는 강도다."라고 말하는 순간처럼 손 모양을 바꿀 수도 있다. 두 번째 사람이 자세를 어떻게 바꾸든 첫 번째 사람은 다 받아들이면서 매번 "고맙습니다."라고 정중하게 인사한다. 이제 두 사람이 역할을 바꾼다. 두 번째 사람이 흥미로운 자세를 취하면 첫 번째 사람은 다르게 바꾼다. 자세가 바뀔 때마다 두 번째 사람은 "고맙습니다."라고 인사한다. 한 마디로 상대의 제안을 그대로 수용하는 연습이다. 이 활동은 상대의 주도적 제안을 받아들이고 그 위에 새로운 내용을 쌓는 본격적인 즉흥 연기로 가는 바로 전 단계다.

{활동 10-2} 끝말잇기

이것은 본격적인 즉흥 연기에 앞서 몸을 푸는 활동이다. 둥글게 서서 동시에 같은 리듬을 친다. 두 손으로 동시에 양쪽 허벅지를 치고(첫 번째 박자) 손뼉을 치고(두 번째 박자), 오른손 두 손가락으로 딱 소리를 내고(세 번째 박자), 왼손 손가락으로 딱 소리를 내는(네 번째 박자) 식이다. 리듬이 자리 잡으면 교사는 네 번째 박자에 단어 하나(예: 잠수함)를 말한다. 동일한 리듬에 따라 옆에 선 사람은 네 번째 박자에 마지막 음절로 시작하는 단어를 말한다.(예: 함지박) 계속해서 옆 사람에게 넘어가면서 같은 방식으로 끝말을 이어간다. 리듬을 끊지 않는 것이 중요하다.

순발력은 즉흥 연기의 꽃이며 생명줄인 동시에 피를 말리게 하는 주요인이다. 이 활동은 긴장도가 높지 않으면서 상대의 말에 사전 준비 없이 즉석에서 반응하는 연습으로 탁월하다. 심사숙고하거나 전략을 짤 시간이 없기 때문에 참가자들은 지금 이 순간 온전히 집중할 수밖에 없다. 어떤 단어가 나올지 아무도 알지 못해 미래를 대비하는 것이 불가능하기 때문이다.

{활동 10-3} 알파벳 대사

끝말잇기와 기본 성격은 비슷하지만 훨씬 난이도 높은 활동이다. 대담한 지원자 두 명이 필요하다. 어떤 상황 속 어떤 인물인지 스스로 정해도 좋고 다른 사람들이 지정해도 좋다. 비올라 스폴린은 이 단계를 '누구'와 '어디서'라고 불렀다. '누구'는 탐험가, '어디서'는 정글이라고 하자. 사람들이 임의의 알파벳(예를 들어 P) 하나를 준다. 배우들이 따라야 하는 규칙은 딱 하나다. 첫 대사는 P로 시작하고, 한 사람씩 돌아가면서 아까 받은 알파벳의 다음 문자로 대사를 이어가는 것이다.*

남: Please hand me that machete. It's getting pretty thick and scary in front of us.

(그 큰 칼을 나에게 줘요. 숲이 점점 울창하고 으스스해지고 있어요.)

여: Quiet! I think I hear something moving off to our right.

(조용! 오른쪽으로 뭔가 움직이는 소리를 들은 것 같아요.)

남: Run for it! (도망쳐요!)

여: So now you want to run? What kind of explorer are you, any-way?

(이제 와서 도망치겠다고요? 무슨 탐험가가 그래요?)

남: Terrified! I'm the terrified kind. I'm not really an explorer.

(무서워요! 난 겁이 많아요. 진짜 탐험가도 아니란 말이에요.)

여: Uh··· what did you say?

(뭐···뭐라고 했어요, 지금?)

남: Veterinarian. Graduated three years ago from PU. I'm a wing specialist.

(난 수의사예요. 3년 전 PU를 졸업했어요. 조류 전문 수의사란 말이에요.)

* 우리말로는 'ㄱ, ㄴ, ㄷ,···'을 주고 시도해 볼 수 있다. 예를 들어,
남: 거기 멈춰요!
여: 내가 여기서 왜 멈춰야 하죠?
남: 당신 앞에 뱀이 있어요!
교사와 학생들이 재량껏 재미있는 극을 만들어 볼 수 있다._ 옮긴이

여 : Why didn't you tell me this before?

(왜 미리 말하지 않았어요?)

남 : Excellent question. Because I like to travel, and I love your perfume.

(좋은 질문이에요. 여행을 좋아하기도 하고, 당신의 향수가 맘에 들어서 그랬답니다.)

여 : You do? It's called... 'Jungle Fever'

(그래요? 그 향수 이름은 '정글의 열기'예요.)

남 : Zebras have the same arousing scent!

(얼룩말한테서도 똑같은 냄새가 나요!)

이런 식으로 대화를 주고받으면서 알파벳 한 바퀴를 다 돌고 처음 시작했던 글자(P)가 나오면 끝난다.

{활동 10-4} 그래, 그러자!

마찬가지로 집단 즉흥 활동이지만 긴장도는 그리 높지 않다. 한 사람이 "자전거를 타자"처럼 간단한 행동을 제안하면 나머지 사람들은 신이 나서 "그래, 그러자!"라고 합창한 다음 자전거 타는 마임을 시작한다. 일정한 시간이 지나면 다음 사람이 "바다에 들어가서 전복을 따 오자!"고 제안한다. 아까처럼 흔쾌히 "그래, 그러자!"고 대답한 다음 곧바로 자전거 타는 동작에서 바다 속에 들어가 바닥을 더듬는 동작으로 전환한다. 유일하게 주의할 점은 아무래도 청소년들이다 보니 "옆 사람의 옷을 벗기자!"처럼 부적절한 제안을 하는 아이들이 나올 수 있다는 것이다. 그러면 연출자가 얼른 개입해서 "아니, 그러지 말자!"고 단호하게 거절한 뒤 덜 위험한 다른 행동을 제안한다.

{활동 10-5} 지금 뭐하고 있니?

둘씩 짝을 짓는다. 한 사람이 이 닦기나 줄넘기, 달걀 프라이 뒤집기처럼 쉽게 알아볼 수 있는 동작을 한다. 상대는 그 모습을 잠시 지켜보다가 "지금 뭐하고 있니?"라고 묻는다. 첫 번째 사람은 이 닦는 동작을 계속하면서 "덤불에 불이 붙어서 발로 밟아 끄고 있어."처럼 생뚱맞은 대답을 한다. 상대는 이 말을 듣는 즉시 그 동작을 시작한다. 두 번째 사람이 상상의 불을 밟아 끄기 시작하면 그때까지 이를 닦던 첫 번째 사람은 동작을 멈추고 불 끄는 사람에게 "지금 뭐하고 있니?"라고 묻는다. 두 번째 사람도 자기 행동과 아무 상관없는 대답을 한다. "계속 재채기를 하고 있어." 질문을 했던 사람은 즉시 재채기를 시작한다. 이런 식으로 두 사람은 서로 상상에서 나온 행동을 빠른 속도로 주고받는다.

활동 중에 상대를 자기 맘대로 조종할 수 있다는 것을 깨닫는 데는 그리 오랜 시간이 걸리지 않는다. 짓궂은 마음을 먹고 "나는 지금 물구나무를 서고 있어." 같은 지시를 내리고는 짝에게 어서 시키는 대로 하라고 재촉할 수도 있다는 것이다. 서로 경쟁이 붙어 신체적, 정서적으로 감당하기 어려운 수위로 올라가지 않도록 교사는 학생들의 활동을 잘 지켜보고 있어야 한다.

{활동 10-6} 오늘은 화요일이야!

격한 감정을 분출하거나 무대를 장악할 만큼 큰 힘을 발휘해야 하는 장면에서 너무 소심하게 연기하는 배우에게 도움이 되는 활동이다. 역시 키스 존스톤의 『즉흥 연기』에 수록된 것으로 낯설고 서먹한 상황에서 분위기를 푸는데 더할 나위 없이 좋다. 둘씩 짝을 짓는다. 한 사람이 "오늘은 화요일이야", "시계가 멈췄어", "신발 끈이 풀렸어"처럼 감정이 전혀 섞이지 않은 중립적인 사실을 말한다. 재미없고 건조한 문장일수록 좋다. 두 번째 배우는 첫 번째 배우가 한 말을 가지고

온갖 호들갑을 떤다. 이를테면

(날벼락이라도 맞은 듯 놀라고 겁에 질린 얼굴로 운동화를 내려다본다.) "세상에, 이게 무슨 일이야! 또 풀렸어! 어떻게 이럴 수가 있지? 또 풀렸단 말이야? 말도 안 돼. 그럴 리가 없어! (부들부들 떨면서) 10분 동안 여섯 번이나 풀린다는 게 말이 돼? 대체 누가 나한테 이런 짓을 하는 거지? (무릎을 꿇고 소리를 지르며) 나한테 무슨 원한이 맺혔다고 이렇게 나를 괴롭히는 거야! (가슴을 마구 쥐어뜯는다) 이렇게는 못 살아, 이렇게는!"

이쯤에서 정신 못 차리고 흥분하던 사람은 순식간에 평정을 되찾고 반듯하게 서서 차분하게 새로운 중립 문장을 말한다. "너는 지금 어항 옆에 서 있어." 이제는 첫 번째 사람이 그 문장을 갖고 최대한 과장된 어조로 가장 극적이고 감정적인 반응을 보일 차례다.

(말 떨어지기가 무섭게 절망에 몸부림치며) "당연히 난 어항 옆에 서 있지, 넌 바위 덩어리만큼이나 둔하고 무딘 사람이야. (훌쩍이기 시작한다) 내가 대체 왜 여기 서 있겠어? 저 어항 안에 물고기가 한 마리라도 보이니? 아니, 당연히 안 보이겠지. (흐느낀다) 그건 바로 그녀가… 날 버리고 떠나갔기 때문이야. 갔어, 갔다고. 영원히 가 버렸어. (슬픔에 몸을 가누지 못하고 쓰러지며) 그리고 그녀는 절대, 절대, 절대, 절대, 절대로 돌아오지 않을 거야. 여기…. (갑자기 평정을 되찾으며) 바닥에 땅콩 한 알이 있군."

이렇게 웃기고 재미있는 방식으로 소기의 목적을 달성하는 활동은 정말 드물다. 지나치다 싶을 정도로 감정과 행동을 과장하는 것이 바로 이 활동의 핵심임을 이해하면 학생들은 신파극이 초라해 보일 정도로 온 몸을 던져 연기한다.

{활동 10-7} 지브리쉬

지브리쉬란 익숙한 자모음 소리를 이용해서 아무 뜻 없는 문장으로 말하는 것으로, 젊은 배우들에게 매우 자유롭고 해방감 넘치는 도구가 될 수 있다. 처음에는 둘씩 짝을 지어 극중 인물로 즉흥 대화를 나눈다. 그러다가 신호를 주면 지금까지의 대화 흐름을 그대로 유지하면서 지브리쉬로 전환한다. 신호에 따라 정상 언어와 지브리쉬를 불규칙적인 간격으로 빠르게 계속 오가게 하는 것이다. 이 활동을 할 때마다 거의 예외 없이 동일한 현상을 관찰하게 된다. 지브리쉬로 대화를 할 때는 교실이 놀랄 만큼 활기 넘치고 왁자지껄 시끄럽지만 일상 언어로 전환하는 순간 정상 수준으로 돌아오는 것이다.

이보다 훨씬 어려운 도전은 '지브리쉬 통역'이다. 마찬가지로 둘씩 짝을 짓고 그 중 한 명에게 관객들 앞에서 연기할 장면을 하나 생각해 두라고 한다. 마법의 물약을 조제한다거나, 새로 출시한 상품을 홍보한다거나, 국회 청문회에서 증언을 하는 등 다양한 상황을 생각해 볼 수 있다. 배우는 관객 앞에서 오직 지브리쉬로만 말을 하면서 동작과 함께 그 장면을 연기한다. 한두 문장이 끝나면 옆에 선 '통역자'가 일상 언어로 그 지브리쉬를 통역한다. 당연히 '통역자'는 배우가 무슨 의미로 말을 했는지 전혀 알지 못한다. (사실 배우 자신도 모르는 경우가 대부분이다) 그렇기 때문에 배우의 어조와 몸짓을 보고 즉석에서 그럴싸한 문장을 만들어 내는 건 통역자의 몫이다. 웃긴 예를 하나 들어보겠다.

발표자 : (상상의 도구를 손에 들고 서서) Drpez iniorfnok lalaeatchno mo lorni fobga eolkabus.

통역사 : 여러분은 이제 막 특허를 획득한 이 놀라운 장비를 소유할 수 있게 되었습니다. 티타늄 코팅에 최신 컴퓨터 기술을 장착한 감마선 도깨비 탐지기!

발표자 : Olbul nis ek minorik shlub fa sar icknori blu aragober, ul megor rebos wana soog alt boorinog?

통역사 : 잘 놔둔 자동차 열쇠를 엉뚱한 곳에 옮겨 놓을 때마다, 세탁기에서 양말만 몰래 집어내 감쪽같이 숨겨 놓을 때마다 여러분은 이 장난꾸러기 도깨비들을 얼마나 잡고 싶어 하셨습니까!

발표자 : Belesh sko nelu ig noria flascumok ilian blogopi homique terranovsh el fromicar retyr joflanic pertopow zedu namiva trimolk werty ip hojrex pitwin axorinda plusca putberty nof itvicorus ascogia trug filianor mosi li alfo.

통역사 : 입이 떡 벌어지는 이 놈 하나만 있으면 제 아무리 난다 긴다 하는 도깨비도 순식간에 찾아낼 수 있습니다. 이 최첨단 과학 장비는 도깨비들이 내뿜는 기를 인식하고 디지털로 재생해 주기 때문입니다.

발표자 : Tramilio boxu opiepro freenul. Ag mool!

통역사 : 이제 이 놀라운 '도깨비 탐지기'를 이용해 짜증나고 성가신 도깨비들을 한방에 해결하세요. 단돈 12.99달러에 과학 기술의 기적을 소유할 수 있는 단 한 번의 기회! 놓치지 마세요!

{활동 10-8} 한 사람은 알고 한 사람은 모르네

먼저 이 장면을 연기 할 두 명의 자원자를 뽑는다. 한 사람에게는 자신이 어떤 인물이고 이 장면의 맥락이 무엇인지 귓속말로 일러준다. 다른 사람은 '아무 것도 모른 채' 아무 연기를 하면서 짝이 조금씩 흘리는 단서를 근거로 상황을 파악해 나가야 한다. 이를테면 첫 번째 배우(교사에게 상황을 들은 쪽)가 자신은 화가고, 짝은 가만히 있지 못하고 계속 꼼지락거리는 모델이라는 말을 들었다고 가정해 보자.

화　가: (프랑스식 억양으로) 움직이지 좀 말아요.

배우 2: 어쩔 수가 없어요. 온통 모기에 물렸다고요.

화　가: 그래서 제가 아까 당신에게 옷을 걸치고 있으라고 했잖아요.

배우 2: (아직 자기 역할이나 '화가'와의 관계를 분명히 알지 못하지만 이 말에 담긴 가능성을 탐색하는 차원에서) 아담과 이브 놀이 하지 않을래요?

화　가: 전 모기에 물려 울긋불긋해진 피부를 보고 싶은 게 아니에요. 내 관심은 옷감 위로 떨어지는 빛의 효과를 담아내는 거라고요. 그러니 이제 제발 좀 움직이지 말고 가만히 계세요!

배우 2: (상황을 어렴풋이 짐작하기 시작한다) 저 계속 이렇게 한 발로 서 있어야 하나요?

화　가: 물론이죠. 발끝으로 제대로 자세를 잡고 서세요.

배우 2: (이제 상황을 파악하고 그 방향으로 대사를 던진다) 이 발레복이 너무 꽉 끼어요. 팔다리에 감각이 없어질 지경이에요.

화　가: 그건 당신이 거대한 몸을 중간 크기 옷에 억지로 쑤셔 넣어 그런 거잖아요!

배우 2: 뭐, 예술을 위해서라면 팔다리 하나쯤이야 얼마든지 바칠 수 있어요.

이 즉흥극의 핵심은 상황을 아는 배우가 상황을 모르는 짝에게 얼마나 교묘하고 기술적으로 정보를 조금씩 흘리는지에 달려 있다. 만약 위 장면에서 화가가 처음부터 "그렇게 계속 꼼지락 거리면 당신이 발레 하는 모습을 내가 어떻게 캔버스에 담아낼 수 있겠어요?"라고 말을 해버린다면 그 한 문장으로 모든 탐색 과정이 완료되어 버리기 때문에 상대 배우와 관객이 더 이상 흥미를 느낄 여지가 없다. 두루뭉술한 단서를 조금씩 흘리다가(적어도 처음에는 여러 해석의 가능성을 열어 놓는 차원에서 상황을 오해할 만한 말을 한다) 점차 구체적이고 특정한 방향으로 이끌어 가는 과정에서 흥미진진한 장면이 탄생한다.

상황이야 얼마든지 다양하게 만들어 낼 수 있지만 몇 가지 구체적인 예를 들어 본다.

- 의뢰인인 죄수와 변호사
- 애완동물 주인과 수의사
- 뒷줄에 앉아 제멋대로 행동하는 아이와 버스 운전기사
- 60세 아내에게 더 젊은 여자를 찾아 떠나겠다고 말하는 85세 남편
- 산부인과 대기실에서 기다리고 있는 남편들
- 벌목꾼과 마주친 환경운동가
- 방금 복사기를 망가뜨린 비서와 그것을 목격한 사장
- 집을 뒤지고 있는 강도와 집주인
- 무덤 파는 두 일꾼
- 이륙 직전인 우주비행사들

{활동 10-9} 선물 주기

〈활동 10-8〉에서는 적어도 한 사람은 상황을 미리 알고 짝을 원하는 방향으로 이끌 수 있었다면 이 활동에는 그런 길잡이가 없다. 시작할 때는 두 배우 중 누구도 이 장면이 어디로 흘러갈지 전혀 가늠하지 못한다. 먼저 선물을 주는 사람과 받는 사람을 정한다. 주는 사람은 짝에게 상상의 선물 상자를 건네준다. 상자의 대략적인 크기와 무게에 대해서는 이야기할 수 있지만 받는 사람이 상자를 열기 전까지는 내용물이 무엇인지 알 방법이 없다. 사실 받는 사람도, 주는 사람도 선물이 무엇인지 모른다. 즉흥극을 진행하는 과정에서 알아내야 한다.

받는 사람 : 어머나! 내가 몇 년 전부터 이거 가지고 싶어 했던 거 어떻게 알았어?

주는 사람 : 내가 독심술이 있거든.

받는 사람 : 누가 말해 줬지? 안드레아? 밀리? 렉스?

주는 사람 : 그건 밝힐 수 없어. 정말 마음에 들어?

받는 사람 : 마음에 드냐고? 완전, 정말, 끝내주게 맘에 들어! 그런데 있잖아, 이거… 저기… 너무 과감한 것 같지 않니?

주는 사람 : 한 번 걸쳐 봐. 그냥 눈으로 보기만 해서야 어떻게 알겠어?

(이 한 마디로 인해 수많은 가능성이 구체적인 방향성을 띠기 시작한다. 이제 두 사람은 상자에 들어 있는 물건이 CD나 낚싯대가 아니라 몸에 걸치는 의복 종류임을 알게 되었다. 이번에는 받은 사람이 상상력을 발휘할 차례다. 상상의 상자를 열어 상상의 선물을 꺼내 손으로 그 모양을 표현한다. 그리고 상상의 모자를 자기 머리 위에 얹는다)

주는 사람 : 기가 막힌다! 진짜 잘 어울려.

(아직 구체적인 모자 종류는 두 사람 모두 알지 못한다. 둘 중 한 사람이 방향을 제시한다)

받는 사람 : 이걸 쓰니까 정말…. 야성미가 넘쳐 보이지 않니?

주는 사람 : 술 달린 가죽 셔츠랑 사냥용 총만 들면 바로 숲으로 가도 되겠어.

(이 대화에서 주는 사람은 받는 사람의 제안을 수용해서 한 발 더 나아간다. 그가 쓰고 있는 상상의 모자가 정확히 어떤 종류인지 '눈으로 보면서', 상대가 장면을 완성할 수 있도록 모자를 구체화시켜 나간다)

받는 사람 : 그런데 이거 쓸 때 술을 앞에 늘어지게 하는 거야, 뒤로 보내야 하는 거야?

다시 이야기하지만 이런 즉흥 연기의 진정한 묘미는 정해놓은 결말로 곧장 달려가기보다 한 걸음씩 상황을 발전시켜나가는데 있다. 관객들이 즐거움을 느끼는 부분은 아무 것도 결정되지 않은 상태에서 (위 예보다 훨씬 더) 천천히 더듬어 나가는 과정 자체에 있기 때문이다. 무대 위에서는 질문이 대답보다 훨씬 더 흥미롭다. 몇 년 전 미국 문학 수업 시간에 한 학생이 이 생각을 기가 막힌 문장으로 표현한 적이 있다. 그 수업에서 나는 학생들에게 자기만의 고유한 생각을 (적어도 전에 한 번도 읽거나 들은 적 없는) 적어 오라는 숙제를 냈다. 그 학생은 이렇게 적어 냈다. "질문은 대답보다 훌륭하다. 대답은 오만에 의해 잘려나간 질문이기 때문이다." 이 〈선물 주기〉 같은 활동은 살아 있는 질문만이 낳을 수 있는 겸손함을 키워 준다.

{활동 10-10} 옷장 속에 무엇이 있을까?

〈활동 10-9 선물 주기〉와 마찬가지로 두 배우가 진행 방향을 전혀 모르는 상태에서 시작한다. 둘 중 한 사람이 상상한 옷장으로 다가가 문을 열고 "대체 이게 왜 여기 있는지 말 좀 해 볼래?" 같은 말을 한다.

그렇게 말하는 첫 번째 배우의 어조와 표정, 몸짓 같은 반응을 근거로 두 번째 배우는 새로운 정보를 추가해서 대화를 진전시킨다. "그럼 그걸 어디다 두겠어? 네가 그건 침실에 두기엔 너무 위험하다고 했잖아!"

다시 말하지만 어린 배우들은 옷장 안에 있는 물건이 무엇인지 얼른 확실히 하고 싶은 충동을 잠시 눌러야 한다. 서로의 상상력이 만나는 지점을 향해 조금씩 더듬어 나아가는 과정에서 긴장감이 생겨나게 해야 한다.

{활동 10-11} 운율 맞춘 대화

현대시에서는 운율을 무시하는 경향이 있다. 물론 그럴 만한 이유가 있다. 각운을 솜씨 좋게 구사하지 못하면 동요 같은 진부함으로 전락해 시가 전달하려는 바를 강화하기는커녕 방해하기 십상이기 때문이다. 하지만 즉흥극 활동에서 일상적인 산문체가 아닌 각운 맞춘 문장으로 대화를 하라는 과제는 배우들에게 엄청난 자극을 줄 수 있다. 연출자부터 각운 맞춘 문장을 구사하며 활동을 소개하는 것도 좋은 방법이다.

All right, everybody, look lively, it's time
for all you actors to speak in rhyme.
Whatever lines you have you must find a way
for the last words to rhyme, now heed what I say,
no matter if you're clothed in burlap, rayon, lace or doublet,
either rhyme alternatingly or in your standard couplet!

좋아요, 여러분, 잘 보세요. 지금은
배우 여러분 모두가 운율에 맞춰 이야기하는 시간이에요.
어떤 대사, 어떤 말을 하건 방법을 찾아야 해요
마지막 말을 운율에 맞출 수 있는 방법을. 내 말을 잘 들으세요.
삼베든, 레이온이든, 레이스든 저고리든 무슨 옷을 입었든
한 줄 걸러 하나씩, 혹은 두 문장씩 나란히 운율에 맞춰 이야기해요.

셰익스피어처럼 훌륭하지는 않지만 각운만큼은 분명히 맞췄다. 솜씨가 서툴러도 괜찮다. 오히려 배우들은 그걸 보며 주눅 들지 않고 도전에 임할 용기를 얻는다. 어떤 즉흥극과도 연결할 수 있지만 연극 제작 막바지에 특히 효과적인 활동이다. 배우들의 대사가 생동감을 잃고 정형화되면서 기계적으로 말하기 시작하거나 상

대의 대사에 더 이상 귀를 기울이지 않을 때 물꼬를 트고 활기를 되찾는데 큰 효과를 발휘할 수 있다. 연습 중인 연극의 한 장면을 선택해 원래 대사를 각운 맞춘 문장으로 바꿔 보라고 한다. 손톤 와일더의 『결혼 중매인Matchmaker』에서 코넬리우스가 관객 앞에서 연설하는 장면이 있다.

> 세상은 근사한 것들로 가득 차 있지 않습니까? 시간이 어떻게 흐르는 줄도 모르고 우리가 이 용커스에 틀어박혀 살아가는 동안 몰로이 부인 같은 훌륭한 사람들이 뉴욕을 활보하고 있지만, 우린 그런 분들을 전혀 알지 못합니다. 여러분이 앉아계신 곳에서 잘 보이시나요? 그 부인의 눈과 뺨이 얼굴 위쪽에서 어떻게 만나는지 같은 거요. 보이시나요? 그 부인의 눈에서 불꽃놀이 같은 빛이 뿜어져 나오는 것도 보이시나요? 저는 여러분께 이렇게 말씀드립니다. 아름다운 여인은 신의 가장 위대한 작품이라고요. (2막)

이 대사를 이런 식으로 바꿔볼 수 있다.

> 놀람과 기쁨으로 가득한 세상,
> 우린 오랫동안 용커스에만 있어 알지 못했죠.
> 몰로이 부인 같은 사람들의 존재를.
> 여러분이 앉아 있는 곳에서 보이시나요?
> 그녀의 뺨과 눈과 관자놀이가 어떻게 만나
> 이렇게 매력적인 선을 만드는지?
> 그녀의 눈에서 어떻게, 정말 근사하게도
> 영원의 빛과 불꽃이 춤추며 반짝이는지
> 저는 이제 여러분께 말씀드립니다.
> 여인의 모든 용모는
> 신의 그 어떤 창조물보다도 매혹적이라고.

이 활동을 변형해서 두 인물이 연극의 내용상 있을 법한 대화를 즉흥적으로 만들어 보게 할 수도 있다. 한 사람이 운율을 맞출 수 있는 단어로 대사를 끝낸다. 그러면 상대 배우는 그 단어에 맞춰 다음 대사를 말한다.

코넬리우스 : Chief clerk! Oh Boy! I've been promoted from chief clerk to chief clerk.
(점장이라고! 제기랄! 내가 점장에서 점장으로 승진해 버렸어!)

바 나 비 : Aren't you happy? You're finally getting somewhere in your work.
(기쁘지 않나요? 드디어 직장에서 인정을 받게 된 거잖아요.)

코넬리우스 : I don't want to work every day of the week. I want to live!
(난 일주일 내내 일하고 싶지 않아. 난 살고 싶다고!)

바 나 비 : Oh, it's not so bad, Cornelius; it beats being a sieve.
(그렇게 나쁜 일은 아니에요. 코넬리우스. 입만 가벼운 사람보다는 훨씬 낫지요.)

코넬리우스 : Barnaby, how much money have you got?
(바나비, 자네 돈 얼마나 가지고 있나?)

바 나 비 : Three dollars – hey, that's a lot!
(3달러요. 엄청나게 많지요!)

코넬리우스 : We're going to New York to paint the town red!
(우리 뉴욕에 가서 신나게 놀아보는 거야!)

바 나 비 : We can't Cornelus, by nine I'm in bed.
(안 돼요. 코넬리우스. 아홉 시면 전 잠자리에 들어요.)

코넬리우스 : Don't you want some excitement in your life?
(인생에서 뭔가 짜릿한 걸 맛보고 싶지 않아?)

바 나 비 : I have quite enough whittling with my penknife.

(주머니칼로 나무토막 깎는 걸로도 충분히 즐거워요.)

코넬리우스 : sWell, I'm 33 and I've never kissed a girl, you see?

(음, 난 서른셋인데 아직 여자랑 키스해 본 적도 없다네, 그거 알아?)

바 나 비 : Yes, but I'm only 17. It's not so urgent for me!

(그래요. 하지만 전 고작 열일곱이에요. 저한텐 그렇게 급박한 일이 아니랍니다!)

{활동 10-12} 역할 바꾸기

두 배우에게 즉흥 대화를 나누라고 한다. 지금 연습 중인 연극에 실제로 나오지는 않지만 관련 있거나 연상할 수 있는 장면을 준다. 『헛소동In Much Ado About Nothing』에서 베아트리체와 베네딕트가 처음으로 말로 옥신각신하는 장면이나 『밀크우드 아래서』에서 죽어가는 캣 선장을 폴리 가터가 방문하는 장면도 좋다. 연극을 준비하는 중이 아니라면 다음과 같은 두 가지 상이한 관점이 충돌하는 상황을 상상해 볼 수도 있다.

- 교장실에 불려간 학생
- 환자에게 앞으로 아주 나쁜 일이 일어날 거라는 소식을 전하는 정신과 의사
- 도시 생활과 전원생활이 갖는 이점에 대해 농부와 논쟁하는 도시 사람
- 무례한 손님과 걸핏하면 화를 내는 가게 주인
- 과속한 자동차 운전자를 불러 세우는 경찰관
- 똑같은 장치를 발명하고 독점권을 얻으려 하는 두 발명가
- 이발사와 이발사가 막 머리를 망쳐 놓은 손님
- 오케스트라에서 지휘자와 무능한 오보에 연주자

배우들이 각자가 처한 상황과 관점에 몰입할 수 있도록 잠시 대화를 나누게 한다. 대화가 어느 정도 무르익으면 '얼음'을 외쳐 동작을 멈추게 한다. 그 상태에서 배우들은 상대의 머리가 기울어진 각도, 손의 위치, 다리와 발의 자세 등을 자세히 관찰한다. 연출자가 신호를 주면 배우들은 상대와 자리를 바꾸고 상대방의 자세를 가능한 한 똑같이 따라한다. 연출자가 '계속'이라는 신호를 주면 조금 전까지 말싸움을 벌이던 상대의 처지에서 장면을 계속 이어가는데, 상대 배우가 만들어 놓은 역할의 관점을 처음 얼마 동안만이라도 유지해야 한다. 연출자는 어느 정도 대화를 주고받고 나면 다시 자리를 바꿔 적당한 결말에 이를 때까지 반복해서 역할을 바꾸게 한다.

이 연습은 특정한 해석만 고집해서 어떤 제안도 받아들이려 하지 않는 배우에게 특히 효과적이다. 뿐만 아니라 청소년들의 눈높이를 확장시키는데도 더할 나위 없이 좋은 방법이다. 이 활동을 통해 아이들은 자기만의 좁은 관점 너머를 볼 수 있는 기회를 얻는다. 연극에서 협동 작업을 가로막는 가장 큰 장애물이자, 이 세상에 진정한 공동체를 만드는데 가장 큰 걸림돌은 다른 사람의 관점이 지닌 가치를 제대로 보지 못하는 우리의 무능에 있다. 우리는 자의가 아닌 운명의 강요로 다른 사람의 입장에 서 보고서야 비로소 그 가치를 인식하는 경우가 많다. 〈역할 바꾸기〉 같은 연극 활동은 그런 차이를 제대로 알아보고 귀하게 여기는데 필요한 인식을 확장하는데 도움을 준다.

Ⅲ
실질적인 공연 준비

배우가 연극의 실무를 함께 책임지는 형태는…
무대 밖에서 들이는 노력이 공연에 어떤 의미가
있는지를 온전히 이해할 수 있다. 덧붙여 한편의
마법 같은 순간을 창조하는데 자신이 생각과 마음,
목소리뿐 아니라 손과 발로도 참여했다는
깊은 만족감도 얻을 수 있다.

본문 204쪽에서

11. 알맞은 희곡 찾기

예전에 한 유명한 시인에게 글을 쓸 때 영감이 어떻게 오는지 물은 적이 있다. 그의 대답은 이랬다. "가끔씩 목에 닭 뼈 같은 것이 걸린 느낌이 들 때가 있어요. 그러면 조만간 시 한편이 탄생하겠구나 생각하지요. 그 닭 뼈가 시로 변하는 거랍니다." 연극 제작에서 작품을 탄생하게 하는 '닭 뼈'는 무엇일까? 피터 브룩Peter Brook의 표현을 빌리자면 아무 것도 쓰지 않은 텅 빈 종이나, 아무 것도 그리지 않은 캔버스가 시인과 화가에게 작품을 만드는 동력이 되지 않듯 텅 빈 무대가 연극을 낳는 것은 아니다. 교사이며 연출자인 우리에게 연극 제작의 출발점은 연극이 주는 특별한 경험에 빠져들기를 원하는 열정 넘치는 젊은 배우들이어야 한다. 전문 극단이나 직업으로 연기를 하는 사람들에게는 먼저 작품을 선정한 다음 그것을 연기할 배우를 찾는 것이 일반적인 수순이다. 하지만 학교에서 그런 방식으로 접근하면 연극 수업을 하는 첫 번째 이유, 즉 '학생들의 필요와 요구'를 놓치게 된다.

어떻게 해야 학생들의 필요와 요구에 맞는 희곡을 고를 수 있을까? 연출을 맡은 교사가 학급을 얼마나 깊이 이해해야 학생들에게 몰리에르 Moliere의 재기발랄한 희극처럼 언어 유희가 많고 가벼운 작품이 좋을지, 그리스 비극처럼 깊이 있는 강렬함이 좋을지를 판단할 수 있을까? 셰익스피어는 언제쯤 소화할 수 있을까? 냉소주의가 아닌 뜨거운 이상이 넘치는 현대 작품은 어디서 찾을 수 있을까?

가장 이상적인 상황은 교사가 매년 연령에 적합한 주제로 그 학급에 맞는 희곡을 직접 쓰는 것이다. 재능이 뛰어난 한 동료 교사는 실제로 그렇게 한다. 최근 그는 자기 반인 7학년 아이들을 위해 『파르치팔Parzival』을 연극 대본으로 각색했다. 교사가 직접 희곡을 쓰면 연기하는 학생들의 상황과 필요에 맞게 배역을 조절할 수 있다. 평소 목소리가 커서 다른 사람에게 귀 기울이는 연습이 필요한 학생에게는 말이 없는 배역을 주고, 항상 구석에 조용히 앉아 있는 여학생에게는 입이 거칠고 잔소리가 심한 역할을, 의지가 부족한 아이에게는 용감무쌍한 전사 역할을 주는 것이다. 자기가 연출하는 작품의 대본을 직접 쓸 수 있으면 이런 선택이 가능하다.

하지만 모든 교사가 글재주와 연출 재능을 둘 다 갖출 수는 없는 일이니, 다른 사람이 쓴 희곡 중에서 적절한 작품을 고르는 안목도 매우 중요한 자질이다. 어디를 찾아봐야 할까? 발도르프학교라면 해당 학급의 교과 과정을 보는 것이 가장 좋다. 예를 들어 중세와 르네상스, 탐험의 시대를 배우는 7학년에서는 잔 다르크의 생애를 다룬 작품을 택하는 경우가 많다. 작년에 우리 학교 7학년들은 제프리 초서Geoffrey Chaucer의 『캔터베리 이야기Canterbury Tales』 중 세 편을 골라 유쾌한 연극으로 선보였다. 8학년이 되면 미국 혁명과 프랑스 혁명, 산업 혁명을 통해 근대 사회로 나아가는 과정을 배운다. 링컨의 생애를 다룬 희곡 또는 『두 도시 이야기A Tale of Two Cities』나 『니콜라스 니케비Nicholas Nickeby』처럼 디킨스Charles Dicknes의 소설을 각색한 희곡, 로렌스Lawrence와 리Lee가 공동집필한 『소로가 감옥에서 보낸 밤The Night Thoreau Spent in Jail』, 로스탕Edmond Rostand의 『시라노 드 베르주라크』, 뮤지컬 『지붕 위의 바이올린Fiddler on the Roof』 모두 8학년에게 의미 있는 주제를 담은 작품들이다.

교과 과정에 직접 들어가지는 않아도 고려해 볼 작품들도 있다. 이를테면 10학년 아이들은 인도부터 그리스까지 이어지는 고대 문명을 배운다. 『마하바라타Mahābhārata』의 요점만 짧게 간추린 작품을 무대에 올리는 대담한 시도도 가능하지만, 그리스 고전에서 한 편을 고르는 것이 일은 훨씬 수월할 것이다. 학생 수가 적은 학급이라면 『안티고네Antigone』나 『결박된 프로메테우스Prometheus Bound』 같은 작품이 좋다. 그리스 비극에는 모든 문학 작품을 통틀어 인간의 상태를 가장 꾸밈없고 강력하며 가슴 저미게 묘사하는 장면들이 넘친다. 모든 면에서 흠 잡을 데 없는 그리스 고전 작품의 가장 큰 문제는 등장인물이 많지 않다는 점이다. 『안티고네』에는 주요 배역이 기껏해야 5, 6명에 불과하다. 나머지 학생들은 코러스의 일원으로 만족해야 한다. 물론 코러스가 그 작품에서 차지하는 역할은 막중하지만 오랫동안 학생들과 연극 수업을 하면서 관찰한 바에 따르면, 아무리 어렵고 중요한 역할이라도 급격한 육화 과정을 거치며 개별성을 지닌 인물을 연기해 보고 싶은 청소년들의 갈망에는 영 미치지 못한다. 전체가 한 몸처럼 우아하게 움직이며 말하는 강력한 코러스의 일원이 되는 경험은 5학년 아이들에게 적합하다. 아직 개별 의식보다 집단 의식의 영향이 훨씬 큰 힘을 발휘할 때이기 때문이다. 10학년 아이들과 하는 연극 수업에서는 다음 세 가지 중요한 요소가 들어 있는 극작가들의 작품을 찾으려 애썼다.

힘 있는 인물 묘사 진정한 개인은 한 마디로 정의할 수 없는 복잡한 층위를 지니기 마련이다. 학생들은 그 인물을 통해 겉으로는 알 수 없는 숨겨진 깊이, 비밀스런 동기와 다양한 감정을 깊이 체험하게 된다.

풍부한 언어 아름답고 깊이 있는 언어로 이루어진 대사를 통해 학생들은 평범하고 일상적인 말투로는 닿지 못하는 경지를 경험한다. 조지 오웰George Owell이 『1984』에서 예견했듯 언어 사용은 의식 수준을 고양시킬 수도, 끌어내릴 수도 있다. 얼마나 다양한 단어를 사용하는지, 언어의 색깔과 결이 얼마나 풍부한지는 의식의 성장과 무관하지 않다. 고급스러운 언어를 사용하는 작품을 말하고 연기하다 보면 실제로 품격이 높아진다. 단지 어휘 수만 늘어나는 것이 아니라 연기자의 자아 감각까지 더불어 성장하기 때문이다.

마음을 움직일 수 있는 이야기 전개 우리는 상상력을 사로잡는 흡입력 있는 화법, 등장인물과 그 인물을 연기하는 배우 모두가 성장할 수 있는 이야기를 찾으려 했다. 익숙하면서도 보편적인 주제, 즉, 사랑과 아름다움, 진리, 구원, 희생, 용기, 용서처럼 우리를 진정한 인간으로 만들어 주는 이상을 향해 나아가는 이야기가 어디에 있을까?

벌써 셀 수 없이 많은 연출자가 무려 400년 전의 극작가를 주목해 왔던 건 어쩌면 당연한 귀결일지 모른다. 위에 언급한 모든 요소를 인간이라는 존재에 대한, 시대를 초월한 질문과 깊이 있는 탐색 속에 담아냈던 극작가가 바로 윌리엄 셰익스피어이다.

지금이 아니라도, 그래도 올 것이야. 흔쾌히 하는 게 최선이지.

『햄릿』 5막 2장

지난 12년 동안 그린 메도우 발도르프학교에서 셰익스피어 작품을 한 번도 공연하지 않고 졸업한 학급은 없었다. 가끔 소소한 논쟁이 벌어지긴 했어도 '언제' 할 지를 두고서였지 '할지 말지'를 문제 삼은 적은 없었다. 담임 과정만 있는 발도르프학교에서는 8년간의 교육 과정을 마무리하는 최종 과제로 셰익스피어의 작품을 공연하는 경우가 많다. 사실 8학년이 셰익스피어를 무대에 올릴 수 있는 마지막 기회라면 어떻게든 미리미리 준비해서 실현가능하게 만들어야 한다. 하지만 되도록이면 그 도전을 10학년이나 11학년으로 미루는 것이 바람직하다고 본다.

나는 셰익스피어 작품을 졸업 연극으로 택한 8학년의 공연을 수없이 보아 왔다. 모든 공연이 나름대로 즐겁고 유쾌했다. 특히 학생을 개인적으로 알 때는 주정뱅이 토비 벨치 경이나 당나귀에게 홀딱 빠진 티타니아, 혹은 험한 말로 서로를 향해 으르렁거리는 케이트와 페트루치오 같은 인물을 신나게 연기하는 모습에 웃음을 터뜨리지 않을 수 없다. 하지만 조금 다른 시각에서 보면 8학년에게 셰익스피어 공연은 대부분 버거워 보였다. 대사의 깊은 의미를 제대로 이해하지 못해 거장의 언어에 생명을 불어넣지 못한 채 기계적으로 낭송하기 일쑤였고, 개성 넘치는 인물의 깊이와 복합적인 측면을 충분히 표현할 능력을 갖춘 경우도 극히 드물었다. 팔스타프, 페스테, 포오샤, 프로스페로, 이아고, 오필리어, 베네딕과 베아트리체 같은 인물은 연극을 업으로 삼은 배우들에게 자신의 경력에 획을 긋는 (혹은 모든 경력을 무너뜨리는) 계기가 될 정도로 큰 무게를 지니는 배역이다. 이제 막 내면세계가 열리고 그 속에서 휘몰아치는 폭풍을 느끼기 시작하는 아이들에게 셰익스피어에 깊이 몰입하라는 것은 너무 성급한 요구다.

16, 17세도 어리긴 마찬가지라 할 수도 있다. 하지만 사춘기 아이들을 가르쳐 본 교사라면 그 2, 3년 사이에 아이들의 내면이 놀랄 만큼 깊어진다는데 주저 않고 동의할 것이다. 연령과 발달에 따라 교과 과정을 만드는 것이 주된 특징인 발도르프 교육에서 이는 결코 사소한 차이가 아니다. 재능 있는 청소년들이 그 배역을 입었을 때는 레온테스나 오셀로의 질투 어린 분노나 하늘 무서운 줄 모르는 멕베스 부인의 무자비한 야망, 스스로를 꼼짝 못하게 옭아매는 햄릿의 자기혐오가 그렇게 어설퍼 보이지 않는다. 단순 비교하면 상급 과정 아이들은 14살 아이들보다 무대에서 펼쳐 보일 감정 목록이 풍부하다. 중심을 지키면서 인물의 성격을 일관되게 끌고 갈 자아의 힘도 강하며, 개인적 감정의 동요 역시 더 잘 추스를 수 있다. 그렇다고 담임과정 아이들은 셰익스피어를 공연할 수 없다고 주장하는 것은 아니다. 같은 조건이라면 상급 과정 아이들이 셰익스피어 작품에 담긴 보석 같은 빛을 훨씬 더 많이 끌어내며, 그 과정에서 더 많은 것을 얻어갈 수 있다는 말이다.

셰익스피어를 숭배하는 교사라면 그 위대한 시인의 작품은 아무리 일찍, 아무리 많이 노출되어도 문제될 일 없다고 반박할 것이다. 실제로 많은 학급이 1, 2학년 때부터 에어리얼의 '황색 모래로 오라'를 낭송하고, 7학년에서 시문학을 본격적으로 배울 때는 셰익스피어의 소네트를 한두 편씩은 접한다. 적절한 시점에 적절한 방식으로 만난 셰익스피어는 당연히 아이들의 영혼을 풍요롭게 한다. 오늘날 교육계에 만연한 사고의 틀에 갇힐 위험만 조심하면 된다. 현대 교육 철학에서는 읽기가 배움에서 중요한 비중을 차지하고, 배움을 확인하는 최선의 방법이라며 가능한 한 어릴 때부터 읽기를 가르치고 시험으로 학생들을 관리하는 것이 좋다고 말한다. 이 주장을 극단적으로 신봉하는 부모라면 자녀를 미래의 올림픽 선수로 키우고 싶은 경우 세 살부터 역도 도장에 보내야 할 것이다. 지적 능력을 중시하여 미래의 박사 논문을 위해 5살부터 아이를 훈련시키고 싶은 부모는 잠자리에서 동화책 대신 플라톤, 토마스 아퀴나스, 데카르트, 다윈 같은 위대한 사상가들의 저서를 읽어 줄 지도 모른다. 부모의 지나친 욕심과 강요로 너무 어린 나이에 경쟁적인 스포츠를 시작한 아이들이 사춘기에 접어들면서 열정이 식어 심각한 부진에 빠지기 쉬운 것처럼, 셰익스피어 작품에 너무 일찍, 혹은 너무 과하게 노출된 아이들은 깊이 즐길 수 있는 나이가 되기도 전에 벌써 질려 버릴 수도 있다.

12. 편집 작업

『햄릿』의 주책없고 수다스러운 늙은이 폴로니우스에게 연극사상 둘째가라면 서러울 정도로 통찰력 넘치는 문장을 대사로 맡기는 건 셰익스피어 같은 천재나 가능한 선택일 것이다.

> 간결함이 지혜의 영혼이기에…
> 간결하게 말하겠습니다.
>
> 『햄릿』 2막 2장

이 대사가 그렇게 특별한 이유는 이어지는 폴로니우스의 말이 어이없게 장황해 요즘에도 길고 난해한 설명을 풍자할 때 단골로 이용될 정도이기 때문이다. 폴로니우스는 간단한 말도 한없이 늘이고 부풀려 말하는 버릇이 있다. 공연 준비 과정에서 셰익스피어 작품을 뒤적이다 보면 하염없이 늘어진다는 문제에서는 셰익스피어 본인도 폴로니우스와 별반 차이가 없는 것 같은 생각이 든다고 하면 엄청난 불경일까? 앞에서는 셰익스피어가 구사한 언어의 위대함에 찬사를 보내 놓고 뒤에서 딴소리하는 것처럼 보일 수 있다. 그의 시가 지니고 있는 시대를 초월한 생명력은 수 세기 동안 충분히 입증되었기에 두말할 필요도 없다. 하지만 아무 편집 없이 원작 그대로 무대에 올리면 분명 배우와 관객 모두 상당한 어려움을 겪어야 할 것이다.

사실 문제는 셰익스피어가 아니라 우리에게 있는지도 모른다. 미디어가 우리의 의식을 좀먹다가 결국엔 텅 비게 만들도록 내버려 둔 탓에, 무슨 일을 해도 주의 집중 시간이 TV 드라마에서 광고가 끼어드는 간격인 12분을 넘어서지 못하는 사람이 얼마나 많은가? 대중가요의 후렴구나 광고 문구처럼 아무 내용 없는 소리나 문장을 자기도 모르게 흥얼거려본 적 없는 사람은 얼마나 될까? 그러고 보면 청소년들이 '어쩌라고', '그러시든가'처럼 무책임하고 생각 없는 단어를 아무 때나 가리지 않고 쓰는 것도 손가락질할 일은 아니다.

이유야 어쨌든 청소년들과 셰익스피어 작품을 공연으로 올릴 때는 연출이 아무리 훌륭해도 편집이 꼭 들어가야 한다. 사실 연출과 수업을 병행하는 교사는 대부분 늘 시간이 부족해 쩔쩔맨다. 이들에게 축약본은 여러 선택지 중 하나가 아니라 필수불가결한 선택이다. 그렇다면 천재와 거리가 먼 지극히 평범한 교사이며 연출자가 어떻게 메스를 휘둘러야 『십이야』 『멕베스』 『좋을 대로 하시든지』 같은 작품의 1/3 혹은 그 이상을 뭉텅 잘라낼 수 있을까? 편집에 능하지 않은 교사에게는 셰익스피어 작품에 '가위질'하는 일이 베토벤 협주곡에서 음표 세 개 마다 하나씩 빼고 연주하거나 세잔느의 그림에서 색은 빼고 선만 보라는 것만큼이나 말도 안 되는 요구로 들릴 것이다. 그렇지만 셰익스피어만 파고드는 학자가 아니라면 객석의 그 누구도 어떤 부분이 잘려 나갔는지 알아채기 어렵도록 기술적으로 편집하는 방법이 있다.

편집에 도전하기 전에 먼저 충분한 시간을 두고 작품을 완전히 파악해야 한다. 단순히 처음부터 끝까지 읽는 수준이 아니라 모든 이미지, 주제, 앞에 나왔던 복선까지 하나도 빼놓지 않고 철저히 파악한다. 그런 식으로 여러 차례 정독했으면 이제 연필을 손에 들고 장면의 분위기나 이야기 흐름을 훼손하지 않으면서 없애도 무방할 모든 대사, 인물 간에 주고받는 상호작용, 긴 연설 중 부차적인 부분에 괄호를 친다. 『십이야』를 예로 들어 보자.

(생략할 대사는 괄호로 표시)

마리아 : 글쎄, 어딜 쏘다녔는지 말해 봐. (안 그러면 너를 감싸 주려는 변명은 입도 뻥긋 안 할 테니까.) 네 멋대로 집을 비웠으니 아가씨께서는 널 교수형에 처하시겠지.

광　대 : 목을 매달아 보라지 뭐! 교수형을 당하면 어떤 색도 두려워하지 않아도 되나니.

(마리아 : 그건 또 무슨 소리야?)

(광　대 : 눈에 뵈는 게 없어진다는 말이지.)

(마리아 : 별 싱거운 대답도 다 있군. "나는 색이 두렵지 않다"란 말이 어디서 생겨났는지 알고나 하는 소리냐?)

(광　대 : 어딘가요, 성 아줌마 마리아님?)

(마리아 : 전쟁 때 쓰는 깃발 얘기다. 감히 전쟁을 논하다니, 멍청한 네놈 따위가)

(광　대 : 그랬던가, 하느님, 지혜가 있는 자에게 지혜 주시고, 바보인 자 바보 재능 쓰게 해 주소서.)

마리아: 아무튼 너는 오랫동안 자리를 비웠으니 교수형을 당하거나, 여기서 쫓겨날 거야. 쫓겨나나 교수형을 당하나 너에겐 매한가지겠지만.

광　대: 교수형 덕분에 넌덜머리나는 결혼을 피해 간 사람이 얼마나 많은데. 그런데 이왕 쫓겨날 거면 여름이면 좋겠는데.

마리아: 그럼 결심한 거야?

광　대: 그건 아니고, 하지만 두 가지만큼은 단호하지.

마리아: 한쪽이 무너지면, 다른 쪽으로 버틴다는 거, 그렇지 않고 양쪽 다 무너지면, 그땐 바지가 흘러내린다는 것 말이지?

광　대: 족집게군, 잘 맞혔어. 자, 가 봐요! 토비 경이 술만 안 마신다면, 당신이야말로 일리리아에서 현명하고 깜찍한 배필감이 될 텐데, 그가 술을 끊을 리 없으니.

마리아: 닥치거라, 못된 놈, 거기까지. 주인아씨 오신다. 그럴듯하게 둘러대라구, 그게 좋을걸. (퇴장)

『십이야』 1막 5장

이 짧은 대화를 통째로 들어내면 두 가지 핵심 요소를 잃을 수밖에 없다. 1) 마리아와 광대가 주고받는 촌철살인의 재치, 2) 토비 경과 마리아가 결국엔 맺어질 것을 암시하는 광대의 마지막 대사. 하지만 약간 모호한 부분은 생략해도 대화의 주요 흐름이 끊어지지 않는다. 물론 함부로 메스를 휘두르다 '동맥'을 끊거나 '주요 장기'를 제거하지 않도록 조심해야 한다. 어떤 부분을 어떻게 삭제했든 최대한 표 안 나게 이어 붙이는 것도 중요하다. 그러기 위해서는 위의 예처럼 가위질 흔적이 드러나지 않도록 잘라 낸 부분의 앞뒤가 자연스럽게 연결되어야 한다. 예술 작품도 외과 수술을 제대로만 하면 편집본이라고 해서 꼭 원작의 창의성이 훼손되었다고 볼 필요는 없다. 사실 셰익스피어의 위대한 작품들도 기존 이야기에서 소재를 취해 자기만의 예술 감각으로 축약, 재구성하고 거기에 살과 장식을 더해 변형시킨 것이 대부분이다.

이런 수술 작업은 비단 셰익스피어 작품에만 국한되지 않는다. 상급 과정을 마무리하는 졸업 연극에서 12학년들은 대부분 현대극을 찾는다. 얼마 전 한 12학년 학생은 내게 '가벼움과 무거움, 흥미진진한 줄거리, 매력적인 인물, 의미 있는 주제까지 모든 것을 갖춘' 현대극이면 좋겠다는 말을 했다. 요구 사항이 정말 소박하지 않은가! 학생 수가 많은 학급(20~25명 이상)이 현대극을 시도하려면 넘어야 할 산이 있다. 20세기의 대표적 작품들을 보면 등장인물 수가 줄어드는 경향이 뚜렷하기 때문이다. 유진 오닐Eugene O'Neill의 『밤으로의 긴 여로Long Day's Journey into Night』에는 5명이 등장한다. 사무엘 베케트Samuel Beckett의 『고도를 기다리며Waiting for Godot』와 존 오스본John Osborne의 『성난 얼굴로 돌아보라Look Back in Anger』, 에드워드 알비Edward Albee의 『아메리칸 드림The American Dream』 역시 배역이 5개밖에 없다. 해롤드 핀터Harold Pinter의 『생일 파티The Birthday Party』는 6명, 프란시스 구드리치Frances Goodrich와 앨버트 하케트Albert Hackett의 《안네의 일기The Diary of Ann Frank》에는 10명, 윌리엄 잉에William Inge의 『소풍Picnic』에는 11명이 등장한다. 물론 예외도 있다. 손톤 와일더의 작품이나 아서 밀러Arthur Miller의 《시련The Crucible》, 모스 하트Moss Hart의 희극 작품들이 여기에 속한다. 우리는 수십 년 동안 이들의 작품을 적어도 한 번 이상 시도해 보았다.

현대극을 학생들과 작업할 때 해결해야 할 또 다른 어려움은 소재와 내용이다. 세상이 갈수록 음울해지면서 자연스럽게 시대적 폭력, 냉소주의, 소외감을 소재로 삼는 극작가들이 늘어가고 있다는 것이다. 현대극이 아무리 타락과 불화 같은 인간 영혼의 어두운 면을 부각시킨다 해도 『햄릿』을 능가할 작품이 몇이나 되겠냐고 반박할 사람도 있을 것이다. 한편으로는 타당한 주장이다. 아버지의 유령이 등장해 자신의 '억울한 죽음'에 피의 복수를 요구하고, 어머니는 아버지를 죽인 자와 결혼하고, 죽마고우는 적의 첩자가 되고, 정혼자의 손에 아버지가 죽었다는 소식을 듣고 미쳐버린 젊은 여인은 결국 자살한다. 그 밖에도 이야기가 끝날 때까지 일곱 명이 더 익사, 독살, 처형, 칼끝에 묻은 독 등 다양한 방식으로 죽는다. 이렇게까지 죄악으로 가득 찬 작품이 또 어디 있을까? 작품의 배경인 엘시노어 왕국을 글자 그대로 죽음으로 몰아넣는 배신으로 인해 무대 여기저기 시체가 널브러진 채로 끝나는 『햄릿』의 마지막 장면보다 더 음울한 풍경이 또 어디 있을까?

하지만 그 난장판 속에서 우리는 사악한 세상을 살아가면서도 진실과 사랑, 의미를 찾으려 고군분투하는 한 인간과 세상 그 무엇으로도 무너뜨릴 수 없는 고결함을 목격한다. 햄릿이 제기하는 질문의 거대함, 그 영혼의 무한함으로 인해 이 작품은 인간이 추구하는 정점에 올라선다. 그렇다. 『햄릿』은 비극이다. 하지만 그렇기 때문에 그 속에서 아리스토텔레스가 2500년 전 말했던 엘레오스(연민)와 포보스(공포)를 모두 체험할 수 있다. 비극에서 우리는 날 것 그대로의 인간 정신을 목격한다. 그것은 놀람과 공포를 불러일으키며 우리를 겸허하게 만드는 광경이다. 진정한 비극은 보는 이를 얼어붙거나 의기소침하게 만들지 않는다. 그것은 고통을 깨달음으로 거듭나게 한다. 비극을 통해 우리는 '참된 인간'이 의미하는 바의 가장 높고 가장 깊은 지점을 발견한다.

많은 현대극에서 부족한 부분이 바로 이 초월적이며 계시적인 요소다. 그리고 그 뿌리는 인간 정신에 깃든 힘을 인정하지 않는 태도에 있다. 조지 오웰의 『1984』를 희곡으로 각색한 작품에는 무섭도록 공고한 인간성 부정의 경향이 선명하게 드러난다. 주인공 윈스턴 스미스는 비극의 주인공보다 희생자에 가깝다. 그에게 가해지는 육체적 심리적 고문이나, 빅브라더에게 철저히 무너지고 마는 마지막 장면에서 손톱만큼의 고결함도, 모래알만큼의 희망도, 실낱같은 구원도 찾기 어렵다. 극에서 그리는 디스토피아적 풍경은 그에 못지않게 잔혹한 전체주의 국가라는 개념을 코웃음으로 넘겨 버리는 사람들에게 보내는 경고라고 항변하는 사람들도 있을 것이다. 다시 말하지만 우리는 교육자이자 연출자다. 우리는 연극 한 편이 이 불확실한 세상의 흙탕물 속에서 도덕적 지향을 찾아 헤매는 청소년들에게 어떤 영혼의 양식을 제공해 줄 수 있는지를 스스로에게 묻고 또 물어야 한다.

우리가 작업했던 현대극 중에 가장 큰 울림을 주었던 두 작품은 딜런 토마스Dylan Thomas의 『밀크우드 아래서』와 프랭크 갈라티가 각색한 스타인벡의 『분노의 포도』다. 『밀크우드 아래서』는 웨일즈 어촌 사람들의 24시간을 애정 어린 눈으로 묘사한 작품이다. 이 작품에는 지극히 인간적이며 인상적인 인물이 대거 등장하는 한편, 가장 아름답고 시적인 20세기 언어를 만날 수 있다. 앞에서 설명한 바 있는 『분노의 포도』는 수많은 비극과 부당함을 겪으며 오랜 가뭄으로 모래 폭풍이 부는 오클라호마에서 과일 나무가 자라는 캘리포니아로 이주하는 조드 가족의 꿈과 절망, 소박한 존엄과 타고난 선량함을 그린다. 둘 다 아름다운 문체를 자랑하는 작품이지만 셰익스피어와 마찬가지로 필요에 맞게 편집하고 짜깁기할 수밖에 없었다.

『분노의 포도』는 시간 제약 때문에 수많은 장면을 축약했다.

(생략할 대사는 괄호로 표시)

(케이시 : 나는 생각했습니다. 산속에 들어가서 생각했습니다. 마치 예수가 광야를 헤매면서 온갖 고난의 수렁에서 자신이 가야 할 길을 생각하던 것과 같이 나도 생각했습니다.)

(할머니 : 찬미 예수!)

(케이시 : 내가 예수와 같다는 말은 아닙니다. 그러나 나도 예수처럼 지쳤고, 예처럼 혼란을 느꼈고, 그래서 예수처럼 황야에 나갔던 것입니다. 아무런 준비도 장비도 없이 말이죠.)

(할머니 : 할렐루야!)

케이시 : 나는 계속 생각했습니다. 그러나 그것은 생각이 아니고 생각보다 훨씬 깊은, 사람의 마음속을 파고드는 일이었습니다. 나는 생각했습니다. 어떻게 달이 있고 별들이 있으며, 언덕들이 있고, 그리고 그것들을 바라보는 내가 있는지를. 그리고 우리가 더 이상 흩어진 존재가 아니라는 것을. 우리는 하나였습니다. 그리고 그것이야말로 신성한 것이었습니다.

나는 (우리가 하나가 될 때 우리가 얼마나 거룩한 것인가에 대해서 생각해 보았습니다. 그리고) 모든 인류가 한 덩어리가 될 때 우리가 얼마나 신성한 존재가 되는가를 생각해 보았습니다. (다만 보잘것없는 조그마한 인간이 제멋대로 놀아나서 치고 박고 싸우고 할 때만 인간은 거룩하지 못한 존재가 되는 것입니다. 그런 인간은 인간의 거룩함을 스스로 파괴하는 자입니다. 그러나 그 모든 인간들이 단합해서 함께 일할 때, 전체 속의 일부가 되어 마치 기계를 구성하는 부속품 중 하나처럼 전체를 위해서 일할 때, 그렇습니다. 그때야말로 우리는 신성한 것입니다.) 그러나 나는 또 생각해 보았습니다. 신성하다는 것, 그 자체가 무엇인지 알 수 없었습니다. 나는 그 전에 하던 것과 같은 강복 기도를 할 수는 없지만 이 아침 밥상의 거룩함을 기뻐합니다. 여기에는 사랑이 깃들고 있어 기쁠 뿐입니다. 그것만이 전부입니다. (그대로 고개를 수그린 채, 케이시는 주위를 둘러본다) 저 때문에 아침 음식이 식었습니다. 아멘.

모　두 : 아—멘.

〖분노의 포도〗 1막

〖밀크우드 아래서〗는 해설 부분을 줄이고 인물의 성격을 드러내는 부분에 시간을 할애하는 쪽으로 편집했다.

(생략할 대사는 괄호로 표시)

올간　모르간 : 코로네이션 거리에는 혼란과 음악이 있어! 아내들은 기러기처럼 끽끽 울고 있고, 아기들은 오페라를 불러. (P. C. 아틀리아리즈는 경찰봉을 꺼내 들고, 펌프로 카덴차를 연주하고, 선데이 목장의 소들은 순록처럼 원을 그리며 뛰어다니고, 한델 빌라의 지붕 위에서는 여성 복지사가 블루머를 입고, 달빛 아래서 춤추고 있는 것이 보여.)

첫 번째 목소리 : (바다 끝의 마을에서는, 플로이드 부부가 시체처럼 조용히 잠자고 있다. 둘은 나란히 잠자고 있는데 주름이 많고, 이도 없고, 마치 소금에 절여 말린 청어가 상자 안에 들어 있는 것처럼 소금에 절어 있는 듯하고 볕에 그을렸다.)

그리고 더 위에 있는 솔트레이크 농장에서는 유타 왓킨스 씨가 밤새 자기 부인의 얼굴을 한 양이 언덕 위에 있는 울타리를 넘어가는 것을 세고 있으며, 또한 자신의 부인처럼 미소 짓고 뜨개질을 하며 우는 소리를 한다.

유 타 왓 킨 스 : 서른넷, 서른다섯, 서른여섯, 마흔여덟, 여든아홉….

유타왓킨스 부인 : (우는 소리로) 슬립 한 개를 짜라. 슬립 두 개를 같이 짜라. 슬립 스티치는 그냥 넘겨라.

(첫 번째 목소리 : 오키 우유 배달원은 코클 거리에서 잠에 빠진 채, 우유통의 우유를 듀이 강에 붓고 있다.)

(오키우유배달원 : (속삭이며) 돈 따위는 신경도 안 써.)

(첫 번째 목소리 : 그러고는 마치 장례식장에 온 것처럼 운다.)

두 번째 목소리 : 이웃집에 사는 체리 오운은 큰 컵을 자신의 입술에 갖다 대지만, 컵에서는 아무 것도 흘러나오지 않는다. 그는 컵을 흔든다. 컵이 물고기가 된다. 그는 그 물고기를 마신다.

(첫 번째 목소리 : P. C. 아틀리아 리즈는 어둠과 조용한 뱃고동 소리에 무감각한 듯, 육중한 몸을 이끌고 침대에서 나오고, 침대 밑에서 헬멧을 꺼낸다. 그러나 잠 속에 갇혀 있는 비열한 목소리가 뒤뜰 깊은 곳에서 중얼거린다.)

(비열한 목소리 : 너는 아침에 이 일에 대해서 미안해 할 거야.)

(첫 번째 목소리 : 그러자 그는 영차 하고 다시 침대로 돌아간다. 헬멧은 어둠 속에 내팽개쳐진다.)

두 번째 목소리 : 우체부인 윌리 닐리는 길거리에서 잠든 채로, 매일 밤 하는 것처럼 우편물을 배달하러 14마일을 걸어 다닌다. 그리고 그의 부인을 세게 때린다.

윌리 널리 부인: 제발 날 때리지 마세요, 선생님.

두 번째 목소리: 남편 옆에서 흐느껴 울지만, 그녀는 결혼한 뒤 매일 밤 학교에 늦었다.

대사 한 줄 한 줄을 엮어 태피스트리를 짜는 작가에게는 모든 대사가 없어서는 안 될 요소임을 알기 때문에 희곡을 다듬는 일은 당연히 아주 조심스럽고 어렵다. 잘못 자른 한 가닥 때문에 올이 전부 풀어질 수도 있기 때문이다. 언어를 사랑하는 교사이자 연출자인 우리는 한 편의 시처럼 아름다운 토마스의 대사를 싹둑 잘라 낼 때는 자신도 모르게 움찔한다. 그렇지만 우리는 전문 극단이 아니며 시간을 무한정 쓸 수 있는 처지도 아니라는 사실을 떠올리며 마음을 다잡는다. 원작 그대로를 무대에 올리면 완성도를 포기할 수밖에 없다. 가능한 한 예술적으로 편집해 완성도를 올릴 수 있다면, 누구라도 좋은 결과를 내는 쪽을 택하지 않겠는가?

마지막으로 편집 작업에서 소홀히 해서는 안 되는 문제가 있다. 작가나 출판사의 사전 허락 없이 편집하는 것은 법을 어기는 행위다. 저작권료를 지불하지 않고 대본을 복사하거나 무대에 올리는 것도 마찬가지다. 그렇긴 해도 중고등학교 연극에서 학교나 학급의 사정에 따라 어떤 식으로든 편집하지 않은 연극을 본 적이 없다.

13. 배역 정하기

보잘것없는 배역은 없다. 보잘것없는 배우가 있을 뿐.

미상

말로 표현하는 일은 드물지만 발도르프 교육에서 교사들이 항상 마음에 담고 정성을 기울이는 과제가 있다. 맡은 아이들 한 명 한 명의 더 높은 자아를 마음속에 떠올리는 작업이다. 이는 교사와 아이 모두에게 치유 효과가 있다. 이런 생각을 늘 마음에 품고 있는 교사는 오늘 아이가 보이는 걱정스러운 행동이 사실은 엄청나게 크고 환한 빛 때문에 생긴 일시적인 그림자에 불과하다는 사실을 잊지 않을 수 있다. 학생에게는 교사의 명상이 그 어떤 방법보다 훨씬 근본적이며 긍정적인 효과를 보인다. 어쩌면 아이의 고차자아에 대한 상을 떠올리는 노력이 신비로운 방식으로 아이에게 전해져 미래를 향한 길잡이 역할을 하는지도 모른다. 최대한 생생한 그림으로 상을 떠올리는 교사의 행위가, 등산객이 길을 잃지 않도록 산길의 주요 모퉁이마다 쌓아 놓는 작은 돌무덤처럼 눈에 보이지 않는 이정표가 되는 것이다. 졸업하고 몇 년 뒤에 열리는 동창 모임에서 한 졸업생이 이런 말을 했다. "학교를 다닐 때 제가 자신을 아는 것보다 선생님들이 저를 더 잘 아는 것 같다는 느낌을 받았어요. 저를 보살피며 함께 가는 손길이 있다고 느꼈기에 힘든 시기를 헤쳐 나갈 수 있었습니다."

아이의 가능성과 참모습을 떠올리는 명상이 가장 위력을 발휘할 때가 바로 배역 정하는 순간이다. 연출자이자 교사인 우리들이 연극 제작 전 과정에서 가장 첨예한 이해 대립을 풀어나가야 하는 순간이기도 하다. 교육적 의도를 갖고 작업하는 모든 교사-연출자는 배역 정하는 과정에서 섬세함을 극도로 발휘해야 한다. 어떤 역할이 그 아이의 현재와 미래의 필요에 가장 잘 부합할까? 평소 성격대로 배역을 줄 것인가, 정반대 배역을 줄 것인가? 늘 사람들을 웃기고 장난치기 좋아하는 아이에게 어릿광대 역할을 줄 것인가, 과묵한 은둔자 역할을 줄 것인가? 남 앞에 서는 것을 고통스러울 정도로 힘들어하는 아이에게 주연을 맡기면 그것을 계기로 몰라보게 성장할까, 중압감에 짓눌려 버릴까? 자기밖에 못 보는 아이에게 주목을 한 몸에 받는 배역을 줄 것인가, 은둔하는 수도사 같은 단역을 줄 것인가?

또 청소년들과 수업의 일환으로 연극을 만들어 가는 우리 연출자들은 작품의 예술적 완성도와 교육적 의미 사이에서 균형을 잡는 것도 잊지 말아야 한다. 모든 아이의 요구와 필요만 생각하다 보면 회복하기 어려울 정도로 공연의 질이 떨어질 수 있다. 젊은 배우들에게 능력의 범위를 훌쩍 넘는 역할을 맡기는 것은 교육적으로 바람직하지 않다. 당사자는 물론 멋진 공연을 만들고자 최선을 다하는 다른 배우들에게도 괴로움만 안겨 주는 가혹한 처사일 뿐이다. 사실 교육적 목표와 예술적 목표는 서로 상충하지 않는다. 예술적으로 가치 있는 공연은 교육적으로도 가치가 있다. 마찬가지로 배역 선정을 잘못해서 연극을 엉망으로 만드는 것도 단지 예술적 실패에 그치지 않는다. 청소년들은 예술적 공동 작업에서 성공을 경험할 수 있어야 한다. 물론 실패를 통해 인격 형성의 기회를 얻는다는 말도 사실이다. 하지만 그런 교훈은 무대보다는 스포츠 경기장에서 얻는 편이 낫다. 야구 경기의 승패에 감독이 미치는 영향보다 연극 공연의 성패에서 교사이자 연출자가 가진 무게감이 훨씬 더 클 것이다.

발도르프 교육에서, 아니 모든 아마추어 연극에서 어떤 요소가 공연의 성패를 결정할까? 흥행 같은 경제적 문제는 우리와 상관없다. 지역 신문에 신랄한 비판이나 호들갑스러운 찬사가 실리지도 않는다. 몇 달 전부터 자리를 예약하거나 입석으로 관람하는 사람도 없고, 공연을 계속 이어가 달라고 떠들썩하게 요구하는 관객도 없다. 나에게 성공의 기준은 다음 두 질문으로 요약할 수 있다.

1) 배우들이 공연을 준비하는 과정에서 성장했는가?

2) 관객이 연극을 본 뒤 어떤 수준에서든 감동을 느꼈는가?

아이들의 성장이 연극 수업의 주된 목표 중 하나라면 최대한 많은 아이가 각자 적절한 수준의 도전에 임할 수 있도록 배역을 정하는 것이 이상적이다. 대부분 연극에서 매력적인 역할의 수는 그리 많지 않기 때문에 최근 몇 년 동안은 한 배역에 두 배우를 기용하는 방법으로 기회의 폭을 넓히기도 했다. 공동 배역에도 몇 가지 위험 요소가 있지만 분명 장점이 단점보다 많다. 이 방법에 비판적인 시각을 가진 사람들은 공동 배역이 경쟁심을 자극하고 관객들이 두 배우를 비교하게 만든다고 말한다. “헬렌 켈러 역할은 사라보다 마사가 훨씬 더 잘 소화하네요. 사라는 표현이나 배역 몰입도가 마사만큼 탁월하진 않아요." 하지만 학생들에게는 같은 역할을 맡은 배우와 마음을 모아 함께 노력하는 기회가 될 수 있다. 같이 대사를 외우고 서로의 관점을 주고받으면서 역할에 대한 풍부한 상을 만들어 갈 수 있다. 상대 배우의 미묘한 몸짓, 억양, 어조를 참고할 수도 있다. 실질적인 장점도 있다. 한 배역을 맡은 배우가 두 명이면 한 사람이 공연 직전 병이 나는 등 문제가 생겨도 쉽게 대처할 수 있다. 2년 전 『겨울 이야기』 공연을 며칠 남겨 놓고 주연 배우 한 명이 급성 기관지염에 걸려 열이 펄펄 끓었다. 다행히 공동 배역이었기 때문에 같은 역을 맡은 다른 배우가 문제없이 빈자리를 채울 수 있었다.

공동 배역을 하면 두 배우 모두 연기를 해야 하기 때문에 연습 시간이 늘어난다는 어려움이 있다. 시간 압박을 줄이는 방법 중 하나는 둘이 함께 무대에 올라 동시에 대사를 하는 것이다. 연습 초반에 쓸 수 있는 또 다른 방법은 한 사람이 다른 사람을 그림자처럼 따라다니는 것이다. 이렇게 하면 두 배우 모두 등/퇴장, 동선 등에 익숙해질 수 있다. 둘이 동시에 무대에 올라 연기를 하면 당연히 처음엔 어수선하고 비좁겠지만, 공연 직전 연습에서 한 번에 한 사람만 연기를 할 때는 그만큼 공간이 널찍하고 여유로워 보이는 효과가 있다.

하지만 그럴 때도 다른 한 사람은 무대에만 오르지 않을 뿐 연습에 참가해 연출자의 지시를 함께 들어야 한다. 그래야 두 번째 배우가 출연하는 연습 때 연출자가 같은 이야기를 반복하느라 시간을 낭비하지 않는다.

또한 공동 배역은 연습 과정에서 연기가 진부하고 기계적으로 반복되는 것을 막아 주는 장점이 있다. 전문 극단들은 오래 전부터 이 사실을 인지하고, 주연 배우가 배역에 신선한 감성을 유지할 수 있도록 격주, 혹은 공연마다 배역을 교체하기도 한다. 오늘 밤 공연에서는 오셀로를 연기하고 다음 날 공연에서는 이아고를 연기한다고 상상해 보라. 두 역할 모두를 얼마나 깊이 이해하고 내적으로 얼마나 유연해야 하겠는가! 중고등학교 연극에서도 공동 배역은 연극 준비 과정 전반에 비슷한 자극제가 된다. 배역에 대한 해석은 사람마다 다를 수밖에 없기 때문이다.

이는 최근 10학년들이 공연한 손톤 와일더의 『결혼 중매인』에서 선명하게 드러났다. 나는 놀라우리만치 다른 두 여학생에게 공동 주연을 맡겼다. 통통한 체구에 밝고 쾌활한 학생은 돌리 레비의 겉멋 든 태도를 표현하는데 적임자였다. 처음부터 그 학생은 브루클린 억양을 훌륭하게 구사했다. 다른 한 명은 키가 크고 호리호리한 체구에 목소리는 다소 작았지만 동작 표현이 아주 풍부했다. 이 학생은 배우 메이 웨스트Mae West의 젊은 시절을 떠올리게 하는 어조와 몸짓으로, 안 그런 척하면서 속으로 계략을 꾸미는 돌리 레비의 모습을 잘 표현했다. 두 사람 모두 자신만의 독특한 색깔을 연극에서 잘 살려 훌륭한 연기를 펼쳤다. 두 배우가 함께 연습하는 모습은 정말 흐뭇한 광경이었다. 당연히 한 배역을 같이 연구하면서 서로에게 도움을 받은 경우였다. 둘은 상대가 선천적으로 지닌 자질을 보며 배우고 키워나갔다. 하지만 공동 배역은 연습 시간을 줄이기 위해 상대적으로 비중이 적은 배역이나 등장하는 장면이 그렇게 많지 않은 배역으로 제한하는 것이 바람직하다.

나는 학생들이 직접 배역마다 적합한 배우를 선정하는 과정도 의미 있다고 생각한다. 단, 학생들의 의견은 참고 사항에 불과하다는 점을 미리 분명히 해 두어야 한다. 상급 과정 학생들에게는 공연 전체를 고려할 때 가장 바람직한 방향으로 친구들의 역할을 정해서 써 보라고 한다. 그 밑에는 자기가 맡았을 때 싫지 않을 배역 중 비중이 가장 큰 것, 중간 것, 적은 것 셋을 써 보라고 한다. 학생들이 개인적 욕심보다 작품을 생각하는 마음으로 자기 배역을 정했다 싶으면 될 수 있는 한 그 의견을 수용한다. 간혹 의욕이 지나친 나머지, 친구들이 적어 내는 배역 목록에 자기가 생각하는 그림을 관철시키려고 회유하는 학생들도 있다. 학생들의 배역 목록을 받았을 때 특정 배역에 한 사람이 지나치게 많은 추천을 받았다면 연출자는 혹시 그런 로비의 결과가 아닌지 살피는 것이 좋다.

14. 연극 연습 일정

행운은 계획의 부산물이다.

브랜치 리키Branch Rickey

보통 삶을 계획적으로 사는지, 기분 내키는 대로 사는지는 타고난 기질이나 의도적인 선택의 문제다. 하지만 연극 제작에서 앞으로 생길 수 있는 일을 미리 가늠하고 계획을 짜는 것은 선택이 아니라 필수다. 꼼꼼한 계획을 짜지 않고도 잘 끌고 나갈 수 있다고 생각하는 연출자는 결국 회한의 눈물을 흘리고 말 것이다. 무대 위와 뒤에서 필요한 모든 사항을 아주 작은 부분까지 현실에 입각해 고려해 두지 않으면 길목마다 숨은 지뢰처럼 연습 내내 여기저기서 문제가 뻥뻥 터지기 때문이다. 무대 배경으로 쓸 얇은 천을 주문하는 것을 깜빡했으면 물건을 받을 때까지 열흘이라는 귀중한 시간을 허비해야 할 것이다. 재고가 없으면 더 오래 걸릴 수도 있다. 토요일에 있을 추가 연습을 위해 강당을 예약했는가? 잊어버렸다면 에어로빅 수강생들 옆에서 옹색하게 연습하는 수밖에 없다. 의상을 갖춘 총연습 때 안전핀을 손닿는 곳에 잘 챙겨 두었는가? 대사 읽어 주는 사람을 위한 작은 전등을 준비했는가? 반주자를 위한 악보는? 할아버지 역을 맡은 배우가 걸칠 멜빵은? 조명의 전선을 가리기 위한 전기 테이프는? 공연 팸플릿에 의상 만드느라 애쓴 밀리와 텔레비전 받침대를 트럭으로 개조하는데 큰 힘을 보태 준 존슨 씨에 대한 감사 인사 넣는 것을 깜빡했는가? 혹시 팸플릿 만드는 것 자체를 깡그리 잊어버린 건 아닌가?

연출자는 사전에 연극 제작의 모든 단계를 완전히 꿰고 있어야 한다. 무대 디자인이 나오기 전에는 조명 계획을 짤 수 없다. 장소 섭외와 선곡이 끝나야 공간과 음악에 맞는 안무를 만들 수 있다. 장면마다 색을 어떻게 사용할지에 대한 계획이나 시대 및 스타일을 아직 결정하지 못했는데 어떻게 의상 작업을 시작할 수 있겠는가? 계획표를 만들었다고 해서 모든 사고를 미연에 방지할 수는 없겠지만 사고의 횟수와 규모는 확실히 줄어들 것이다. 본 연습을 시작하기 한참 전에 배우들에게 모든 연습 일정과 제작 마감 시한을 담은 일정표를 나눠 주어야 한다.

아래 첨부한 표는 연극 연습 기간을 4주로 잡았을 때의 일정표다. 제대로 준비하기에 당연히 턱없이 부족한 시간이다. 6주면 훨씬 좋겠지만 쉽지 않은 일이다. 그래서 우리는 적어도 한 가지 측면에서는 학생들에게 그만큼의 시간을 주려고 애쓴다. 연극 연습 2, 3주 전부터 국어 시간을 이용해 대본을 소리 내어 읽는 것이다. 먼저 장면마다 무슨 일이 어떻게 벌어지고 있는지에 대한 분명한 상을 만든다. 주요 줄거리와 부차 이야기 흐름에 따라 도표를 그리고, 배경이나 시간이 바뀌는 지점을 표시한다. 각 인물의 성격이 어떤지, 다른 인물들과의 관계는 어떤지, 그것이 어떻게 변화해 가는지 정리한다. 그런 다음 다시 대본을 읽으면서 그 인물을 움직이는 힘이 무엇인지 고민하고, 걸음걸이는 어떤지, 어린 시절은 어땠을지, 아무에게도 말하지 않는 깊은 비밀에 어떤 것이 있을지 등에 과감한 상상을 펼쳐 본다. 특정 장면을 자신의 말로 풀어 설명하거나 연기해 본다. 이런 과정을 거치면서 개연성과 분명한 방향을 가질 수 있도록 작품의 상을 구체화시켜 간다.

대본을 읽는 동안 배역 계획이 이미 싹트고 있어야 한다. 연출자에 따라서는 특정 배역에 한해 원하는 학생들에게 오디션 기회를 주기도 한다. 이때 가장 주의할 점은 배역 선정이 끝나기 전에 학생들이 특정 배역에 완전히 마음을 빼앗기게 해서는 안 된다는 것이다. 따라서 대본 읽기는 유연하게 진행해야 한다. 여학생이 남자 역할을 맡는 등 성별도 바꿔 본다. 가능한 한 다양한 목소리를 듣고 다양한 역할을 연기해 보게 할 때 생각지도 못한 적임자를 찾을 수도 있다. 본 연습 시작 2주일 전에는 배역 선정이 끝나는 것이 좋다. 상황이 아무리 어려워도 최소한 1주일 전에는 완료해야 한다. 그 정도 시간 여유는 있어야 배우들이 대사를 완전히 익히고 맡은 인물에 대한 생생한 상을 떠올릴 수 있다.

일	월	화	수	목	금	토
	〈1주차〉					
	연습 시작		제작할 물품 목록 작성	음향 효과 계획 완료	의상, 무대, 분장, 포스터 도안 완료 **저녁 연습** **pm 7–10**	실무 작업 무대, 배경, 조명 달기 의상 제작, 음향 효과 작업 시작
	〈2주차〉					
	대본 없이 연습 대본 없이 무대에 오르기 선곡 제안 제출 마감, 소품 모으기	초대장 작성 공연 예약 방법 안내	포스터 시안 마감, 조명 계획 완료 **저녁 연습** **pm 7–10**	춤, 안무 계획 완료, 분장 도구함 확인, 초대장 발송	포스터 부착, 안무와 음악 맞추기 **저녁 연습** **pm 7–10**	실무 작업 무대 제작 완료, 조명 및 음향 효과 확인, 의상 제작 계속, 배경 그림 작업
	〈3주차〉					
	분장에 필요한 물품 목록, 프롬프터와 조명 계획 완료	분장용 물품 목록 완료, 공연 안내책자 디자인 시작	**저녁 연습** **(분장 없이 의상만)** **pm 7–10**	공연 당일 표 받을 사람 확정, 객석 의자 보수 확인	**저녁 연습** **(분장 없이 의상만)** **pm 7–10** 조명, 음향, 의자 완비	실무 작업 의상 세부 작업 완료, 배경 그림 완료, 조명 다시 맞춰 보기
	〈4주차〉					
	마지막 **총연습** **(의상, 분장 함께)** 오후 6시 30분 부터 분장 시작	낮 공연: 학교 강당 정오부터 분장 시작	첫 밤 공연: 공연장	두 번째 공연	마지막 공연 만세! 무대 해체 대청소	

*진한 글씨는 방과 후 연습 시간을 의미한다.

대사 외우기

행동을 말에 어울리게, 말을 행동에 어울리게 하게.

『햄릿』 3막 2장

대사가 생기 없고 납덩어리처럼 무거운 말의 시체가 되는 것을 방지하려면 어떻게 대사를 외어야 할까? 가장 나쁜 방법은 같은 문장을 다람쥐 쳇바퀴 돌 듯 똑같이 되풀이하는 것이다. 물론 그런 단순 반복이 있어야 완전히 자기 것으로 만들 수 있는 학생들도 있지만, 그 과정에서 대사의 생명력이 모두 증발해 버리기 쉽다. 대사 외우는 단계에서 살아 있는 역동과 상상을 유지하지 못한 채 자동 응답기의 기계음처럼 무미건조해지면 연출자는 특단의 조치를 취해야 한다. 몇 년 전 연극 수업에 재능이 아주 뛰어난 학생이 있었다. 『윈저의 유쾌한 아낙네들』에서 팔스타프 역을 맡은 그 아이는 몇 가지 이상한 이유로 인해 아주 기계적으로 대사를 외웠고, 단조롭다 못해 귀에 거슬리는 소리로 말하기에 이르렀다. 고민 끝에 대사를 노래로 부르면서 연기하라고 제안했다. 처음에는 탐탁지 않은 반응이었지만 곧 내 제안을 받아들이고 어설픈 오페라 가수처럼 대사에 멜로디를 실어 말하기 시작했다. 뮤지컬이라고 부르기는 어려운 수준이었지만 효과는 확실했다. 노래 부르며 대사한지 하루 이틀 만에 발성이 눈에 띄게 생기 있고 유연해진 것이다. 마침내 그는 표리부동하고 나약한 동시에 포악함과 회한에 찬 면모를 모두 갖춘 매력적인 팔스타프를 훌륭하게 연기해 냈다. 당연히 연기력의 성장에 놀랄 만큼 폭 넓고 풍부해진 목소리가 큰 몫을 담당했음은 물론이다.

배우들이 생동감 있게 대사를 외우기만 하면 굳이 이런 긴급 조치가 필요하지 않다. 대사를 외울 때 학생들에게 효과가 있었던 3가지 방법을 소개한다.

1) 말하면서 움직이게 하라. 팔다리를 포함해 온몸으로 대사를 익히면 대사 전달이 훨씬 역동적으로 살아날 뿐 아니라 몸짓도 자연스러워질 것이다.

2) 눈을 감고 대사를 외우게 하라. 극중 인물의 모습을 서 있는 자세, 움직임, 얼굴 표정, 주변 분위기까지 가능한 한 생생하게 시각화한다. 그 말을 하는 순간을 상상하고 그 느낌을 몸으로 표현하면 생생한 느낌이 대사에 묻어날 것이다.

3) 대사를 외울 때 잠을 최대한 활용하게 하라. 잠은 기억력 증진 효과가 있다. 매일 밤 잠들기 직전에 대사를 읽으면, 불가사의하면서도 자비로운 밤의 힘이 가장 심오한 차원에서 대사를 내면화하도록 도와줄 것이다.

이 방법들이 실제로 효과를 발휘하기 위해서는 먼저 배우들이 자기 대사의 의미를 이해해야 한다. 연극 제작에 참여한 이후로 나는 학생들이 아무 맛도 없이 맹맹하게, 혹은 자신감 없이 쭈뼛거리며 대사를 하는 경우를 수도 없이 보았다. 몇 년 전 『헛소동』에서 돈 페드로 역을 맡은 한 학생이 베네딕을 향해 말하는 장면이다.

돈 페드로 : 자넨 항상 아름다움에 반항하는 완강한 이단자였지. (1막 1장)

베네딕이 아닌 마르티앙에게 하는 말처럼 들렸다. 나는 그 학생에게 물었다. "무슨 뜻으로 이렇게 말했는지 이해하겠니?"

"글쎄요" 학생이 답했다.

"이건 연극에서 아주 중요한 장면이야. 지금 한 말이 무슨 뜻인지 이해하고 말한다면 돈 페드로라는 인물이 더 통찰력 있고 믿음직하게 보이지 않을까?" 이렇게 묻자 "잘 모르겠어요. 뭐 알아서 나쁠 것도 없겠죠."라며 자비롭게 윤허해 주었다.

그래서 나는 젊은 배우들과 함께 작품을 만드는 연출자가 갖춰야 할 청소년 심리에 대한 깊은 이해와 무한한 인내심을 발휘해 최대한 부드럽고 친절하게 내가 생각하는 그 대사의 의미를 설명해 주었다. 그러자 그는 퉁명스럽게 대꾸했다. "무슨 말씀이신지는 알겠는데, 그렇다고 그렇게 고함을 치실 필요는 없잖아요! 제가 바보 멍청이는 아니거든요." 이런 고상한 대화는 연극 연출이 얼마나 보람 있는 일인가를 보여 주는 수많은 예 중 하나에 지나지 않는다. 아무튼 대사에 합당한 의미와 확신을 부여하고 싶다면 자기가 하는 말의 의미를 분명히 이해하고 있어야 한다.

15. 말하기 연습

Tangling Tongues to Strengthen Speech

허를 꼬면 말하기에 힘이 생긴다.

(이 문장을 소리 내어 빠르게 세 번 읽어 보라)

연습 기간 중 우리는 매일 첫 활동으로 말하기 연습을 했다. 사람들은 대부분 말할 때 소리에 별로 주의를 기울이지 않는다. 언어를 구성하는 두 기둥인 자음과 모음의 특성을 의식하며 말하는 경우도 많지 않다. 이 둘은 어떤 차이가 있는가? 모음은 호흡에서 탄생한다. 모음 소리를 낼 때는 숨을 내쉬면서 발성 기관을 울리고 입이나 입술 모양을 원하는 대로 조금씩 바꾸기만 하면 된다. 그 움직임은 넓은, 혹은 좁은 수로를 따라 잔잔하고 고요하게 흐르는 물과 같다. 반면 자음은 대개 마찰에서 탄생한다. 호흡이 목구멍이나 구강 안에서 장애물 또는 저항을 만나면서 생기는 소리가 자음인 것이다. 요란한 소리를 내며 큰 바위에 부딪쳐 하얀 물보라를 뿌리며 골짜기로 흘러가는 계곡물을 상상해 보라. 목구멍을 닫거나(목 뒤에서 나는 'g'나 'ng' 또는 무성음 'k'나 'ch' 소리), 입천장과 혀 사이에 마찰을 일으키거나('l', 't', 'd', 'n'), 치아 사이로 들어오는 공기를 압축하거나('sh', 'f', 's'), 입술을 지나가는 호흡을 막아('b', 'p', 'm') 소리를 낸다.

'w'와 'h'는 예외다. 이 경우에는 특별한 저항이 없기 때문에 모음에 가까운 소리라고 할 수 있다. 둘을 제외한 자음은 대부분 소리 낼 때 모음보다 많은 노력이 필요하다. 물론 평소에는 이런 사실을 의식하면서 말하지 않지만, 말하기 연습을 하다 보면 정확하게 소리를 만드는 데 많은 힘과 노력이 얼마나 드는지를 깨닫게 된다. 자음을 잘 발음하기 위해서는 '조각가'가 되어야 한다. 내쉬는 숨을 정교하게 깎고 모양을 빚어야 정확한 소리를 낼 수 있기 때문이다. 안타깝게도 청소년들이 내는 말소리를 관찰해 보면 그런 의지가 얼마나 손상되었는지를 느낄 수 있다.

최근 몇 년 동안 아이들이 말하는 태도에서 두 가지 경향을 볼 수 있다. 하나는 감정이 묻어나지 않는 기계적인 태도로 발음이나 음절을 생략하거나 로봇처럼 말하는 경향이다. 어쩌면 아주 어릴 때부터 들어왔던 비디오 목소리의 영향일지도 모른다. 또 하나는 정확하게 조음하려는 노력 없이 우물거리거나 뭉개면서 말하는 것이다. 젊은 시절 말론 브란도의 연기가 생각나기도 하지만 그 사람처럼 인상적이거나 표현이 풍부하지는 못하다. 이들은 모음을 무겁게, 자음은 약하게 발음한다. 말소리에 선명함과 명확함이 부족하며, 소리를 밖으로 보내지 않고 입속에서 웅얼거린다.

학생들과 함께 하는 말하기 연습 대부분은 이런 문제를 개선하는 데 큰 도움이 된다. 기계처럼 말하는 아이들에게는 머리를 울려 소리를 내고,

호흡을 깊게 하며 말소리에 온기를 불어넣는 연습을 준다. 맥없이 우물우물 말하는 아이들에게는 몸통에서 소리를 끌어내고, 활력과 명쾌함을 강조하는 연습을 준다. 두 경우 모두 특정 자음과 모음의 조합을 강조해서 만든, 발음하기 어려운 문장(혀 꼬임말) 연습을 통해 말소리에 생기를 불어넣을 수 있다. 예를 들어 음절을 잘라먹거나 감정 없이 말하는 학생들은 둥글고 따뜻한 느낌의 모음이 많은 문장을 연습한다.

Old oily Ollie oils old oily autos.

Going to Cologne in a canoe
I met a curious kind of creature.
"Who are you? Some kind of Kangaroo?"
"Oh, no, no, no.
A monkey munching mangoes in a zoo
looks more like you."

Ah! A marvelous mosque with woven walls
in the land of Allah calls to all.

이 문장들은 울림이 적은 기식음(쇳소리)을 내는 사람에게 좋다. 가만히 있다가 따발총 쏘듯 한숨에 말을 뱉어 버리는 아이들에게는 다음 연습이 흐르듯 유연하게 말하는 데 도움을 준다.

Lovely lady leading.
Lipping light laughter.
Lumbering loiterer laggardly lurch.

희극 공연을 준비하고 있거나, 평소 심사숙고하듯 천천히 말하는 아이들의 말소리를 밝고 가볍게 만들어 주고 싶을 때는 다음과 같은 연습이 좋다.

It's a cinch

Which in me

Link-lock-who

Lock-lack-he

Flirting with

Wits here

Blabs

이 짧은 시는 아주 경쾌하게 낭송해야 한다. 못 위를 발끝으로 걷는다고 상상하며 가볍게 통통 튀듯 소리 낸다. 효과를 극대화하기 위해 무대에서 방백으로 낭송해 볼 수도 있다. 세 번째와 네 번째 줄 마지막의 'who'와 'he'는 적당한 떨림을 주면서 가성으로 노래하듯 미끄러지며 말한다.

게으르게 우물거리며 말하는 아이들(요즘 학생들 절대 다수가 여기에 포함된다)은 말소리에 활력을, 단어 속에 의지를 불어넣어야 한다. 자음이 두드러지는 여러 가지 혀 꼬임말이 웅얼거리는 말소리를 밝고 생기 있게 만드는데 효과적이다.

B

The big, gold-braided burglar grabbed a biodegradable dog.

A box of biscuits, box of mixed biscuits, and a biscuit mixer.

A big blue bucket of black and blue bruised blueberries.

Three blue beads in a blue bladder rattle.

F

Four fat friars frying flat fish.

Ted threw Fred three free throws.

A fat-thighed freak fries thick fish.

G

Eight gray geese grazing gaily in Greece.

Cows graze in groves on grass which grows in grooves in groves.

K, C

Coffee from a proper copper coffee pot.

Chickens clucking, crickets chirping.

Creeping Greek grapes keep Greeks great.

Camp Glenbrook's glad campers grab blenders.

M

Men munch much mush.

Women munch much mush.

Many men and women munch much mush.

Aluminum, linoleum.

Linoleum, aluminum.

N

Knit nine gnomes in nimbus mutely musing.

P

The peaceful pleading priest preaches peace.

A proper crop of poppies is a proper poppy crop.

Tom bought some fine prime pink popcorn.

At the fine prime pink popcorn shop.

Please, Paul, pause for applause.

Pause for applause, Paul.

R

The rat ran by the river with a lump of raw liver.

Really weird rear wheels whirl randomly round the long rough lake.

Wild Ruth's wine red and royal white wet roof.

S

Sheep shouldn't sleep in a shack;

Sheep should sleep in a shed.

She sews shirts seriously;

She says she shall sew a sheet soon.

Does this shop stock short socks with shocking spots for shortstops?

The seething sea ceaseth seething.

Shy Sarah saw six Swiss wristwatches and six ripped, preshrunk shirts.

Strange strategic statistics.

Soldiers' shoulders shudder when shrill shells shriek.

Slapped slimy slush shivers slightly.

The old school scold sold the school coal scuttle.

T

Tim, the thin twin tinsmith, twists with Tim's slim twin sister.

Two tiny painters pointed to a pint of ointment.

Tom threw Tim three thumbtacks.

Th

Thin sticks, silver thimbles, thick bricks.

Three sick thrushes sang thirty-six thrilling songs.

The sixth thick thistle Cecil saw was Cecil's sixth thick thistle.

I spied three shy thrushes; you spied three shy thrushes.

W

Which wristwatches are Swiss wristwatches?

Wind the red wire round the white reel.

처음에는 천천히, 정확하게 말하는 데 집중한다. 반복하면서 점점 속도를 높이면 난이도도 올라간다. 이 연습의 놀라운 점은 처음엔 잘 움직이지 않던 혀가 며칠 밤만 자고 나면 신기하리만치 능숙하게 움직인다는 것이다. 발음 연습용 문장 중 가장 짧고 가장 어려운 문장에 'Peggy Babcock'이 있다. (제일 어렵다는 말을 못 믿겠거든 다섯 번만 반복해 보라) 오늘은 이 문장을 진땀 흘리며 더듬거리는 학생이 3일 뒤 수업에서는 마법이라도 부린 것처럼 완벽하게 해낼 것이다.

처음에는 발음 연습으로만 의미가 있다고 생각하지만 매일 꾸준히 반복하다 보면 많은 학생이 그 이상의 효과가 있음을 깨닫는다. 말소리에 대한 감각이 깨어나면서 인물을 풍부하고 깊이 있게 표현하는 능력이 함께 자라기 때문이다. 『십이야』에서 말볼리오 역을 맡은 배우는 괴팍스러우리만큼 자음을 또렷하게 강조해서 발음하면, 자기 목소리에 도취된 어리석은 인물을 효과적으로 표현할 수 있음을 알게 된다. 손톤 와일더의 『결혼 중매인』에서 돌리 레비라는 만만치 않은 역할을 맡은 배우라면 'r'을 아주 약하게 발음하고 모음에 콧소리를 섞어 살짝 꺾고 비트는 브루클린 억양을 강조할 때 수다쟁이의 느낌을 실감나게 전달할 수 있다.

이 연습은 평소 말하기에도 명확하고 당당한, 동시에 생기 넘치는 색채를 더해 주는 효과가 있다. '말소리의 색채 목록'이 몰라보게 확장하면서 꽃 피기 시작하는 사고와 감정의 미묘한 결을 훨씬 잘 표현할 수 있게 된다. 의사소통 능력과 연극적 표현 능력의 비약적 성장과 더불어 생각지도 못한 또 다른 변형이 일어난다. 생후 1년 동안 충분히 기어 다닌 아이는 한 번도 기지 않은 아이보다 학교에 들어갔을 때 읽기를 훨씬 수월하게 배운다는 연구 결과가 있다. 영유아기의 특정한 신체 움직임이 수년 뒤 읽기 학습을 위한 토대가 된다니 정말 놀라운 일이 아닌가!

고대 그리스 사람들은 이처럼 겉보기로는 연결시키기 어려운 두 활동의 관계를 알고 있었다. 스포츠를 사랑하는 우리 현대인들은 고대 그리스 사람들이 올림픽과 운동선수를 얼마나 높이 평가했는지, 고대 올림픽 5종 경기가 현대 올림픽의 꽃이라 할 수 있는 10종 경기의 원형이라는 사실은 익히 들어 잘 안다. 하지만 그리스 사람들이 달리기, 높이뛰기, 레슬링, 원반던지기, 창던지기라는 5종 경기를 인지 능력과 연기 능력을 키우는 방법으로 이용했다는 사실을 아는 사람은 거의 없다. 플라톤이 젊었을 때 레슬링 챔피언이었다는 사실이 우연에 지나지 않을까? 레슬링을 배우며 익혔던 감각이 심오한 철학적 수수께끼를 붙들고 씨름할 수 있는 바탕이 된 것은 아닐까?

창던지기는 '소리 형성'에 효과적인 활동이다. 무슨 상관이 있나 싶겠지만 창던지기와 말하기 모두 '한 발 뒤로 물러서기'가 필요하다는 점을 생각해 보자. 말할 때는 입을 열기 전에 먼저 한 발 물러서서 생각을 가다듬어야 한다. 또, 말이나 창을 날려 보내기 전에 어디로 던질 것인지 명확히 정해야 한다. 목표물을 정확히 맞히기 위해서는 말하는 사람이나 창던지는 사람 모두 '헛나가지 않도록 잘 조준해서 똑바로 던져야' 한다. 이처럼 그리스 사람들은 신체 움직임에 단순히 체육 기량 향상을 훨씬 넘어서는 의미가 있다고 여겼다.

말하기 연습도 마찬가지로, 말로 설명하기 어렵지만 우리의 또 다른 부분, 즉 개인의 개별성을 건강하고 튼튼하게 만들어 주는 효과가 있다. 모든 목소리가 저마다 고유한 특성을 지닌다는 점을 생각해 보면 이해 못할 일도 아니다. 세상 사람들의 목소리가 단 한 명도 같지 않고 모두 자신만의 독특한 음색을 지닌다는 건 생각할수록 놀라운 일이 아닌가. 친구의 고유한 음조와 억양은 손가락 지문만큼이나 정확하게 그 사람임을 알려 주는 징표다. 이런 맥락에서 보면 말하기를 섬세하게 정련하려는 노력이 개별성의 근원을 강화하고, '나'라고 부르는 자아 감각을 촉진한다는 말이 그리 허무맹랑한 생각은 아닐 것이다. 교사의 과제는 학생들이 건강한 자아 감각을 가진 사람으로 자라도록 돕는 것이다. 학생들과 함께 꾸준히 말하기 연습을 하는 것은 그 목표를 향해 다가가는 방법 중 하나다. 이런 맥락에서 보면 혀 꼬임말을 포함해 우리가 학생들과 함께 하는 모든 말하기 연습은 먼 미래를 위해 자아의 힘을 차곡차곡 키워 주는 활동이라 할 수 있다.

여기서 루돌프 슈타이너가 말하기와 연극 활동에 이용했던 '6가지 원형적 몸짓'을 소개하고자 한다. 슈타이너는 사람들의 말하기와 그에 따른 몸짓에는 주변 세계와의 관계에 따라 6가지 기본 특성이 있다고 했다. 간단히 정리하면 다음과 같다.

1. 지시하는 몸짓

특성: 가리키는, 지시하는, 지적하는

몸짓: 지시하는 동작

목소리: 날카롭고 카랑카랑한 어조. "그것 좀 해."

'지시하는 몸짓'은 명령의 성격을 띨 수도 있지만, 외부에 존재하는 진실을 향해 눈을 돌리게 할 수도 있다. 크리스토퍼 프라이Christopher Fry의 희곡 『죄수들의 잠A Sleep of Prisoners』에 나오는 유명한 연설이 이 특성을 잘 보여 준다.

"인간의 마음은 신의 경지에까지 이를 수 있습니다.
우리에게 빛이 없고 추울지라도, 지금은
겨울이 아닙니다. 여러 세기 동안 꽁꽁 얼어붙은 비참함이
부서지고, 금이 가고, 움직이기 시작합니다.
천둥은 물 위를 떠다니는 유빙의 천둥입니다.
해빙, 홍수, 새로 시작되는 봄.
신께 감사드리니 우리 시대는 지금, 오류가
사방에서 우리와 대면하기 위해 떠오르는 때,
인간이 지금껏 내딛었던 영혼의 발걸음 중 가장 큰 걸음을

내딛을 때까지는 우리를 결코 떠나지 않을 것이니.
문제는 이제 영혼의 크기.
과업은
신을 탐구하는 것.
당신은 어디를 향해 나아가고 있습니까?
잠이 깨는데 수천 년의 세월이
걸립니다.
하지만 제발 부탁이니 깨어나 주시겠습니까?"

2. 심사숙고하는 몸짓

특성: 심사숙고하는, 사려 깊은, 골똘히 생각하는
몸짓: 신체 일부를 잡거나 짚는다.
목소리: 길고 늘어지는, 생각하며 말하는 어조

'심사숙고하는' 몸짓은 내면에서 숙고하는 활동이 벌어지고 있다는 인상을 준다. 관자놀이나 이마, 턱을 손가락으로 짚는 동작은 이 특성의 전형이다. 『햄릿』의 수많은 대사가 여기에 속하지만, 그중 압권은 단연 '죽느냐 사느냐'로 시작하는 독백이다.

… 죽는다. 잠든다.
잠든다. 어쩌면 꿈꾼다. 그래, 거기에 문제가 있다.
우리가 인생의 굴레를 훨훨 벗어던졌을 때
그 죽음이라는 잠 속에서 무슨 꿈을 꿀 것인가를 생각하면
주저하지 않을 수 없다. 그렇기 때문에
오랜 삶이라는 재앙이 생겨나는 거다.

그 누가 참고 견디겠는가? 시간의 채찍과 경멸을,
폭군의 횡포를, 오만한 자의 무례함을,
응답 없는 사랑의 고통을, 질질 끌기만 하는 법을,
관리의 오만불손한 태도를, 인내심 있는 유덕한 자가
보잘것없는 인간에게 당하는 수모를.
단검 한 자루면 삶을 깨끗이 청산해 버릴 수도 있는데 말이다.
누가 이 짐을 지려 하겠는가,
이 지루한 인생에서 신음하며 땀 흘려야만 하는 짐을.
죽음 이후 그 무엇에 대한 공포,
미지 세계의 경계로부터 돌아온 여행자 누구도 없으므로,
그 공포가 의지를 곤혹스럽게 만드는 거지.
그리고 알지도 못하는 저 세상으로 날아가 버리느니
차라리 이 고통을 참고 견디게 만들어 버리지.
그렇게 의식과 양심이 우리 모두를 겁쟁이로 만드는 거야.

『햄릿』 3막 1장

3. 질문하는 몸짓

특성: 질문하는, 긴가민가하며 탐색하는, "나 이거 해도 돼?"
몸짓: 더듬어 찾는 듯 앞으로 뻗은 손과 팔
목소리: 떨리는, 주춤거리는, 망설이는 어조

이때의 방향은 내면이 아닌 외부다. 하지만 만만치 않은 장애물 때문에 목적한 바를 달성할 수 있을지 불확실하다. 왕의 살해 계획에 동의한 뒤 멕베스는 양심의 가책에 괴로워하면서 이렇게 독백한다.

내 앞에 보이는 이것이 단검인가?
칼자루가 내 쪽을 향한 이것이?
이리 와, 너를 잡아 보리라!
안 잡히네. 하지만 여전히 눈에 보인다.
너, 치명적인 모습이여, 너는 왜 느껴지지 않느냐,
눈에는 보이는데.
아니면 너는 단지 마음속의 단검, 열뜬 머리가 낳은
망상의 산물일 뿐인가?

『맥베스』 2막 1장

4. 반감의 몸짓

특성: 반감. "난 바빠. 너 같은 건 중요하지 않아. 저리 꺼져!"
몸짓: 두 손 혹은 한 손을 이용해서 몸 바깥쪽으로 멀리 밀어낸다.
목소리: 딱딱하고 차가우며 자음이 강한 어조

이 몸짓은 오해의 여지없이 거부 의사를 날카롭고 분명하게 드러낸다. 몸짓과 목소리 모두 뾰족하게 날이 서 있다. 『죄수들의 잠』에 이 몸짓의 특성을 제대로 보여 주는 대사가 있다.

"어떤 지랄 같은 곳에서도 그는 자기 집인 것처럼 편하게 지내지.
세상이 난리가 나도, 피트는 그 곪아 가는 폭탄 굴 속에서
차를 만들고 있을 거야.
난 내가 아프기 전까지 줄곧 그 차를 마셨지."

5. 공감의 몸짓

특성: 공감. 긍정적인, 안심시키는

몸짓: 만지며 토닥이려는 듯 손을 뻗는 동작

목소리: 상냥하게 달래는 어조. "내가 여기 있어."

몸짓과 목소리 모두 따뜻함이 가득하다. 손바닥에서 나오는 온기로 상대를 쓰다듬으려는 듯 그를 향해 부드럽게 손을 움직인다. 에드몽 로스탕의 『시라노 드 베르주라크』의 유명한 발코니 장면은 이 분위기가 손에 잡힐 듯 선명하다.

"느낄 수 있소?
어둠 속의 내 영혼이 당신에게 입김을 불고 있는 것을.
– 아, 하지만 오늘 밤만은 내가 감히 이 말을 하겠소 –
내가… 당신에게… 그러니 들어 주시오!… 하고픈 말이 아주 많소!
정말 달콤하지만 터무니없는 꿈속에서조차
이런 순간을 꿈꿔 본 적이 없소. 날 살게 하는 그대여,
난 죽어도 좋소. 내 머리 위
푸른 어둠 그곳에서 당신을 떨리게 하는 것은
바로 나, 나의 목소리라오 – 나뭇잎 사이에 핀 꽃처럼
떨리는 당신, 당신이 그렇다 혹은 아니라고 할지라도,
이 재스민 나뭇가지 아래의 어느 곳에서든지,
나는 느낄 수 있소. 당신의 떨리는
열정을…"

6. 침잠하는 몸짓

특성: 자기 안으로 침잠하는, "혼자 있고 싶어."

몸짓: 손을 바깥쪽으로 힘껏 밀어낸다.

목소리: 짤막하고 퉁명스럽지만 적대감이 느껴지지는 않는 어조

제대로 이해하지 않으면 '반감'과 혼동하기 쉬운 특성이다. 이 몸짓의 의도는 중심을 단단히 잡고 자신의 경계를 지키는 것이다. 따라서 반감으로 날카롭고 매섭게 밀어내기보다 자신만의 공간을 만들려는 듯 손으로 느리지만 단호하게 밀어낸다. T. S. 엘리어트Eliot의 『성당 살인 사건Murder in the Cathedral』에 이 분위기가 잘 나타난 구절이 있다.

"그러시다면 당신 운명에 맡겨 두는 수밖에 없군요.
한층 고상한 악의 쾌락에 도취하시도록 내 상관 안 하리다.
그것이 한층 값진 대가로 보상되고야 말 것은 틀림없지요.
안녕히 계십시오, 영주님. 나는 이 판국에 참견하진 않겠습니다.
왔을 때처럼 모든 쓰라린 일을 잊고서,
다만 현재 장중하신 당신께서 나의 겸손한 경박함을
이해해 주시리라고 바라면서 떠나갑니다.
영주님, 만일 당신이 기도하실 때 나를 기억해 주신다면
나도 계단 아래에서 키스할 때, 당신을 생각하겠습니다."

지금까지 소개한 6가지 말하기 특성과 그에 따른 몸짓이 무대 위에서 벌어지는 모든 극적 표현을 다 포괄하는 것은 아니다. 하지만 이를 몸으로 체험하면서 연습하다 보면 배우의 말하기가 더 생기 있게 살아날 수 있다.

우리는 배우들이 극중 인물의 몸짓과 의도를 한층 깊이 이해할 수 있도록 종종 6가지 몸짓을 몸풀기 활동에 접목한다.

연극 제작이 궤도에 올랐는데 배우들의 발성이 너무 작고 힘이 없을 때 도움이 되는 두 가지 연습이 있다. 청소년 배우들이 가장 애를 먹는 문제가 무대 위에서 청중에게 잘 들리도록 크고 분명하게 말하는 것이다. 소심하고 수줍은 성격 때문일 수도, 자기 목소리가 작다는 걸 의식하지 못해서일 수도, 일종의 무기력함 때문일 수도 있다. 연출자가 아무리 독려하고 밀어붙여도 객석 뒤까지 소리를 보내야 한다는 말 자체를 이해하지 못하는 학생들도 있다.

{활동 15-1} 열까지 세기

젊은 배우들에게 발성의 중요성을 알려 주는 동시에 발성 기관을 훈련시키고자 할 때 쓸 수 있는 연습이다. 1부터 10까지의 숫자를 큰소리로 세는데, 숫자가 올라갈수록 소리가 한 단계씩 커져야 한다. 대부분 처음부터 너무 크게 시작한 탓에 5나 6쯤 오면 더 이상 소리를 키울 도리가 없어진다. 반면 마지막에 큰 소리 내야 할 것이 두려워 계속 개미소리를 내는 아이들도 있다. 하지만 몇 번 연습을 되풀이하다 보면 자유롭게 크기 조절하는 법을 터득하기 때문에 연습 중에 연출자가 "프래니, 여기선 3단계가 아니라 8단계 크기로 말해야 해."라고 주문할 수도 있게 된다.

{활동 15-2} 창던지기

이 활동은 진짜 경기용 창을 갖고 사람 없는 공터에서 직접 던져 보는 것이 가장 이상적이다. 하지만 모든 학교가 그런 장비와 공간을 갖출 만큼 여건이 좋은 것은 아니다. 그럴 때는 상상을 이용한 연습이 좋은 대안이다. 연습 장소인 강당이나 극장에서 서로 충분한 공간을 두고 객석을 향해 일렬로 선다. 상상으로 만든 창을 집어 들고서 최대한 뒤로 젖혔다가 객석 뒤쪽 벽을 향해 몸을 돌리고, 곧바로 무게 중심을 뒤쪽 발에서 앞쪽 발로 옮기면서 힘껏 던진다. 이때 창던지는 동작과 함께 자음이 강한 문장을 말한다. 우리는 "Dart may these boats, through darkening gloaming(이 보트를 어두워져 가는 황혼 속으로 돌진시켜라.)"를 사용했다. 'Dart'를 말하는 동시에 창을 던지고, 날아가는 모습을 보면서 나머지 문장을 말한다. 던지고 난 뒤 끝까지 지켜보는 것이 이 연습의 핵심이다. 청소년들이 말하는 것을 보면 단어가 탄산수 표면에서 톡톡 터지는 공기방울처럼 순식간에 흔적 없이 사라진다. 젊은 배우들은 자기 입에서 나간 단어가 객석 뒤쪽까지 날아가는 느낌을 잘 이해하지 못하는 경우가 많다.

최대한 뒤로 젖히는 동작(단어 이면에 숨은 사고를 찾는 행위와 유사하다)부터 창을 던지는 동작, 날아가 꽂히는 것을 지켜보는 마무리 동작까지 하나로 연결된 창던지기 연습은, 말이 실체를 가지고 끝까지 이어지는 것이 어떤 의미인지 몸으로 느끼게 해 준다. 날아가는 창이 만드는 곡선을 보면서 자기가 던진 말의 궤적과 효과까지 의식하게 된다. 진짜 창을 던지거나 상상으로 동작만 하거나 배우들이 말 속에 의도와 방향성을 담는 감각을 키우는 데 좋은 연습이다.

16. 실무 작업

완성된 차 한 대가 조립 라인 위로 굴러 나온다. 매끈한 겉모습을 보고 있노라면 여간한 상상력을 동원하지 않는 한 유리, 금속, 섬유, 고무 등 셀 수 없이 많은 재료와 부품을 끼워 맞추고 볼트로 조이고 용접하는 다양한 공정과 노력을 떠올리기 어렵다. 연극도 마찬가지다. 연극을 만들어 본 적 없는 관객들은 무대 위에서 펼쳐지는 공연을 보면서 의상과 무대, 조명 디자이너, 음악 연주자, 목공과 음향 기술자, 분장 전문가들의 노력을 하나로 모으는 데 얼마나 많은 노력과 정성이 들어가는지 짐작조차 하기 어렵다. 하지만 연극이 무사히 완성되려면 작품 선정 단계부터 수없이 많은 실무 작업을 다 계획 속에 짜 넣어야 한다. 연극 제작에서 가장 중요한 첫 단계는 전체 계획을 구체화하는 것이다. 가위, 망치, 페인트 붓을 손에 잡기 전에 연출자와 무대 감독은 참여하는 모든 이의 예술적 노력이 동일한 방향으로 흘러갈 수 있도록 연극의 중심 흐름을 잡아야 한다. 우리가 선택한 셰익스피어의 이 작품은 시대 배경을 언제로 설정하는 것이 좋을까? 나는 햄릿 아버지의 유령이 나치 군인 장화와 헬멧을 쓰고 등장하는 연극, 팔스타프와 아낙네들이 옛 서부시대 탄광촌을 배경으로 등장하는 연극, 한여름 밤의 꿈 속 여인들이 현대 의상을 입고 오베론의 카지노를 돌아다니는 연극도 본 적 있다. 모든 실험적 시도가 꼭 원작의 수준을 더 높였다고 말하기는 어렵지만 무대 안팎의 작업에 일정한 통일성을 부여한 것만큼은 분명했다.

전체 일정과 할 일을 표로 정리했으면 각 분야 전문가를 모을 차례다. 아마추어 극단에서는 대부분 연기를 담당하는 배우 집단과 실무를 담당하는 기술팀이 별개로 꾸려지고, 실무 작업을 맡은 이들은 보이지 않는 곳에서 사람들의 주목과 찬사를 한 몸에 받는 배우들을 보조하는데 그치는 경우가 많다. 하지만 우리는 오랜 기간을 거치면서 두 집단을 하나로 통합하는 운영 방식을 정착시켜 왔다. 우리가 만드는 연극에서는 배우가 실무를 하고, 모든 기술 담당자가 무대에 올라 연기를 한다. 최근에 올렸던 연극 『미술관 Museum』에서 주연을 맡은 배우는 며칠 동안 연습 시간 외에 따로 남아 철망과 스티로폼, 라텍스를 가지고 연극에 쓸 빨랫줄 뭉치를 만들었다. 그 옆에서 다른 배우들도 동물 뼈와 조개껍데기, 모피, 금속 조각을 이용해 직접 만든 기괴한 조각상의 받침대를 제작하고, 또 다른 배우들은 조명을 달고 무대 배경을 그리고, 경비원이 출 '보호의 춤'을 위한 음악을 작곡하고, 칙칙한 회색 재킷의 옷깃과 소매, 어깨에 금색 장식을 달아 경비원 제복으로 탈바꿈시키느라 분주했다. 공연 포스터를 디자인하고 그리는 것부터 연극이 끝난 뒤 무대를 해체하고 강당 청소하는 일까지 말 그대로 모든 실무 작업을 출연자들이 직접 해 냈다.

물론 연극의 모든 기술 작업을 오롯이 학생들 힘만으로 해결할 수는 없다. 수공예, 목공예, 음악, 오이리트미* 교사는 물론, 무엇이든 뚝딱 만들어 내는 손재주 좋은 학교 관리인까지 무대 뒤에서 학생 기술자들에게 조언하고 이끌어 주어야 한다. 연극이나 해당 분야에 경험 있는 부모도 귀한 인력이다. 많은 부모가 기꺼이 시간을 내어 연극 제작에 도움의 손길을 보탠다. 얼마 전 공연에서는 전문 스턴트맨인 학부모가 『분노의 포도』 중 싸움 장면을 지도해 주기도 했다. 『결혼 중매인』에 필요한 화려한 의상을 책임지고 맡아 준 분도 있었다. 하지만 여기서 결코 소홀히 넘어가서는 안 되는 문제가 있다. 연극에 참여하는 모든 자원봉사자 역시 연극의 전체 방향을 이해하고 있어야 하며, 어린 배우들이 할 일을 대신 해 주는 것이 아니라 그들과 '함께' 일한다는 생각으로 임해야 한다는 것이다.

배우가 연극의 실무를 함께 책임지는 형태는 장점이 단점을 충분히 덮고도 남는다. 물론 배우 입장에서는 자기 역할에만 집중하는 것보다 훨씬 많은 시간을 할애해야 한다. 전문가만큼 훌륭하게 무대 배경을 그리고, 조명 계획을 짜고, 첼로 연주를 하기는 어렵다. 하지만 연극 제작의 전 과정에 깊이 참여하는 한편, 무대 밖에서 들이는 노력이 공연에 어떤 의미가 있는지를 온전히 이해할 수 있다. 덧붙여 한편의 마법 같은 순간을 창조하는 데 자신이 생각과 마음, 목소리뿐 아니라 손과 발로도 참여했다는 깊은 만족감도 얻을 수 있다.

앞에서 연극에는 인간의 열망이 닿을 수 있는 가장 높은 지점과 가장 낮은 지점이 모두 담길 수 있다는 말을 했다. 뼛속까지 얼어붙은 나그네를 포근하게 녹여 줄 모닥불이 될 수도 있지만 제대로 다루지 못하면 숲을 홀

* 오이리트미Eurythmie_ '아름다운 동작', '아름다운 리듬'을 뜻하는 그리스어. 루돌프 슈타이너가 창안한 언어와 음악을 움직임으로 시각화한 동작 예술'이다. _ 편집자

랑 태워 버릴 위험도 존재하는 것이다. 연극 작업에서 나타날 수 있는 최악의 문제는 배우들이 자기도취에 빠져 거들먹거리며 무대 위를 돌아다니는 것이다. 그런 마음가짐일 때는 손가락 하나 움직이는 동작에서도 '나의 빛나는 재능에 찬사를 보내라'고 떠드는 나팔 소리가 들리는 듯하다. 연극 제작을 위해 못 한 번 박아 보지 않은 배우는 그런 허드렛일을 귀하게 여기고 그 가치를 제대로 평가할 줄 아는 배우보다 자기 과시의 유혹에 빠질 위험이 훨씬 크다. 하지만 전체를 위해 헌신하는 태도로 임하는 학생들에게서 연극은 최상의 열매를 맺는다. 이들은 무대 안팎에서 땀을 흘리며 겉으로 보이는 공연을 넘어, 더 큰 의미의 연극을 위해 일한다. 모두가 합심해서 서로에게 봉사하는 과정이 예술의 경지로 고양되면, 배우와 관객이 하나의 영감으로 연결되는 드물고도 값진 감동의 순간이 펼쳐지기도 한다.

이렇듯 밀도 높은 활동에 참여해 본 사람은 그 '절정'의 감동을 쉽게 잊지 못한다. 이들은 그 경험에서 맛본 승리감과 통찰력이 일상생활로도 이어지기를 소망한다. 연극이 줄 수 있는 가르침을 내면화한 청소년들은 그 경험의 정수를 그대로 간직한 채, 몰라보게 성장한 안목과 새로운 활력으로 미래를 향해 전진할 것이다. 반면 사람들의 박수갈채만을 기억하는 경우에는 문제가 생길 수 있다. 그럴 땐 찬사가 따르지 않는 수업이나 숙제, 방과 후 아르바이트 같은 일상으로 쉽게 복귀하지 못한다. 우리가 마지막 공연을 끝낸 뒤 곧바로 무대를 해체하는 것도 현실로 돌아오는 과정을 원활히 하기 위해서다. 한 달 이상 정성을 들이고 마음을 쏟았던 모든 노력이 한 시간이면 무로 돌아간다. 배우들은 높이 쌓았던 단과 무대 장치를 분해하고, 재사용할 수 없는 소품은 부수어 쓰레기통에 넣고, 쓸 수 있는 것은 창고에 정리한다. 의상을 옷걸이에 걸고 의자를 제자리에 쌓고 바닥을 청소한다. 해체 작업은 막이 내렸을 때의 들뜬 마음에 찬물을 끼얹기도 하지만, 동시에 놀랄 만큼 빨리 일상으로 돌아오게 해 준다. 텅 빈 무대에 앉아 그들은 몇 주 동안 몰두하며 창조해 온 모든 것이 물리적 공간 속에 더 이상 존재하지 않음을 실감한다. 하지만 그 경험은 배우와 관객의 기억 속에 영원히 살아 숨 쉴 것이다.

항목별 고려 사항

의상 상급 과정에서 바구니 짜기와 제본 수업을 하는 솜씨 좋은 동료 교사가 의상 제작에 도움을 줄 때가 있다. 그 교사의 작업 방식을 보면 항상 학생들과 함께 연극의 기본 주제를 놀랍도록 선명하게 시각화하는 것부터 시작한다. 시실리의 에트나 산자락을 배경으로 펼쳐지는 『겨울 이야기』에서는 화산의 움직임과 색채를 이용해서 인물들의 뜨거운 열정을 표현했다. 그런 다음 주요 등장인물간의 관계를 그림으로 그리고, 각각에 어울리는 색깔로 연결했다. 색채가 영혼의 언어일 뿐 아니라 인물 내면 풍경의 연장이라는 생각이 바탕에 깔린 작업이었다. 그는 등장인물들을 서로 연결시키는 한편, 본질적인 내면 특성을 드러내 주는 색채 조합을 찾으려 했다. 예를 들어 『겨울 이야기』를 위해 그린 화산 그림에서는 레온테스의 음울한 분위기를 검정으로, 아내를 향해 쏟아 내는 분노는 강렬한 빨강으로 표현한 반면, 아내인 허마이오니는 훨씬 차분하고 고상한 자주색을 중심으로 가장자리에 금색을 칠해 그녀의 순수한 본성과 고귀함을 표현했다. 인물의 기본 색조를 정하면 의상 작업의 방향 또한 선명해진다. 스타일이나 세부 장식은 제작 과정에서 달라질 수 있지만, 등장인물의 관계를 예술적으로 해석해 색으로 연결하는 과정을 거쳐 탄생한 의상은 연극의 큰 흐름을 탄탄하게 잡아 주는 역할을 한다.

의상을 제대로 갖춰 입고 연습하는 드레스 리허설은 빠를수록 좋다. 『한여름 밤의 꿈』 속 요정에게 묵직한 나막신이나 등산화를 신겨 놓으면 요정에게 어울리는 공기처럼 가벼운 움직임을 경험할 수도, 전달할 수도 없다. 복장이 의식에 영향을 미친다는 것이 우리 학교 교육 원칙 중 하나다. 하지만 청소년들은 복장 상태와 수업 시간에 보이는 집중도는 완전히 무관하다고 믿기 때문에 까칠한 반응을 보이기 일쑤다. 이 문제로 논쟁이 벌어질 때마다 나는 할로윈 데이가 평일이라 많은 아이가 특별한 의상과 분장을 하고 등교했을 때 학교가 얼마나 시끌벅적하고 수업 시간이 얼마나 산만했는지를 떠올려 보라고 한다. 아이들은 그날 휘트먼과 디킨슨Emily Dickinson의 문체를 비교하던 수업 내용은 가물가물하지만 누가 드라큘라 복장에 피가 뚝뚝 떨어지는 송곳니까지 갖추고 왔는지, 누가 무슨 색깔의 벨리 댄서 옷을 입고 왔는지는 똑똑히 기억했다.

배우들이 처음 의상을 갖춰 입고 무대에 서는 날이면 복장이 의식에 영향을 미친다는 말에 절로 고개를 끄덕이게 된다. 판사의 법복을 걸치는 순간 말투가 진중해지고 눈빛, 손짓에 법관다운 무게감과 판단력이 깃든다. 칼과 가슴 보호대, 투구 일습을 갖춰 입은 아이는 전과 비교할 수 없을 정도로 반듯하게 몸을 세우고 전사처럼 성큼성큼 걸음을 내딛으며 단호한 목소리로 말한다. 연극 제작 중반이 넘어가면 아직 모자나 숄, 조끼, 앞치마 같은 소품밖에 없더라도 입고 연습하는 것이 좋다. 인물에 어울리는 옷을 입으면 일상적인 자아에서 맡은 배역으로 훨씬 빠르고 설득력 있게 변신할 수 있기 때문이다.

한 가지 더! 영국의 새들러 웰스 극장에서 일했던 실력 좋은 재단사에게서 들은 귀한 조언이다. 그는 '연극에서 가장 훌륭한 의상은 관객의 주의를 가장 덜 끄는 것'이라고 했다. 너무 튀거나 과도하게 사람들의 이목을 끄는 의상, 배우를 압도하는 의상, 관객을 불편하게 만드는 의상은 연극에 방해가 된다.

조명 연극에서 조명은 장면을 어둡거나 밝게 만드는 단순한 역할로 끝나지 않는다. 여기서도 색채 조합의 효과를 얼마나 이해하고 있는지가 중요하다. 조명 디자이너는 초록이 두드러지면 무대 위에서 벌어지는 모든 행위가 으스스한 인상을 주고, 파랑은 분위기를 차갑게, 빨강과 노랑은 따뜻하게 만든다는 사실을 잘 알고 있어야 한다. 무대 위 그림자는 아주 극적인 효과를 내지만, 의도치 않은 그림자는 관객의 집중을 방해한다. 구체적인 조명 계획은 블로킹이 어느 정도 완성된 뒤에나 나올 수 있다. 무대 공간을 어떻게 분할하고, 조명을 어느 쪽으로 쏘고, 어떤 색의 필터를 사용할지 결정할 수 있기 때문이다. 드레스 리허설이 빠를수록 좋은 또 다른 이유는 의상의 색이 조명과 만났을 때 어떤 분위기를 자아내는지 확인하기 위해서다. 빨간 조명 아래서 초록색 드레스는 거무스름하게 보이는 반면, 빨간 블라우스는 더 새빨갛게 보인다. 충분한 시간을 두고 조명 효과를 이리저리 실험해 봐야 나중에 불필요한 스트레스나 원치 않는 효과를 방지할 수 있다.

무대 장치 무대 장치에 대한 구체적인 조언은 사실 큰 의미가 없다. 손톤 와일더가 『우리 읍내』에서 제안한 것처럼 의자 두어 개와 사다리 하나 정도로 소박한 수준부터 로스탕의 『시라노 드 베르주라크』 속 17세기 프랑스 오페라 하우스 장면처럼 상당한 공을 들여야 하는 수준까지 작품마다 천차만별이기 때문이다. 그래도 많은 경우에 고려해 볼 만한 일반적 사항을 정리해 보았다.

1) 단이나 왕의 옥좌, 해적선 등 어떤 배경을 제작하든 명심해야 할 점이 있다. '무엇이든 적을수록 좋다!' 셰익스피어도 배경이나 무대 장치에 관해 아주 기본적인 방향만 제안했던 것을 보면 이 문제에 비슷한 견해를 가졌던 것 같다. 『윈저의 유쾌한 아낙네들』의 술집 내부를 위해 무거운 판자로 복잡한 세트를 제작하는 대신 나무 술통 두어 개로 의자를, 널빤지 몇 장으로 술집 카운터를 만드는 건 어떨까?

2) 연극 수업을 거듭하면서 우리는 평면에 그림을 그리거나 오려 붙이는 식의 2차원적 배경을 탈피해 천을 이용한 새로운 가능성을 꾸준히 탐색했다. 『겨울 이야기』 공연에서는 모슬린을 화산 느낌의 갈색과 빨강으로 염색해서 얼룩무늬를 만든 다음, 천장부터 벽을 따라 여러 겹으로 늘어뜨려 각진 능선을 표현했다. 그 결과 아무리 잘 그린 배경으로도 구현하기 어려웠던 풍부한 질감과 3차원 입체감이 확실히 살아났다. 얼룩덜룩한 무늬에 조명을 비추자 왕좌가 있는 레온테스 방이 사실적이고 생동감 없는 풍경에서 시각적으로 눈길을 사로잡는 역동적 분위기로 변했다. 게다가 이런 원형적인 무대 장치는 특정한 시공간에 구속되지 않기 때문에 다양한 장면에 두루 쓰일 수 있다. 어떤 장면에도 무난하게 어울리기 때문에 아마추어 연극의 가장 큰 난관 중 하나인 장면 전환 문제도 손쉽게 해결된다. 보통은 무대 장치를 끌어내고 새 배경을 설치하기 위해 여러 번 암전을 해야 하는데 그럴 필요가 없어지기 때문이다.

최근 공연했던 『좋을 대로 하시든지』에서도 천을 잘 활용해 큰 골칫거리를 해결했다. 여러 해 동안 우리는 널빤지 위에 나무로 구조물을 만들었다. 나무 둥치와 가지 모양으로 철망을 얼기설기 엮은 다음, 얇게 찢은 긴 모슬린 조각을 산더미처럼 만들어 접착제 용액에 담갔다가 나무 위에 늘어뜨리는 고된 과정을 거쳐 나무를 만들어왔다. 이렇게 제작한 나무는 널빤지를 톱으로 잘라 만든 2차원적 나무보다는 훌륭했지만, 제작 과정과 기간이 만만치 않게 소요되는 것은 물론, 너무 무거운 탓에 무대 위로 올렸다 내리기가 여간 번거롭지 않았다. 연극이 끝난 뒤에 보관하는 것도 큰 문제였다. 이번 공연에서는 모슬린을 원통 모양으로 길게 박음질하는 새로운 시도를 해 보았다. 나무껍질 색깔로 염색하고 무늬를 낸 다음, 형태가 유지되도록 합판으로 만든 둥근 원판을 6~9㎝ 간격으로 끼워 넣은 뒤 천에다 단단하게 고정했다. 그리고 원판 중앙에 드릴로 구멍을 뚫고, 중간에 매듭을 지으면서 나일론 줄로 나무 몸통 전체를 하나로 연결했다. 마지막으로 다른 색으로 염색한 모슬린 띠 몇 가닥을 나뭇가지처럼 여러 각도의 사선으로 나무 둥치 위쪽에서 천장으로 연결한 다음, 그 위에 거즈처럼 얇은 초록색 비단을 덮었다. 이렇게 완성한 나무를 천장에 설치된 도르래 장치를 이용해서 바짝 끌어올리면 접이식 등갓처럼 납작해졌다. 이제 아덴 숲이 필요한 장면이 나오면 도르래만 내리면 된다. 모슬린 나무가 무대 위로 내려오는 데는 몇 초밖에 걸리지 않았다. 복잡한 장치도, 기술이나 예산도 없는 아마추어 연극이 낳은 작은 승전보가 아닌가.

3) 무대 장치는 대부분 수시로 옮겨야 하기 때문에 우리는 최대한 가볍게 만들고자 애썼다. 무대 단의 지지대는 2×4 대신 2×3이나 1×3으로 제작했다. 그래도 무대나 계단의 안정성이 심각하게 훼손되지는 않았다. 망치와 못 대신 나사못을 이용하면 무대를 빠르고 쉽게 해체할 수 있을 뿐 아니라 자재 재활용도 용이하다. 하지만 튼튼하고 견고하게 만드는 것도 잊어

서는 안 된다. 몇 년 전 8학년 연극에서 아주 씩씩한 학생이 시라노 역을 맡은 적이 있었다. 라그노의 빵집으로 들어가는 장면에서 힘찬 걸음으로 문을 지나가는데 문이 등 뒤에서 쾅 닫히면서 천장에서 늘어뜨린 철사로 아슬아슬하게 고정해 둔 배경의 균형이 틀어져 버렸다. 그 이후 벌어진 일은 기차가 탈선하는 과정을 느린 화면으로 지켜보는 것과 비슷했다. 배경은 갑자기 찾아온 해방감을 음미하는 듯 한동안 그대로 매달려 있다가 아주 천천히, 아무 것도 모르는 시라노의 머리 쪽으로 기울어졌다. 기특하게도 시라노는 기절할 듯 놀란 탓에 무릎이 살짝 꺾이기는 했지만 넘어지지는 않았다. 가벼운 모슬린 천으로 만든 배경이었기 때문에 잠시 동안 머리를 괴상한 각도로 기울인 채 받치고 있던 그는 이대로 계속 대사를 할까 잠시 고민하는 듯 했지만, 곧 마음을 고쳐먹고 배경을 바닥에 떨어뜨린 다음 장면을 이어 나갔다. 하지만 무언가가 또 불시에 공격해 올까봐 장면이 끝날 때까지 저도 모르게 자꾸 뒤를 흘끔거리곤 했다.

소품 건망증이 심한 배우들에게 소품은 고통의 원천이지만, 배역 속으로 몰입하는 것을 도와주는 구체적 영감의 원천이기도 하다. 그동안 연극을 관람하면서 많은 이가 한번쯤은 심부름꾼이 중요한 편지를 전달하려고 호기롭게 주머니에 손을 넣었는데 잡히는 건 먼지밖에 없어 진땀 빼는 순간을 목격하지 않았을까? 한번은 우리 연극에서 한 학생이 소품을 깜빡하는 바람에 칼 든 상대와 맨손으로 맞서 싸우는, 끔찍하리만큼 불리한 결투 장면을 (도저히 눈 뜨고 볼 수가 없어 떨리는 손가락 사이로) 지켜본 적도 있다. 설상가상으로 (관객의 유머 감각에 따라서는 금상첨화로) 그 초현실적인 결투가 상당 시간 진행된 이후에, 그러니까 번쩍이는 칼을 위협적으로 휘두르는 상대 앞에서 가냘픈 집게손가락을 애처롭게 휘두르며 맞서 싸운 지 20초가량 지난 뒤에, 비로소 사태를 파악한 무대 뒤 다른 배우들 중 비교적 생각이 빠른 한 명이 문제의 칼을 집어 커튼 너머로 던져 준 것이다. 요란한 소리를 내며 무대 위로 떨어진 칼은 '데우스 엑스 마키나'*의 완벽한 표본이었다. 반대로 『밀크 우드 아래서』 공연 때는 평범한 담배 파이프 하나로 고통스러울 정도로 자의식 강한 집시 여인이 둘째가라면 서러울 유혹적이고 농염한 밤의 여인으로 변하는 광경을 목격했다.

물론 소품을 다 없애서 기억하고 챙기는 수고를 근본적으로 덜어 주는 방법도 있다. 상상력이야말로 배우들의 가장 든든한 아군이 아닌가. 뛰어난 배우가 연기하는 눈에 보이지 않는 소품은 진짜보다 더 진짜 같아서 관객들의 눈과 귀를 강렬하게 사로잡는다. 하지만 젊은 배우들 대부분은 보이지 않는 것을 보이게 만들 정도로 연기가 뛰어나지 않다. 게다가 앞서 설명한 것처럼 소품은 경험이 부족한 연기자들이 인물을 풍부하게 표현하는 데 큰 힘을 준다. 소품을 사용하기로 결정했으면 필요한 순간에 틀림없이 그 물건이 무대에 올라가 있도록 체계를 만들어야 한다. 바로 이때가 무대 감독이 필요한 순간이다.

무대 감독 '신은 모든 곳에 있을 수 없기에 어머니를 만들었다'는 말이 있다. 이는 연극 무대에도 해당한다. 신도 아닌 연출자 혼자서 모든 일을 돌볼 수는 없기 때문이다. 이럴 때 빠릿빠릿한 무대 감독은 무대 뒤에서 연출자의 손이 미치지 못하는 부분을 채워 주는 중요한 존재다. 우리 같은 아마추어 연극에서는 무대 위보다 배우들이 등퇴장하는 무대 뒤 대기실에서 더 극적이고 박진감 넘치는 사건들이 자주 벌어진다. 금방 여기 있던 소

* deus ex mashina 고대 그리스 연극에서 '신의 하강' 장면을 위해 사용하던 기계 장치. 결말 부분에 신이 갑작스럽게 등장하면서 모든 사건을 해결하는 것으로 뜻이 확대되었다._ 옮긴이

품이 땅속으로 꺼졌는지 아무리 찾아도 보이지 않고, 생각 없이 돌아다니던 배우가 하필이면 종이로 만든 여왕의 왕관 위에 털썩 주저앉는다. 화가 난 여왕과 왕관을 망가뜨린 배우가 서로의 잘잘못을 따지다가 급기야 무대 위 말소리를 압도할 기세로 언성을 높인다. 30초 후면 악당과 결투를 벌여야 하는 주연 배우가 건물 밖에서 친구와 수다삼매경에 빠져 시간 가는 줄 모르고, 음향 효과용 테이프가 잘못 들어가는 바람에 긴박한 급브레이크와 두 자동차가 정면 충돌하는 소리 대신 바흐의 '오르간을 위한 토카타와 푸가 D단조'가 웅장하게 울려 퍼진다.

연출자가 아직 서툰 조명 담당자를 도와주러 상황실에 가고 없다면 무대 감독이 나서서 이 난장판을 수습해야 할 때도 있다. 이 역할은 정리정돈 잘하고 일처리가 계획적이며, 강압적이지 않으면서 핵심을 분명하게 말할 수 있는 사람, 무엇보다 어떤 일이 생겨도 침착함을 유지할 수 있는 사람이 맡아야 한다. 보통 출연진 중에 그런 학생이 한두 명쯤은 있지만, 개인적으로 연기 분량이 심각하게 줄어드는 것을 감수할 수 있어야 한다.

미리 꼼꼼하게 계획을 세우고 준비해 두면 사고는 대부분 미연에 방지할 수 있다. 필요한 소품을 순서대로 잘 정리해 둔 상자를 무대 근처에 놓아두고 등퇴장 순서, 그때마다 챙겨야할 소품 목록을 같은 장소에 잘 보이게 붙여 놓는다. 무대 감독은 드나드는 배우들의 의상을 보며 실밥이 늘어지거나 지퍼가 열린 부분을 살핀다. 무대 공포증으로 과호흡 상태에 빠져 첫 번째 등장할 타이밍을 놓치게 생긴 친구를 다독이고 적절한 순간에 장면 속으로 밀어 준다. 유능한 무대 감독이라면 크고 작은 사건으로 파김치가 된 연출자의 수명을 몇 년은 늘려 줄 수 있다.

인물관계도

초정리 편지

2013. 11. 23
4시 (A팀), 7시 (B팀)
24.
4시 (A팀), 7시 (B팀)

줄거리

조선 4대 임금 세종이 나랏일에 지쳐 백성을 돌보러 충청도 초정리라는 마을에 쉬러온다
초정리에는 일찍이 어머니를 여의고 씩씩하게 아버지와 누이와 함께 살아가고 있는 한 소년이 있었다. 어느 날 산속에서 토끼를 따라오다 소년은 세종을 만나게 되는데…

인물 소개

장운 (재환·우수): 어머니를 일찍이 잃고 누이와 함께 아버지를 모시고 살지만 항상 활기차고 밝다.

덕이 (하은·민영): 장운의 누나. 힘든 상황에서도 희망을 놓지 않는다.

아버지 (건우·종혁): 몸은 허약하지만 자식들을 사랑하는 마음은 누구보다 크다.

난이 (혜정·누림): 장운의 친구이자 약재할아버지의 손녀딸로 쾌활한 아이다.

오복 (지우·의홍): 덕이의 남자친구. 털털하고 장운을 친동생처럼 아껴준다.

세종 (다영·열효): 조선 4대왕. 인자하고 한글의 창조자이자, 또한 근심이 많다.

약재영감 (민탁·재범): 마음착한 덕이의 할아버지이다

윤초시 (하준·태홍): 따뜻한 마음을 지닌 양반. 장운에게 석수장이의 길로 인도해준다

마님 (민천·동민): 윤초시의 부인. 과거에 장운이 만한 아이를 잃었다. 인자하고 자상하다.

봉구아저씨 (태홍·하준): 동네 아저씨. 덕이와 장운이 편지를 주고받도록 우체부 역할을 해준다.

봉구댁 (동민·민천): 수다쟁이 아줌마. 참견쟁이다

점발 (수지·다만): 관아에서 비석을 다듬는 석수장이. 겉에서 보기엔 냉정하지만 마음만은 따뜻하다.

갑솔 (가람·규리): 석수 일터에서 만난 장운의 제일 친한 형

상수 (윤귀·수민): 석수장이 일터의 일꾼. 처음은 장운을 시기한다.

판돌 (은·세황): 석수장이 일터의 어른. 지적이면 엄하고 한다.

사내 (재범·민탁)
장정 (은·세황)
선비 (정수·의홍)
토끼 (대관)

작가: 배유안
각색·연출: 이은서

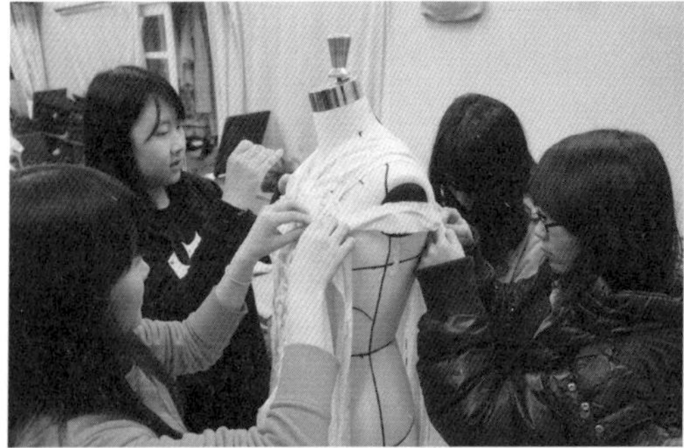

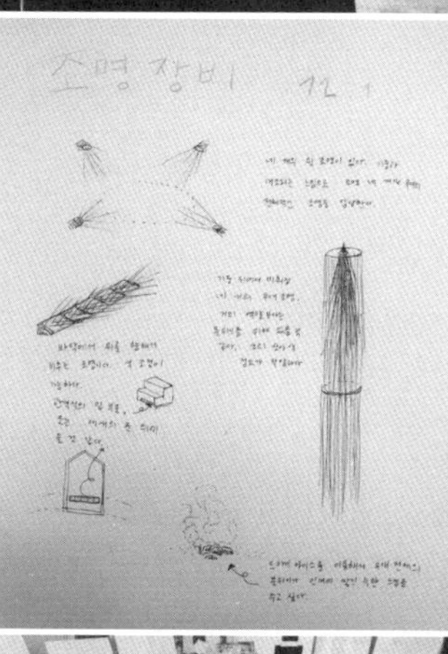
조명 장비

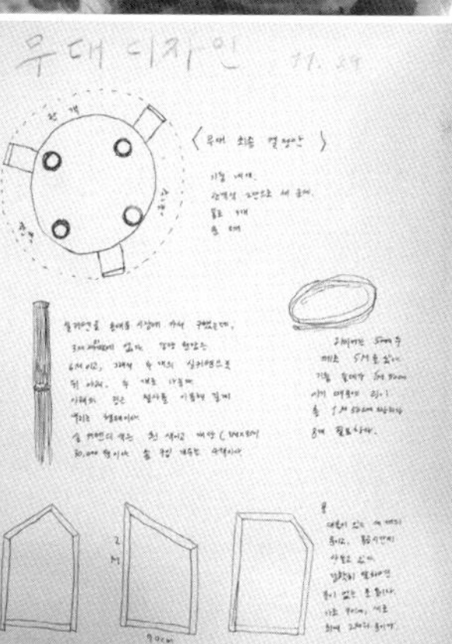
무대 디자인

17. 본격적인 연극 연습

"시간은 거의 되었다."

『햄릿』 1막 5장

지금부터 3, 4주 동안 본격적인 연극 연습을 거쳐 『좋을 대로 하시든지』 공연을 무대에 올리는 무시무시한 과제가 눈앞에 있다고 가정해 보자. 물론 앞에서 설명한 과정을 이미 착실히 밟아 왔을 때만, 즉 대본 편집 작업이 이미 끝났고, 배우들도 몇 주 전부터 작품을 여러 차례 정독해 전체 흐름을 완전히 파악했으며, 배역도 정했고, 연습 일정을 확정해 공지하고, 최대한 상상력이 살아 있도록 대사 외우는 단계로 넘어간 상태여야 가능한 일이다.

배우들은 대본 읽기 단계를 거치면서 이 작품이, 왕실에 가득한 배신과 분열 그리고 아덴 숲에 넘쳐흐르는 소박한 선의와 사랑에 깃든 회복의 힘이라는 원형적 양극성에 관한 이야기임을 알아볼 수 있어야 한다. 프레데릭 공작은 권력을 위해 수단과 방법을 가리지 않는 인물이다. 형을 왕위에서 끌어내리고 추방시킨 프레데릭 공작은 이제 형의 딸 로잘린드마저 국외로 추방시키려 한다. 로잘린드는 프레데릭 공작의 딸이자 둘도 없는 친구인 셀리아와 광대인 터치스톤과 함께 아버지를 만나러 숲으로 간다. 고귀한 성품의 올란도 역시 시기심 많은 형 올리버가 목숨을 위협해 피신해야하는 상황이다. 속고 속이는 계략이 안개처럼 퍼져 가고, 안전한 사람은 아무도 없다.

반면 쫓겨난 선임 공작은 자연이 선사하는 풍요로움 속에서 평화롭게 살아간다. 그는 아래와 같은 깨달음에 이른다.

> 역경의 혜택은 달콤하오,
> 역경은, 두꺼비처럼 추하고 독을 품었지만,
> 이마에 소중한 보석이 달렸어.
> 그리고 지금 우리들의 삶은, 속세로부터 멀리 있으니
> 듣고 있소, 나무들의 혀를, 읽고 있소, 흐르는 여울의 책을,
> 돌들의 설교를, 그리고 삼라만상의 훌륭함을.
>
> 『좋을 대로 하시든지』 2막 1장

궁정을 나와 숲으로 간 인물들은 또 다른 깨달음을 얻는다. 극이 진행되면서 로잘린드, 올란도, 셀리아는 물론 광대 터치스톤까지 영혼의 동반자를 찾고 영원히 변치 않을 신의를 맹세한다. 아덴 숲은 선하고 의로운 자들에게 합당한 복을 내릴 뿐 아니라 잘못된 길에 발을 들여놓은 악한 사람들까지 변화시킨다. 결말 부분에서 프레데릭 공작과 올리버는 '뱀 허물'을 벗는다. 올리버는 죽을 위기에서 올란도 덕분에 목숨을 건지고, 이후 셀리아

와 사랑에 빠지면서 그간의 악행을 뉘우친다. 프레데릭은 숲에서 성자를 만나 깨달음을 얻고 즉시 형에게 찬탈한 왕위와 정당한 권리를 되돌려 준다.

셰익스피어의 의도는 분명 치유의 숲과 타락한 왕궁의 차이를 선명하게 부각시키는 것이다. 그런 양극성과 함께 우리는 낮은 자아의 속된 충동에서 기인한 행동이 고차 자아의 인도를 받는 기품 있고 조화로운 삶으로 성장하는 과정을 본다. 작가가 전하려는 바를 분명히 이해했다면 이제 의상, 배경, 분위기, 인물들의 상호 작용 등 연극의 모든 요소 역시 타락에서 구원으로, 분열에서 화해로 진화하는 움직임을 분명히 보여 주는 데 초점을 맞춰야 한다.

1주 물리적 요소 탐색기

"어디에 어떻게 서서 움직일 것인가, 어떤 인물인가"

매일 하는 연습은 다음 세 부분으로 구성된다.

1) 몸풀기 활동과 기본 연기 연습
2) 끝내야 하는 과제 혹은 결정이 필요한 문제를 놓고 전체가 대화하는 시간
3) 몇몇 장면 혹은 장이나 막 단위로 나누어 실전 연기

지난 20년 동안 사용해 온 연극 연습의 유기적 구성을 보면, 연습 첫 주에는 주로 배우들이 등장과 퇴장 동선, 소품 위치, 인물 간 상호 작용에 따른 공간 배치 등 연극의 물리적 공간에 익숙해지는데 집중한다. 다시 말해, 1주차 연습의 주된 내용은 블로킹 초안에 따라 1막부터 끝까지 쭉 움직

여 보는 것이다. 하루에 한 막씩 끝내는 것이 이상적이다. 하지만 이 과정에 돌입하기 전에 모든 배우의 목소리와 몸이 풀려 있어야 하며, 인물 분석과 구축을 시작했어야 한다. 1주차에 할 수 있는 연습과 중요한 블로킹 문제는 다음과 같은 것들이 있다.

1일차 연습 강한 자음이 많은 혀 꼬임말 연습. 이를테면 'Two tiny painters pointed to a pint of ointment.', 'Creeping Greek grapes keep Greeks great.' 이런 문장을 연습하다 보면 시작 단계부터 배우들은 주의력이 선명해지고 발음이 또렷해진다. 그런 다음 〈활동 4-6 소리 전달하기〉나 〈활동 4-7 박수 전달하기〉, 〈활동 4-16 원 안의 거울〉을 한다.

이제 원에서 벗어나 교실 여기저기를 돌아다니는 활동으로 넘어간다. 처음에는 〈활동 6-4 여러 가지 걸음걸이〉나 〈활동 6-3 자연의 4요소 표현하기〉로 여러 가지 지형을, 다음에는 인물의 여러 측면을 탐색한다. 맡은 인물이 되어 걸어 보는 활동을 처음 시도한 날은 이상하리만치, 아니 어쩌면 당연하게도 엉망진창이다. 인물의 특성을 우스꽝스러울 정도로 과장하거나 아니면 평소 자기 모습 그대로 걷기 때문이다. 이럴 때 큰 도움이 되는 두 가지 연습이 있는데, 둘을 함께 묶어서 연습하면 효과가 배가된다. 첫 번째 활동은 〈활동 6-7 눈 감고 상상하기〉이다. 학생들은 먼저 자기가 맡은 인물을 구체적인 존재로 떠올리면서, 그렇게 떠올린 상을 몸짓과 목소리로 구현한다. 두 번째는 〈활동 6-10 배역을 입었다 벗었다〉이다. 학생들이 평소 걸음걸이와 맡은 인물의 걸음걸이가 어떻게 다른지를 느낄 수 있도록 도와주는 활동이다. 평소 걸음걸이에서 인물의 걸음걸이로 순식간에 바꾸는 연습을 자주 반복하다 보면 조금씩 둘의 차이가 선명해진다.

몸풀기와 기본 연기 연습을 30~40분 정도 한 뒤, 모두 자리에 앉아 연극 준비 상황을 점검한다. 실무 과제를 위한 역할 분담은 이미 끝났기 때문에 학생들 스스로 조별 작업 계획을 세울 수 있다. ('16. 실무 작업' 참고) 연습 일정을 보며 마감 일자를 환기시키고, 작품 이해에 필요한 주제를 놓고 짧게 이야기를 나눈다. 예를 들어 한 학생이 숲에서 가니메데로 변장한 로잘린드가 아무 것도 모르는 올란도를 꼭두각시처럼 가지고 노는 조종자 역할을 즐기는 것처럼 보이는데 왜 그러는지 모르겠다고 질문한다. "올란도가 자기한테 푹 빠져 있는 걸 알았을 때 왜 남장을 벗고 본모습을 밝히지 않는 거예요?" 그러면 우리는 사랑에 빠진 남녀의 주도권 다툼이나 인간관계 속에서 볼 수 있는 권력 문제를 놓고 활발한 토론을 벌인다. 어느 정도 이야기가 마무리되면 블로킹 작업으로 넘어간다.

몇 주 동안은 실전 연습 시간에 장면별로 모둠을 만들어 여러 장소에서 동시에 연습한다. 하지만 블로킹을 짤 때는 대기하는 배우들이 지루해도 모든 배우가 한 자리에 있어야 한다. 그래야 극 전체의 흐름을 모두가 공유할 수 있기 때문이다. 우리처럼 무대가 비좁은 경우에는 무대 오른쪽 궁정 공간이 어디까지인지, 무대 왼쪽 숲 공간과 어디쯤에서 만나는지를 배우들이 눈으로 보고 익혀 두는 것이 아주 중요하다. 1주차 연습 시간에는 배우들이 아직 대본을 들고 무대에 오른다. 등장, 퇴장, 무대 가로지르기 같은 블로킹을 기록하기 위한 어쩔 수 없는 선택이지만, 대본은 연기 흐름을 방해하고 자유로운 동작이나 인물 간 상호 작용에는 분명히 방해 요소가 된다. 대본을 내려놓는 시기는 빠르면 빠를수록 좋다.

『좋을 대로 하시든지』 1막 블로킹에서 해결해야 하는 첫 번째 과제는 찰스와 올란도의 결투 장면이다. 기백은 넘치지만 체구에서 형편없이 밀리는 올란도가 골리앗 같은 찰스를 한 방에 때려눕히는 장면을 어떻게 연출해야 그럴듯해 보일까? 우리는 근육질의 찰스가 거대한 덩치 때문에 행동이 둔한 점을 이용하기로 했다. 올란도가 날렵하게 등에 올라타자 찰스는 굼뜬 몸짓으로 몸을 이리저리 비틀고 돌리면서 '거머리'를 떼어 내려고 애를 쓰지만, 찰싹 달라붙은 올란도는 찰스가 어지러워 비틀거릴 때까지 계속 몰아댄다. 다리에 힘이 풀린 찰스에게 올란도가 주먹을 크게 휘두르자 미친 듯이 날뛰던 거구가 쿵 쓰러진다. 마침 몇 가지 무술 수업을 받은 덕에 뼈 몇 대쯤 부러진 것 같은 실감나는 소리를 내며 쓰러지는 법을 아는 학생이 있었다. 소리는 요란하지만 쓰러질 때마다 아무렇지 않게 툭툭 털고 일어났던 그는 극중 상대에게도 기꺼이 그 기술을 가르쳐 주었다. 격투 장면은 해당 배우나 지켜보는 구경꾼들이 부상당하지 않도록 미리 정해 둔 연기 공간 안에서 여러 번 반복해서 연습해야 한다.

2일차 연습 'A proper crop of poppies is a proper poppy crop'이나 'Soldiers shoulders shudder when shrill shells shriek' 같은 혀 꼬임말을 연습한 뒤 〈활동 4-8 점프 전달하기〉, 〈활동 4-5 표정 전달하기〉, 〈활동 4-2 공 던지기〉 등을 한다. 〈활동 4-2〉를 할 때는 둥글게 서서 반대편에 있는 사람에게 그 사람이 맡은 극중 인물 이름을 부르면서 테니스공이나 콩 주머니를 던진다.

몸풀기용으로 〈활동 6-1 날 따라 해 봐요〉를 한 뒤, 둘씩 짝을 지어 〈활동 6-2 거울〉을 한다. 이는 여러 면에서 배우 훈련에 근본적인 도움을 주는 활동이다. 이 활동을 제대로 하기 위해서 배우들은 관찰력과 자기 통제력을 키우는 한편, 온몸, 특히 팔다리로 말하고 듣는 법을 배워야 한다.

〈활동 6-5 상상 물건 내면화하기〉를 소개한 뒤 극중 인물에게 다양한 속성을 적용해 보는 활동을 한다. 나무막대 같은 뻣뻣함을 나이 든 인물(이를테면 『좋을 대로 하시든지』의 늙은 목동 코린)의 걸음걸이에 통합시키거나, 따뜻한 온기를 발하는 양초의 특성을 올란도 같은 인물의 고귀하고 관대하며 도량 넓은 성품으로 표현해 본다. 매일 반복하는 인물 시각화 활동이 끝나면 블로킹 작업으로 넘어간다.

1막 궁정 장면에서 2막 아덴 숲 장면으로 바뀌는 부분에서 기술적으로 해결해야 할 과제가 등장한다. 배경을 어떻게 바꿀지, 몇 분이 아니라 몇 초의 시간 동안 어떻게 공작의 왕좌와 기둥을 치우고 아덴 숲의 나무가 나타나게 할지를 궁리해야 한다. 우리는 아주 단순한 두 가지 해결책을 생각해 냈다. 하나는 숲 장면을 그린 천을 천장의 도르래 장치에 연결해 올려 두었다가 막간을 이용해 궁정 무대 장치 앞에 늘어뜨리는 것이다. 하지만 그림을 그린 천의 2차원성이 영 흡족하지 않았던 우리는 천을 이용해서 '나무' 몇 그루를 함께 제작해서 배경 그림과 함께 천장에서 내려오게 했다. 등장인물들은 필요할 때 이 '나무' 뒤에 몸을 숨길 수도 있었다.

3일차 연습 말하기 활동으로 'Four fat friars frying flat fish', 'Eight gray geese grazing gaily in Greece', 'A box of biscuits, a box of mixed biscuits, and a biscuit mixer'에 집중한다. 원 활동은 〈활동 4-9 상상 속 물건 전달하기〉로 시작해서 〈활동 6-9 상상 소품 이용하기〉로 진행한다. 이 두 활동 모두 젊은 배우들에게 눈에 보이지 않는 것을 시각화 하는 능력을 키워 준다. 또 인물이 극중에서 사용할 법한 소품을 생각해 보는 활동은 자신의 배역을 깊이 이해하는데 큰 도움이 된다.

소품을 상상하는 연습의 효과는 3막 터치스톤과 오드리가 들어오는 장면에서 바로 쓰인다. 지금까지 내용상 웃을 일이 별로 없던 연극에서 광대 터치스톤이 등장과 동시에 관객을 웃게 만들어야 하는 장면이다. 첫 문장이 "오드리, 염소들은 내가 끌고 올라갈테니…"이기 때문에 우리의 터치스톤은 상상의 밧줄에 묶은 상상의 염소를 끌며 등장하기로 했다. 밧줄을 힘껏 당길수록 관객의 눈에 보이지 않는 무대 밖 상상의 염소는 거세게 저항한다. 실랑이 끝에 그만 밧줄이 끊어지고 터치스톤은 엉덩방아를 찧으면서 뒤로 나동그라진다. 멀리 달아나는 염소들을 바라보며 터치스톤은 후회와 열정이 묘하게 뒤섞인 어조로 이렇게 말한다.

터치스톤 : 오드리, 염소들은 내가 끌고 갈게. 어때, 오드리, 나 괜찮은 남편감 같지? 내 꾸밈없는 외모가 마음에 들지 않아?

(염소들이 도망갔는데 기분이 좋을 리 없는 오드리는 어울리지 않게 거만한 태도로 이렇게 대답한다.)

오 드 리 : 외모? 세상에! 꼴에 무슨 외모?

『좋을 대로 하시든지』 3막 3장

다행히 배우들은 이렇게 입장하자는 연출자의 제안을 받아들였다.

4일차 연습 상상 소품을 이용한 활동에 이어 말하기 연습으로 〈활동 15-2 창던지기〉를 한다. 배우들이 대사에 힘을 실어 또렷이 말하는 데 도움을 주는 활동이다. 이 단계에서 효과적인 몸풀기 활동으로 〈활동 6-16 인물 조형하기〉가 있다. 이는 어린 배우들이 상대의 신체 사용과 움직임에 따른 물리적 공간을 분명히 의식하게 해 준다.

4막의 블로킹을 짤 때 흥미로운 딜레마가 등장한다. 1장에서 가니메데로 변장한 로잘린드가 올란도를 부추겨 구애하게 만드는 장면이다. 여기서 셀리아를 어디에 서 있게 할 것인가? 너무 멀리 떨어져 있으면 로잘린드의 수작을 알아차리지 못하는 것처럼 보여 나중에 올란도가 떠난 뒤 "언니의 연애 수다 때문에 여자 전체가 개망신을 당한 셈이네."(4막 1장)라고 말하며 로잘린드를 질책하는 행동이 설득력을 잃는다. 따라서 셀리아는 두 연인이 그녀의 존재를 의식하지 않고 편하게 대화할 만큼의 거리를 유지하면서도 로잘린드가 하는 말을 못 들을 정도로 멀리 있어서는 안 된다.

5일차 연습 1주차 연습 후반부에 쓸 수 있는 아주 중요하면서도 효과적인 활동으로 미하일 체호프의 〈활동 6-6 여러 가지 무게 중심〉이 있다. 몸을 이용해서 인물에 생동감을 불어넣는 이 활동에 대해 수십 년 동안 학생들은 연극이 끝난 뒤 돌아보기를 하면서 정말 효과적이었다고 찬사를 아끼지 않았다. 못지않게 좋은 활동으로 〈활동 6-14 과장된 거울〉이 있다. 인물의 특정 단면을 극단적으로 과장하는 이 활동을 마치면 모든 배우의 에너지가 상승한 것을 확실히 느낄 수 있을 것이다.

셰익스피어의 모든 희극 작품은 5막이 블로킹 짜기가 제일 어렵다. 마지막에 등장인물이 죄다 무대 위로 올라오기 때문에 자리 배치가 난감해지기 때문이다. 『좋을 대로 하시든지』에는 여신 히멘까지 등장하기 때문에 문제가 몇 배로 복잡하다. 여신을 어떻게 등장시켜야 할까? 로잘린드와 셀리아의 호위를 받으며 걸어 들어오게 할까, 아니면 하늘에서 하강하거나 짙은 안개, 혹은 번개 속에서 나타나게 할까? 말할 때는? 인간적으로 보이도록 인물들 사이를 걸어 다니며 말하게 할까, 아니면 모든 일을 주관하는 지극히 높은 존재답게 군중과 좀 떨어진 높은 곳에 따로 서 있게 할까?

이 질문에 우리가 어떻게 답하느냐가 관객에게 오래도록 남을 인상을 좌우한다. 우리는 먼저 이 작품에서 히멘의 비중을 얼마나 중요하게 둘 것인지를 결정해야 한다.

셰익스피어의 말을 빌리자면 1주차 연습의 목표는 한 마디로 작품에 '거주할 곳과 이름'을 주는 것이다. 말하기 연습과 둥글게 서서 하는 몸풀기 활동, 눈을 감은 채 인물을 구체적으로 빚어 나가는 여러 가지 활동, 차근차근 동선을 짜 나가는 과정을 통해 각 장면과 인물들을 구체적이고 물리적인 현실 속에 뿌리내리게 하는 동시에 배우들이 작품 전체의 느낌 혹은 분위기를 익히는 것이 주요 과제다. 작품 전체의 블로킹 초안이 나왔으니 다음 주부터는 대본을 들고 무대에 올라오지 않아도 된다. 연습의 속도와 강도가 몰라보게 빨라질 것이다.

2주 인물 형상화 작업과 속도 높이기

6일차 연습 『좋을 대로 하시든지』 같은 희극 공연을 준비할 때는 지금까지와 비교해서 식은 죽 먹기라 할 정도 수준의 문장을 이용한 연습도 효과적이다. 말하기에 적절한 민첩성과 예술성을 키울 수 있기 때문이다. 무대에서 상대에게 귓속말을 하는 장면에서도 발끝으로 살금살금 걷듯 혀로 가볍게 소리를 만들면서 말하는 법을 배워야 한다.

2주차 연기 연습에서는 신체적 차원의 표현을 넘어서는 것이 과제다.

〈활동 6-11 나는 어떤 사람일까〉는 극중 인물의 내면세계를 발견하는데 효과적인 활동이다. 이보다 협업의 특성이 강한 활동인 〈활동 9-4 인물의 인생 이야기〉는 배우들이 한창 작업 중인 역할에 대한 이해를 심화하는데 도움을 준다. 맡은 인물의 두드러진 특징 중 어렸을 때부터 씨앗으로 존재했던 것은 무엇일까? 우울한 분위기의 자크는 어렸을 때도 시무룩한 얼굴로 신나게 노는 다른 아이들 주변을 맴돌기만 했을까? 올란도에게서는 형 올리버가 시기하고 질투해 마지않는 내면적 고귀함이 어려서부터 풍겼을까? 터치스톤은 학창 시절에도 반에서 친구들을 웃기는 학생이었을까? 피비는 그때도 자존심이 강했을까? 로잘린드는 어렸을 때부터 아는 것도 많고 영리하며 상황을 잘 통제했을까? 그때도 남장하는 것을 좋아했을까?

본격적인 장면 연습으로 들어가는 중요한 이 시점부터는 곁에서 도와줄 조연출이나 동료 교사가 있어야 한다. 그래야 3주라는 빠듯한 시간으로 작품을 무대에 올리는 모험에 도전이라도 해 볼 수 있다. 대개 장면별로 등장인물이 다르기 때문에 모둠을 나누어 여러 장소에서 동시에 연습한다. 1주차에 전체 블로킹을 짤 때는 모두가 한 자리에 있어야 하지만, 그 뒤에는 무대에 오르지 않을 때 멍하니 남의 연기를 구경하고 있을 이유가 없다. 합리적으로 계획만 짜면 거의 모든 배우가 동시에 다른 장면을 연습할 수 있다. 연출자가 선임 공작이 부하들에게 자연의 미덕을 찬미하는 2막의 시작부분을 지도하는 동안, 조연출은 로잘린드, 셀리아, 터치스톤, 르보가 등장하는 1막 2장을 봐 준다. 다른 배우들은 그 시간에 두셋씩, 혹은 혼자서 연습을 한다. 2막에서 충직한 늙은 아담이 함께 왕궁에서 도망치자고 제안하는 장면을 올란도와 아담이 연습하는 동안, 올리버와 샤를르는 도입부를 연습한다. 자크는 '온 세상이 연극 무대'라는 독백 부분을 혼자 연습하고,

양치기 코린과 실비우스는 사랑에 관한 대화 장면을 다듬는다. 특히 공동 배역일 때는 이런 식으로 모둠을 나누면 비는 시간 없이 모든 배우가 효율적으로 연습에 참여할 수 있다.

7일차 연습 이제부터는 모든 문장을 극중 인물의 목소리로 말하는 연습을 한다. 어조나 억양을 살짝 바꾸는 것만으로도 설득력 있는 인물을 구현하기 위해 애쓰는 어린 배우들에게 큰 영감을 줄 수 있다. 터치스톤 역을 맡은 학생이 평소 말하기가 느리고 신중하다면 음절 하나하나를 또렷하게 발음하면서 속도를 높이는 연습을 시킨다. 여학생이 자크 역할을 맡았다면 목소리를 묵직하게 깔아야 한다. 시골 소녀 오드리는 소리를 불분명하게 뭉치며 말하는 연습을 하고, 프레데릭 공작은 고압적인, 코린은 나이든 목소리를 연습한다. 말하기 연습 시간을 배우들이 자기 배역의 목소리를 완벽하게 연마하는 기회로 활용하라.

〈활동 6-13 동물의 특징〉은 맡은 인물의 성격을 새로운 차원에서 이해하는 문을 열어 줄 수 있는 몸풀기 활동이다. 연기가 편안해지면서 슬슬 관성화되는 조짐을 보이는 배우들에게 즉흥성과 순발력을 되살려 줄 수 있는 연습이 필요한 시점이기도 하다. 이때는 극중 인물의 정체성을 입은 두 배우가 지브리쉬와 정상 언어로 번갈아 대화를 나누는 활동이 연기가 한 방향으로 고정되지 않도록 부드럽게 '풀어 주는' 효과가 있다. 비슷한 다른 활동에 〈활동 9-8 둘이 함께 쓰는 편지〉나 〈활동 9-9 머리가 넷〉도 있다. 그 밖에 〈활동 7-1 속도 바꾸기〉 같은 활동을 통해 인물의 개인적 속도를 의식적으로 탐색하는 작업도 시작할 때다.

8일차 연습 작은 위기가 서서히 싹트고 있다. 이유야 어쨌든 몇몇 배우가 무대 위에서 실수를 하거나 한심해 보이지 않을까 지레 걱정하고 있다. 이들은 위험을 조금도 감수하지 않으려고 인물 해석에서 안전하고 확실한 것 외엔 시도하지 않는다. 너무 맥없이 말하거나 너무 소극적으로 움직인다. 이럴 때 연출가가 할 수 있는 일이 무엇일까? 말하기 연습 시간에는 〈활동 15-1 열까지 세기〉가 제격이다. 위축되고 주저하는 영혼들은 때로 대담하게 과장하는 행위에서 해방감을 맛볼 필요가 있다. 〈활동 10-6 오늘은 화요일이야!〉는 마음껏 분출하도록 풀어 놓는데 더없이 좋은 활동이다. 자연스러운 몸짓 때문에 고민하는 ("저는 손을 어떻게 해야 할지 정말 모르겠어요. 죽은 물고기가 제 몸에 거추장스럽게 매달려 있는 느낌이에요!") 어린 배우들에게는 〈활동 9-10 더빙〉이 도움이 된다. 대사에 대한 부담감 때문에 연기에 몰입하지 못하는 학생들은 다른 사람이 대사를 해 주고 자신은 몸짓에만 집중해 마음껏 표현해 보는 연습도 좋다.

9일차 연습 배우들이 즉흥 연기에 더 익숙하고 편안해지게 하고 싶다면 단순하지만 난이도 높은 〈활동 10-2 끝말잇기〉를 먼저 해 보는 것이 좋다. 둥글게 서서 하는 이 활동은 집단 전체를 확실히 깨우는 동시에 활력을 불어넣어 준다. 이제 학생들이 극중 인물의 정체성을 입고 함께 즉흥 연기를 펼치는 활동에 도전해 볼 수 있을 것이다. 그럴 땐 〈활동 9-5 인물 관계 조형하기〉이나 〈활동 10-11 운율 맞춘 대화〉가 좋다.

장면 연습 시간에 새로운 문제가 발생한다. 올리버 역의 남학생과 셀리아 역의 여학생이 무대 위에서 사랑에 빠진 다정한 연인이 되어야 하는데, 남학생이 여학생을 사랑스럽게 바라보는 것은 고사하고 같은 공간에 서 있는 것조차 진저리를 치는 것이다. 급기야 마지막 장면에서 여학생의 손을 잡지 않겠다며 고집을 부린다. 『한여름 밤의 꿈』에서 요정 퍽이 만드는 사랑의 묘약이 간절한 순간이다. 우리는 그저 길고 긴 대화를 나누면서 연기를 할 때는 배역을 위해 개인적 감정을 내려놓을 수 있어야 한다고 설득하는 수밖에 없다. 아이는 그 여학생의 눈을 보면 목을 졸라 버리고 싶은 충동만 올라올 뿐이라고 고개를 젓는다. 나는 그에게 눈 말고 약간 위쪽 이마의 한 지점을 응시하면서 연기해 보라고 제안했다. 한참을 달랜 끝에 마침내 그는 위를 보고 연기하는 것과 함께, 마지막 장면에서 셀리아의 손을 잡는 것까지 동의했다. 하지만 안타깝게도 개의 앞발을 잡은 듯 엉거주춤한 자세가 그가 할 수 있는 최선이었고, 덕분에 이 연인의 결합은 사랑을 맹세하는 목소리의 여운이 사라지기도 전에 끝날 것처럼 위태로워 보였다.

10일차 연습 타이밍이 점점 중요한 요소로 부각된다. 이때 시도해 볼 효과적인 활동은 〈활동 7-2 4단계 즉흥 연기 연습〉이다. 극중 인물 상태로 모둠을 나눈 뒤 작품의 연장선에서 즉흥 연기를 한다. 예를 들어 연인들이 약혼하는 것으로 끝나는 마지막 장면 뒤에 벌어질 결혼식 피로연을 즉흥극으로 만들어 보는 것이다. 프레데릭 공작과 선임 공작은 연극이 시작하기 전에 일어났을 추방 장면을 만들어 보고, 실비우스와 피비, 혹은 오드리와 윌리엄은 둘이 처음 만나는 순간을 만들어 본다. 이 활동의 목표는 그런 상황에서 일어났을 인물간의 상호 작용을 상상하는 것과 함께 속도를 의식하는 것이다. 배우들에게 그 장면을 일부러 아주 느리게 연기했다가 다시 아주 빠른 속도로 연기하면서 가장 어울리는 속도를 찾아보라고 한다.

2주차 연습 후반부에 이르면 배우들은 자기 배역에 점점 편안함과 친근감을 느끼는 한편 그들의 가장 깊은 공포, 가장 큰 장점, 혼자만의 꿈, 혹은 고질적인 신체 질환에 대해서 말할 수 있게 된다. 그와 함께 인물의 삶을 이끌어 가는 내적 리듬, 즉 그들의 발걸음, 호흡, 말하기 속도를 찾아야 한다. 이때쯤이면 1주차에 만들었던 블로킹의 뼈대에 살이 붙어 확실하고 명료해졌을 것이다. 특히 소품과 무대 장치가 무대 위에 제자리를 잡았다면 어디서 어떻게 움직여야 하는지를 분명히 알고 있을 것이다. 하지만 인물 간 상호 작용은 아직 설득력 있는 연관성이 부족하고, 인물들이 자리 잡은 무대 공간에 생기를 불어넣을 또 다른 차원의 내용이 필요한 상태다.

3주 분위기 충전하기, 인물 간 관계 심화하기

3주차 연습에서는 장면에 고유한 색을 입히는 나름의 분위기, 인물들을 행동하게 만드는 동기, 열띤 대화의 팽팽한 긴장감을 한층 끌어올리는 잠깐의 침묵에 숨은 감정처럼 눈에 보이지 않는 요소에 집중한다. 바야흐로 연극 제작의 핵심 단계에 접어든 것이다. 어린 배우들이 자신의 경계 너머로 뻗어 나갈 수 있을까? 그래서 자기들이 움직이는 공간과 대기를 원하는 분위기로 충전할 수 있을까? 그들이 무대에서나 일상에서, 본래의 가치에 비해 가장 평가 절하된 능력인 '집중해서 경청하는 힘'을 발달시킬 수 있을까? 사실 동료 배우의 대사에서 자기가 나갈 신호만 골라서 듣는 경우가 부지기수다. 하지만 그런 연기로는 극중 인물 간의 강렬한 감정이나 친밀함을 관객들에게 설득력 있게 전달할 수가 없다. 그렇기 때문에 연출자는 어린 배우들이 일상의 좁은 시야를 벗어나 완전히 다른 영역으로 상상력을 펼칠 수 있도록 훈련시키고 도와주어야 한다.

11일차 연습 배우들이 아직도 궁정과 숲의 극적으로 다른 분위기를 무대 위에 구현하는데 어려움을 겪고 있다고 가정해 보자. 이럴 때 연출자는 〈활동 8-1 극단적인 날씨 표현하기〉로 시작해서 '분위기에 따른 효과'를 몸으로 체험할 수 있는 활동을 통해 배우들이 길을 찾도록 도와준다. 〈활동 8-2 정서적 분위기〉도 중요하다. 특히 의심과 믿음, 배신과 충성, 불안감과 안심처럼 정반대 감정들에 집중하는 것이다. 장면 연습 시간에는 작품 속 장면마다 특정 분위기가 무대 위 공기를 완전히 물들여, 열대 우림의 습기나 모래사막의 먼지처럼 피부로 느낄 수 있을 듯 생생하게 살아나게 만들어야 한다.

12일차 연습 배우들이 장면마다 뚜렷한 분위기를 채워 넣는데 어느 정도 능숙해지면, 대조적인 분위기의 인물들이 만날 때 생기는 강렬한 불꽃을 탐색하는 단계로 넘어간다. 『좋을 대로 하시든지』에서 이런 대립이 가장 잘 드러나는 장면은 선임 공작과 부하들이 숲에서 즐거운 식사를 나누러 막 자리에 앉는 순간이다. 그 순간 굶주림에 반쯤 정신이 나간 올란도가 비틀거리며 들어온다. 그는 사람들에게 칼을 휘두르며 허기진 사람이 짜낼 수 있는 가장 사나운 태도로 먹을 것을 요구한다.

올 란 도 : 잠깐, 손대지 말라고 했잖아.
그 과일 하나라도 건들면 죽을 줄 알아,
나와 내 문제가 해결될 때까지는.

(그러나 선임 공작은 그런 행동에 겁을 먹거나 똑같은 적의로 반응하지 않는다. 그는 당장이라도 피를 볼 것처럼 날뛰는 올란도를 자비심으로 달랜다.)

선임공작 : 원하는 게 뭔가? 친절이 더 많은 것을 내놓게 할 걸세,
자네가 강제로 우리를 친절하게 만드는 것보다 더.

『좋을 대로 하시든지』 2막 7장

이 장면이야말로 대조적인 두 분위기가 부딪치면서 멋지게 어우러지는 광경이다. 하지만 선임 공작과 부하들의 덕망과 지혜로운 평정심을, 앞뒤 생각할 겨를 없이 궁지에 몰린 올란도의 절망만큼 인상적으로 표현하지 못하면 이 장면은 그만큼의 감동을 전달할 수 없다. 〈활동 8-4 개인의 분위기〉는 어린 배우들이 장면마다 적절한 분위기를 불어넣을 수 있도록 인물의 영혼 분위기를 확장하고 강화하는 능력을 기르도록 도와준다. 〈활동 8-5 감정의 거울〉도 그런 면에서 좋은 활동이다.

13일차 연습 공연 날이 다가오면 좁아지기 쉬운 어린 배우들의 시야를 넓혀 줄 수 있는 연습이 필요하다. 모든 관심이 자기가 맡은 인물을 어떻게 하면 잘 표현할 수 있을 것인가에만 쏠린 아이들도 있고, 벌써부터 무대 공포증 때문에 무대만 오르면 긴장하며 식은땀을 흘리는 아이들도 있다. 두 경우 모두 다른 배우들과 연결되어 있다는 느낌을 잃어버린 상태다. 관계성에 대한 느낌과 공감을 되살리는데 좋은 몇 가지 연습이 있다. 하나는 〈활동 10-12 역할 바꾸기〉의 변형이다. 연극 준비 막바지 단계에 이르렀을 때 다른 역할을 맡아 연기하면 반복 연습으로 무기력해지거나, 과도한 불안감에 시달리거나, 지나치게 자신만만한 배우들을 흔들어 깨울 수 있다. 로잘

린드 역을 맡은 배우는 올란도와, 터치스톤은 오드리와, 자크는 윌리엄과, 프레데릭 공작은 선임 공작과, 피비는 실비우스와, 셀리아는 올리버와 서로 역할을 바꾼다. 그런 다음 몇몇 장면을 골라 대본 없이 각자 할 수 있는 만큼 최선을 다해 애드리브로 연기를 한다. 보통 상대 배우의 대사를 대충은 기억하기 때문에 문제의 장면을 그럭저럭 비슷하게, 하지만 배꼽 빠지도록 웃기게 재현하게 된다. 이 활동의 목표는 고인 물을 휘젓는 것이다. 이를 통해 하루하루 치솟는 긴장을 조금이나마 해소하고, 배우들의 의식을 맡은 역할 범위 이상으로 확장시킨다.

14일차 연습 정상 속도의 장면 연습은 연습 마지막 날까지 당연히 계속해야 하지만 그와 함께 〈활동 7-3 빨리 감기〉를 해 볼 수 있다. 이 활동은 특히 어린 배우들이 작품 전체를 한눈에 보게 하는 효과가 있다. 초반에는 아무래도 장면을 토막 내서 짧은 호흡으로 연습이 진행되기 마련이다. 오늘은 이 장면만 집중해서 연습하고 다음날엔 다음 장면에 집중하는 식이다. 장면 순서를 뒤섞어 연습할 때도 많다. 그러다보니 어린 배우들은 처음부터 끝까지 쭉 이어서 연기하는 단계에 이르기 전에는 작품 전체를 잘 파악하지 못하는 경우가 많다. 〈빨리 감기〉 활동은 전체를 볼 수 있는 좋은 기회다. 뿐만 아니라 평소보다 훨씬 빠른 속도로 극을 진행하기 위해 앞으로 일어날 일을 예측하는 감각을 총동원할 수밖에 없고, 그 경험을 통해 작품의 흐름과 움직임에 대한 감각이 강화된다.

연습 후반부에 이르면 연출자는 모든 장면을 단단하게 조이고 완벽하게 다듬는 단계, 즉 연기에서 필요한 동작을 추가하고, 불필요하거나 비효율적인 동작을 빼는 작업에 들어가야 한다. 모든 몸짓, 발걸음, 곁눈질 하나까지 너무 인위적으로 조율되었다는 인상을 주지 않으면서도 꼭 필요한 곳에서 꼭 필요한 동작이 나오도록 다듬어야 한다. 광대 터치스톤이 시골뜨기 윌리엄을 만났을 때, 오드리를 사이에 둔 라이벌이 바로 그자임을 알아차리는 장면을 다듬는 중이라고 하자. 처음에 터치스톤이 윌리엄에게 이런저런 시답잖은 질문을 던지다가 마지막에 겁을 주어 쫓아낼 때 그 태도가 관객이 납득할 수 있을 정도로 위협적이어야 한다. 윌리엄이 흠칫 놀라 뒷걸음질 칠 정도로 갑자기 험악하게 돌변해야 하는 것이다. 그때까지 터치스톤은 포악하기보다 명랑했고, 윌리엄은 주눅 들기보다는 어수룩한 인물이었다. 하지만 터치스톤이 윌리엄 쪽으로 성큼 다가서면서 강조하고 싶은 단어마다 윌리엄의 가슴을 툭툭 치며 말하자 두 사람의 분위기가 돌변한다.

(괄호 안의 지문은 내가 배우들에게 제안한 행동들이다)

터치스톤 : 그러니, 너 시골뜨기, 포기해 – 사투리로는 떠나라(찌른다)지 – 이 여성분과의 – 속된 말로는 계집(찌른다)이지 – 교제 – 막말로는 관계(주먹으로 툭 친다) – 를 말이다. 한꺼번에 말하면, 이 여성(툭 친다)과의 관계(민다)를 포기(민다)해. 아니면, 시골뜨기, 넌 죽음(거칠게 떠민다)이야.

『좋을 대로 하시든지』 5막 1장

이렇게 섬세한 연기 지도는 오로지 대본에 충실할 때만 나올 수 있다. 배우와 연출자가 단어 이면에서 숨 쉬고 있는 작가의 의도를 제대로 조망하면 적절한 행동은 저절로 따라오게 마련이다.

15일차 연습 연습 막바지에 이르면 아주 흥미로운 역설이 생겨난다. 어떤 면에서 연습은 최대한 진지한 분위기에서 진행되어야 한다. 분위기를 확실히 잡지 않으면 극중 인물에 제대로 몰입하지 못해 인물과 분리되거나, 청소년들이 흔히 그렇듯 서로 건드리고 장난치며 투닥거리느라 난장판이 되기 때문이다. 하지만 동시에 우리는 평소에도 끓어 넘치는 청소년들의 에너지와 흥분 상태가 공연 날이 다가오면서 불안감과 함께 금방이라도 터질 듯 증폭되고 있음을 이해하고, 적절하게 분출할 기회를 만들어 줄 수 있어야 한다. 앞에서 소개한 〈활동 7-3 빨리 감기〉와 〈활동 10-12 역할 바꾸기〉는 그런 격렬한 에너지를 풀어내는데 확실한 효과가 있는 활동들이다. 또 다른 방법으로 배우들에게 자기 역할을 다른 억양이나 다른 주제로 연기해 보게 할 수도 있다.

이를테면 1막 1장에 등장하는 모든 배우는 프랑스어나 스페인어 억양으로 말하고, 2장의 배우들은 아주 격식 있는 영어나 강한 독일어 억양으로 연기한다. 이어지는 선임 공작 추방 장면에서 셀리아, 로잘린드, 프레데릭 공작은, 보통 프레데릭 공작의 적의와 공격성이 지배적이었던 장면을 아일랜드 사투리나 이탈리아어 억양으로 연기한다. 배우들이 사투리나 외국어 억양을 어려워하면 오페라 풍으로, 혹은 프랭크 시나트라나 바브라 스트라이샌드처럼 달콤하게 노래하며, 혹은 래퍼처럼 리듬을 타며 대사를 하게 해도 좋다. 카우보이나 괴물, 간첩, 6살짜리 아이가 되어 볼 수도 있다. 가장 효과적인 방법 중 하나는 신파 드라마 배우가 되었다고 생각하고 연기해 보는 것이다. 감정을 극도로 과장해서 대사를 하다 보면 너무 밋밋하게 연기했던 배우들의 연기가 살아나기도 한다.

이런 활동의 목표는 훌륭한 연기가 아니다. 그동안 공들였던 섬세한 표현이나 세부 묘사는 십중팔구 다 증발해 버리고 코미디에 가까운 분위기로 바뀐다. 하지만 배가 아프도록 신나게 웃으면서 쌓였던 긴장을 풀 수 있을 뿐 아니라, 무대에 올라갈 생각에 근심이 가득했던 배우들에게 연기를 즐거운 것으로 만들어 줄 수 있다.

4주 마지막 연기 지도, 마무리 손질

공연 전 마지막 며칠이 여유롭기란 언감생심이지만 그렇다고 초긴장 상태로 식은땀을 줄줄 흘려야 마땅한 것도 아니다. 마지막 주 연습은 실제 공연처럼 처음부터 끝까지 쭉 이어서 연기하는 것이 중심이다. 그 시간이 끝나면 연출자는 그날 연습한 연기를 돌아보며 배우들에게 대사, 몸짓, 등퇴장 등에서 신경 써야 할 요소를 하나씩 짚어 준다. 개별 배우 혹은 전체를 대상으로 연기 지도를 하는 이 시간은 엄청나게 중요한 의미를 갖는다. 우리는 개별보다 전체를 놓고 이야기하는 방식을 선호한다. 총연습 후에 배우들이 아무리 피곤해하더라도 연기 직후에 조언을 하는 것이 가장 효과적이라는 사실을 몇 년간의 경험을 통해 알게 되었다. 그래야 배우들이 1) 연기한 장면이 아직 생생하게 남아 있을 때 수정 사항을 반영해서 다시 연습하거나, 연습까진 못해도 마음속에 떠올려 볼 수 있기 때문이다. 2) 또 그날 밤에 자면서 연출자의 제안을 생각하고 소화할 시간을 가질 수 있다. 지적하고 비판만 하는 시간이 아님은 두말할 필요도 없다. 개선할 부분에 대해 언급한 만큼이나 배우들에게 용기를 주고 격려하는 것도 잊지 말아야 한다.

공연이 코앞으로 다가왔을 때 마지막으로 추천하는 것은 〈활동 17-1 누워서 연습하기〉를 눈을 감은 채 하는 것이다.

{활동 17-1} 누워서 연습하기

보통 공연 하루 전, 혹은 당일 아침에, 되도록이면 카펫이 깔린 조용하고 편안한 방에 모인다. 모든 배우가 머리를 원 중심 쪽으로 두고 수레바퀴의 바퀴살처럼 전체가 둥근 원이 되도록 눕는다. 그런 다음 눈을 감고 작품 전체를 연기하기 시작한다. 소리 내어 대사를 하면서 모든 등퇴장 움직임, 뉘앙스, 분위기 변화를 눈앞에 생생한 그림으로 떠올린다. 대사를 큰 소리로 말하려고 지나치게 애를 쓸 필요는 없다. 그보다는 연극의 모든 요소를 가능한 한 선명한 상으로 떠올리는데 집중한다. 이를 통해 배우들은 연극 전체에 대한 최종 표상을 공유한다.

지금까지 여러 주 동안 배우들은 연극이라는 배를 같이 만들었지만, 배를 보는 관점과 시야는 제각기 달랐다. 어떤 사람은 뱃머리에 널빤지를 댔고, 어떤 사람은 배의 뒷부분을 만들었다. 어떤 사람은 뱃머리에 형상을 조각했고, 어떤 사람은 돛대를 튼튼하게 세우는 일을 했다. 이 마지막 활동은 배우들이 마음속으로 갑판에 올라 항로를 정하고 함께 항해를 시작할 수 있게 해 준다.

무대 위의 상상력

이렇듯 청소년들과 함께 연극을 만드는 모든 노력은 상상력을 키우는 것으로 시작해서 상상력을 갈고닦는 것으로 끝난다. 여기서 말하는 상상력은 제멋대로 떠오르는 공상의 나래를 말하는 것이 아니며, 연극적 진실을 창조하기 위한 수단도 아니다. 어떤 집단에서는 상상력을 하찮게 여긴다. 어린아이들의 유치하고 허무맹랑한 공상의 원천 정도로 여기거나, 심하면 상상력이라는 모호한 필터가 현실을 왜곡해서 건강한 지각을 망가뜨린다며 곱지 않은 시선을 보내기도 한다. 우리는 이 책에서 설명한 방식으로 상상력을 훈련하는 것이 결코 현실 도피를 유발하지 않는다는 사실을 오랜 세월 경험으로 확신하게 되었다. 오히려 상상력은 더 깊고 본질적인 차원의 현실을 뚫고 들어갈 수 있는 힘, 물질세계에 기반을 두고 있지만 더 높은 세계를 지향하며, 때로는 정말 그 세계에 닿을 수도 있게 해 주는 힘이다.

청소년들은 피어나기 시작하는 상상의 힘을 활용하고 훈련할 수 있어야 한다. 그 힘은 당연히 연기에도 많은 도움이 되지만 훨씬 더 중요한 이유가 있다. 상상력을 제대로 잘 육성하면 우리는 그 힘을 이용해서 자기 자신과 세상에 깃든 더 큰 진리를 이해할 수 있다. 월트 휘트먼처럼 우리 모두는 우리가 보통 생각하는 것보다 훨씬 큰 존재라는 사실을, 정말로 우리 안에 '다수를 품고' 있음을 인식할 수 있다. 상상의 힘을 통해 어쩌면 우리도 워즈워스William Wordsworth처럼 '사물의 생명을 투시'할 수 있을지도 모를 일이다. 『낭만주의의 성숙Romanticism Comes of Age』에서 오웬 바필드Owen Barfield는 우리에게 상상력이 자아와 세계 사이에 놓인 심연을 건널 다리가 될 수도 있음을 일깨워 준다. "상상력은 세상을 그저 바라만 보는 것으로 만족하지 않는다. 그것은 지각하는 사물 속에 온전히 빠져들어 가… 주체와 객체 사이 이원성을 극복하고자 노력한다." 바필드는 상상력 안에 우리 시대의 특징이라 할 수 있는 소외의 뿌리인 균열을 넘어설 잠재력이 숨어 있다고 했다. "상상력에서는 '자아'와 '비자아'라는 감각이 사라진다. 그것은 객체 앞에 서서 '나는 저것이다'라고 느낀다."

이런 눈으로 볼 때 상상력은 정말로 공동체 붕괴, 무의미한 느낌과 절망감의 고조, 인간성 상실, 걷잡을 수 없이 높아가는 폭력의 물결 등 현대 사회에 만연한 사회적 질병을 해결할 도구가 될 수 있다. '폭력에 의존하는 것은 상상력의 실패'라는 말도 있다. 루돌프 슈타이너는 여러 강의에서 일반적인 모든 예술에 깃든 치유의 힘에 대해 이야기하면서, 특히 상상력을 단순히 부족한 창조력을 메우는 치유책으로서가 아니라 인간의 상호 관계를 도덕적 차원으로 고양시킬 수단으로 강조했다. 그가 말한 도덕적 상상력의 씨앗이, 단순히 연극 한 편을 무대에 올리는 것보다 깊은 차원의 목표를 바라보며 작업했던 어린 배우들 내면에 뿌려진다. 연극을 통해 청소년들의 내면에 타인의 노력과 투쟁을 자기 것처럼 느낄 줄 아는 공감의 힘이 자란다. 그리고 상상력은 청소년들을 그보다 더 먼 곳까지 데리고 간다. 다른 사람의 내면에 훨씬 높은 잠재력이 자리하고 있음을 알아보는 눈이 생기고, 무대 위와 무대 밖에서, 마음의 눈에 보이는 그 고차의 가능성에 맞춰 행동할 수 있게 되는 것이다.

18. 무대에 올린 작품 목록

앞에서 말했듯 청소년들에게 딱 맞는 작품을 찾기란 결코 녹록한 과제가 아니다. 지난 50년간 세상에 나온 희곡 작품 중에는 등장인물의 수가 말도 안 되게 적거나, 삶의 의욕을 불어넣기보다 의기소침하게 만드는 비관적인 주제가 절대 다수를 차지한다. 우리는 교육적 관점에서 가치 있는 언어를 구사하며, 소생과 부활의 의미를 담은 작품을 찾기 위해 정말 많은 노력을 기울였다. 아래 목록은 우리가 지난 20년 동안 실제로 무대에 올렸던 작품이거나 심각하게 고려했던 후보작들이다. 남녀 배역의 수, 간단한 줄거리, 고려해야 할 어려움과 가능성도 함께 언급해 두었다.

〖안티고네Antigone〗 소포클레스Sophcles 지음

『오이디푸스 왕/안티고네』, 천병희 옮김, 문예출판사(2010년)
『장 아누이의 안티고네』, 안보옥 옮김, 지식을만드는지식(2011년) 외 다수 번역본
▶ 남자 역 3명 ▶ 여자 역 3명 ▶ 코러스(전통적으로는 15인)

『오이디푸스 왕Oedipus』 3부작 중 세 번째 작품. 비극의 원형이라 할 수 있는 이 작품은, 매장을 금지한 크레온 왕의 명령에도 불구하고 오빠의 시신을 묻어 주려는 안티고네의 결심을 중심으로 사건이 흘러간다. 결국 생매장 형을 선고받은 그녀는 스스로 목숨을 끊고, 크레온의 아들이자 안티고네의 약혼자인 하이몬도 그녀의 죽음을 알고 자살한다. 아들의 죽음을 전해 들은 크레온의 아내 역시 자결한다. 개인적 양심과 사회적 법규의 충돌이라는, 시대를 막론하고 늘 첨예하게 대립해 온 주제를 다룬 작품이다.

등장인물이 몇 안 되는 것이 가장 큰 단점이지만 코러스도 꽤 매력적인 역할이 될 수 있다. 특히 가면과 말하기, 안무에 공을 들이면 학생들의 몰입도를 높일 수 있다.

장 아누이Jean Anouilh가 코러스 없이 남자 역 6명, 여자 역 4명으로 현대적으로 각색한 작품도 참고

『이해관계The bonds of interest』 하신토 베나벤테Jacinto Benavente 지음

▶ 남자 역 13명 ▶ 여자 역 6명

20세기 초에 창작되었으나 17세기 초가 배경인 스페인 희극이다. 코메디아 델라르테Commedia dell'arte 형식을 따르고 있다. 리앤더의 하인인 크리스핀이 기지를 발휘해 판탈로네와 도토레를 속이고 실비아가 리앤더와 사랑에 빠지도록 계략을 꾸미는 과정을 그린 작품이다.

『카미노 레알Camino Real』 테네시 윌리엄즈Tennessee Williams 지음

▶ 남자 역 27명 이상 ▶ 여자 역 12명 이상

스페인어를 쓰는 어느 이름 모를 경찰 국가의 삶을 암울하지만 빛나는 시적 예지력으로 그려 낸 작품이다. 작품이 거의 끝날 때까지 무자비함과 부패, 냉소가 도덕적 순결과 선함, 이상주의를 압도하는 것처럼 보인다. 바이런 경부터 돈키호테, 집시부터 귀족까지 수많은 매혹적인 인물이 살아남기 위해, 혹은 탈출하기 위해 필사적으로 카미노 레알에서 살아간다. 이 동네에서 가장 지키기 어려운 것은 바로 인간 존엄성이라는 가치다.

음악과 창의적 안무에서 여러 가지 시도를 해 볼 수 있는 『카미노 레알』은 그 기

회만 잘 살리면 놀랍도록 아름다운 작품이 될 수 있다. 무대 배경에 아주 상반된 두 구역을 만들어야 한다. 한쪽에는 주택과 어두운 골목길을 암시하는 배경이, 다른 한쪽에는 낡았지만 여전히 호화로운 호텔이 있다. 한가운데 놓인 계단이 두 배경을 가르며 무대 뒤쪽 벽까지 길게 이어진다. 무대 앞쪽에 놓인 중앙 분수대는 내내 물이 말라 있다가 극의 끝부분에 진짜 물이 흐를 수 있어야 한다.

『새들의 회의Conference of the Birds』 파리드 우딘 아타르Farid U-Din Attar 지음

『새들의 회의』, 류시화 옮김, 예하(1991년)
▶ 남자 역 7명 ▶ 여자 역 6명 ▶ 배역을 유동적으로 조절할 수 있음
한 떼의 새들이 곤경에 처해 있다. 후투티의 지령에 따라 새들은 왕을 찾기 위한 여정에 나선다. 일곱 계곡을 건너가는 모험 도중에 새들은 절망과 승리 모두를 경험한다. 어느 부분에서는 신비롭고 어느 부분에선 심오한 이 작품은 상상력이 풍부한 의상 담당자와 연출자에게는 축제가 될 것이다.

『시련The Crucible』 아서 밀러Arthur Miller 지음

『시련』, 최영 옮김, 민음사(2012년)
▶ 남자 역 10명 ▶ 여자 역 10명
세일럼에서 벌어졌던 마녀 재판을 모티브로 1950년대 초반에 걷잡을 수 없이 자행되었던 미국 의회 비미 활동위원회Un-American Activities의 '마녀 사냥'을 신랄하게 비판한 작품이다. 청교도 지역이었던 뉴잉글랜드에서 어린 소녀 몇 명이 장난삼아 숲속에서 밤에 춤을 추는 금지된 행동을 한다. 발각된 아이들은 처벌을 피하고자 마을 사람들 일부가 악마를 숭배하고 있다고 거짓말을 한다. 고발이 난무하고 공포와 미신이 미친 듯 퍼진 결과, 존과 엘리자베스 프락터 부부는 집단 광기의 희생자가 된다.
암울하고도 강렬한 이 작품에는 에비게일과 엘리자베스처럼 매력적인 여자 역할이 많이 등장한다. 의상 작업이 비교적 쉽고, 배경도 아주 소박한 수준에서 해결할 수 있다.

〖호기심 많은 세비지The Curious Savage〗 존 패트릭John Patrick 지음

▶ 남자 역 5명 ▶ 여자 역 6명

세비지 부인의 자녀들은 어머니를 매사추세츠주의 한 고급 요양원에 위탁했다. 개성이 강한 다양한 '환자'들의 도움으로 세비지 부인은 재산을 갈취하려는 가족의 계략을 물리친다.

낙천적이고 익살스러운 이 작품은 엉뚱하며 인상적인 등장인물들이 든든하게 받쳐 준다. 실내 장식과 응접실용 가구들이 필요하지만 그밖에는 까다로운 부분이 거의 없다.

〖시라노 드 베르주락Cyrano de Bergerac〗 에드몽 로스탕Edmond Rostand 지음

『시라노』, 이상해 옮김, 열린책들 (2008년) 외 다수 번역본

▶ 남자 역 30명 이상 ▶ 여자 역 10명 이상

이 작품은 시인의 영혼과 괴상하게 긴 코를 가진 늠름한 17세기 군인 이야기를 다룬 고전이다. 시라노는 록산에게 연정을 품지만, 록산의 눈은 다른 사람을 향하고 있다. 그는 잘생겼지만 영민함과는 거리가 먼 크리스티앙이다. 시라노는 크리스티앙이 록산의 마음을 얻을 수 있도록 돕는다. 크리스티앙은 전사했지만 시라노는 록산의 마음을 녹인 연애편지를 쓴 인물이 실은 자신임을 절대로 밝히지 않겠다고 결심한다.

모든 요소를 다 갖춘 작품이다. 무대와 의상을 정교하게 만들어 볼 수 있는 기회인 동시에 칼싸움, 아름다운 언어, 잊을 수 없도록 인상적인 인물들이 등장하고, 이야기에는 자기희생과 헌신, 용기처럼 숭고한 가치들이 가득하다. 하지만 공연 시간이 너무 길기 때문에 편집이 필요하다. 우리는 4막을 통으로 들어내고 짧은 내레이션으로 대체했다.

〖민들레 와인Dandelion Wine〗 레이 브래드버리Ray Bradbury 지음

『민들레 와인』, 조애리 옮김, 황금가지(2009년)

▶ 남자 역 10명 ▶ 여자 역 8명

미국 중서부 지방이 배경인 이 작품에는 외로움에 몸부림치는 한 중년 남자가 과거로 거슬러 올라가 십 대인 자신과 친구가 된다.
우리는 아직 이 작품을 다루어 보지 않았지만 매력적인 이야기다.

『점쟁이들Diviners』 제임스 레너드James Leonard 지음

▶ 남자 역 6명 ▶ 여자 역 5명
독자를 사로잡는 이 흥미진진하고 독특한 작품은 1930년대 미국의 중서부 지방을 배경으로, 심술궂은 전도사와 친구가 된 발달 지체 청년에 관한 이야기다. 물에 공포를 느끼는 청년과 그를 씻기려는 전도사의 노력이 극의 절정 단계에서 파국적으로 충돌한다.
『우리 읍내』를 떠올리게 하는 소도시적 정취가 두 주인공의 관계에 배경처럼 깔려 있다.

『마법에 걸린 사람들The Enchanted』 장 지로두Jan Giraudoux 지음

▶ 남자 역 9명 ▶ 여자 역 11명
프랑스의 한 마을에 사는 젊은 여인이 초자연적인 것에 강박적으로 매달리기 시작한다. 여러 명의 정부 관리들은 그녀가 자기들 삶의 안전과 고루한 편협성을 헤집는 것을 막으려 기를 쓴다. 하지만 그녀가 사랑에 빠지는 것은 막지 못한다.
이 작품에는 매력적이고 도발적인 여자 주인공이 등장한다. 유령을 어떻게 표현할 것인지가 흥미로우면서도 까다로운 문제다. 다른 인물들은 다소 전형적이고 평면적이다

『민중의 적An Enemy of the People』 헨릭 입센Henrik Ibsen 지음

『민중의 적』, 김석만 옮김, 종합출판범우(2011년) 외 다수 번역본
▶ 남자 역 9명 ▶ 여자 역 2명
한 노르웨이 의사가 마을의 명소이자 자신이 최초로 발견한 온천이 폐수 유입으로 인해 건강에 해로운 물이 되었음을 알게 되면서 마을의 영웅에서 적으로 변하는 과정을 보여 준다. 그가 발견한 진실이 마을의 번영에 위해를 가할까 두려

워 아무도 인정하려 들지 않는다. 반면 의사 스토크먼은 원칙을 굽히는 짓은 상상도 하지 못한다.

간혹 소화하기 힘든 대사들이 나오긴 하지만 대중의 이해와 개인적 이상의 충돌을 예리하게 묘사한 작품이다.

『왕들의 후손Grandchild of Kings』 해롤드 프린스Harold Prince 각색

▶ 총 23개 배역으로 남녀 배역을 융통성 있게 정할 수 있음(공동 배역)

극작가 션 오케이시Sean O'Casey의 일생을 그린 연극이다. 중년의 오케이시가 화자로 등장해서 인격이 형성되던 시절의 의미 있는 순간들을 보여 준다. 이 연극에는 춤과 노래가 넘치는 한편 장례식과 가족의 갈등도 나온다. 극작가 지망생의 영혼과 함께 민족의 정신을 찬미한다.

『분노의 포도The Grapes of Wrath』 존 스타인벡John Steinbeck 지음

『분노의 포도』, 김승욱 옮김, 민음사(2008년) 외 다수 번역본

▶ 남자 역 20명 이상, 공동 배역 가능 ▶ 여자 역 8~9명

조드 일가가 더 나은 삶을 위해 남부의 건조 지대를 떠나 캘리포니아로 이주하는 과정을 그린 존 스타인벡의 통렬하고 매력적인 소설이다. 갈라티가 훌륭하게 각색한 희곡에도 유머와 고뇌, 궁극적으로는 인간 정신의 고결함이 가득하다. 블루스나 블루그래스 음악을 삽입하는 등 독특한 가능성이 많은 작품이다. 또 실제로 움직일 수 있으며 몇 명의 사람을 태울 만큼 튼튼한, 구식 자동차를 만들 수 있는 손재주가 필요하다.

『백치의 기쁨Idiot' s Delight』 로버트 셔우드Robert Sherwood 지음

▶ 남자 역 17명 ▶ 여자 역 10명

1930년대 북부 이탈리아 산악 지역의 한 휴양지에 여러 국적의 손님들이 목전에 닥친 전쟁 위협으로 발이 묶여 있다. 가수이자 댄서인 미국인 남자와 그의 쇼걸들은 숙박객인 프랑스인 무기 판매업자와 그의 러시아인 애인, 영국인 신혼 부부, 독일인 과학자, 몇 명의 이탈리아 군인들 앞에서 공연을 한다.

생음악 연주를 시도해 볼 수 있는 또 하나의 기회다. 1920~30년대 음악을 연주하는 작은 나이트클럽의 악단이 필요하다. 다양한 국적의 인물이 등장하는 만큼 다양한 억양을 연습해야 한다.

『검찰관The Inspector General』 니꼴라이 고골Nikolai Gogol 지음

『검찰관』, 조주관 옮김, 민음사(2005년) 외 다수 번역본

▶ 남자 역 20명 ▶ 여자 역 6명

이 신랄한 풍자 문학은 부패하고 비열한 19세기 러시아 관료들에게 칼을 겨눈다. 정부 검찰관으로 오해받은 약삭빠른 떠돌이에게 마을 사람들은 뇌물을 비롯해서 온갖 제안과 감언이설을 쏟아붓는다. 진짜 검찰관이 도착하기 직전 사기꾼은 떠나고 진실을 알게 된 마을 사람들은 씁쓸한 입맛을 다신다.

여자 배역이 더 필요할 때는 비중이 작은 몇몇 남자 배역을 여자로 바꾸는 것도 가능하다.

『이탈리아 밀짚모자The Italian Straw Hat』 외젠 라비슈Eugene Labiche/ 마크 미첼Marc Michel 지음

『이탈리아 밀짚모자』, 장인숙 옮김, 지식을만드는지식(2010년)

▶ 남자 역 11명 ▶ 여자 역 6명

신나게 웃을 수 있는 해학극으로, 알고 보면 결혼식을 앞둔 젊은 남자가 자기 말이 실수로 먹어 버린 밀짚모자를 대신할 물건을 찾아 결혼식 하객들을 끌고 온 마을을 돌아다니는 한 편의 요절복통 모험 이야기다.

진행 속도가 빠르고 문이 열리고 닫히는 장면이 많아 타이밍이 전부라고 할 수 있는 작품이다.

『제이.비J.B.』 아치발드 맥리쉬Archibald MacLeish 지음

▶ 남자 역 12명 ▶ 여자 역 9명

퓰리처상을 수상한 작품으로 『구약 성서』의 욥 이야기 모티브를 거대한 서커스 텐트를 배경으로 변주했다. 보기 드물게 근엄하고 무게감 있는 언어를 만날 수 있다. 시련의 의미, 악의 의미, 인간과 신적 세계의 관계 같은 본질적인 질문들이

제기되면서 작품을 고차의 영역으로 끌어올린다.

무대에 많은 공을 들일 필요는 없지만 무대 중앙에 곡예장을 의미하는 원을 그려 연기 공간으로 삼아야 한다. 쥬스와 니클스(신과 악마를 상징하기 위해 맥리쉬가 창조한 인물들)가 서 있을 높은 단상 두 개도 제작해야 한다. 신적 존재들에게 가면을 씌우면 신비로운 분위기가 더 강화될 것이다.

『횡설수설Jabberwock』 제롬 로렌스Jerome Lawrence/ 로버트 E. 리Robert E. Lee 지음

▶ 남자 역 26명 ▶ 여자 역 17명

월터 미티 이야기를 만든 제이미 터버Jamie Thurber의 어린 시절을 명랑한 분위기로 묘사한 작품이다. 터버 집안 사람들과 이웃을 비롯한 엉뚱하고 유쾌한 인물이 많이 등장한다.

느닷없이 등장하는 전기 자동차 외엔 특별한 무대 장치가 필요하지 않다. 우리 경우엔 작은 골프 카트를 꾸며 만든 전기 자동차를 아주 쓸모 있게 이용했다.

『사슴왕The King Stag』 카를로 고찌Carlo Gozzi 지음

▶ 남자 역 19명 ▶ 여자 역 3명

잘 알려지지 않았지만 매력적인 이 이야기에는 아내를 구하려는 한 왕과 그를 왕좌에서 끌어내리고 싶어 하는 음흉한 장관이 나온다. 사실 이 작품은 마법의 흉상과 앵무새 몸에 갇힌 마법사까지 완벽하게 갖춘 한편의 동화지만, 코메디아 델라르테 형식의 전형적인 인물들을 볼 수 있다.

공연에는 날아다니는 앵무새 한 마리, 웃을 수 있는 흉상 하나, 수사슴 두 마리, 땅에서 불쑥 솟아나는 것처럼 나타나는 마법사 등 여러 가지 기발한 무대 장치와 소품이 필요하다. 청소년기 초반 학생들에게 적합한 작품이다.

『천사여, 고향을 보라Look Homeward, Angel』 케티 프린스Ketti Frings 지음

▶ 남자 역 10명 ▶ 여자 역 8명

퓰리처상 수상에 빛나는 이 희곡은 토마스 울프Thomas Wolfe의 동명 원작 소설을 각색한 것이다. 토마스 울프는 바람 잘 날 없는 가족, 기묘한 조합의 하숙생들과 함께 살아가는 작중 인물, 유진 건트의 입을 빌려 자신의 성장기를 들려준다.
매력적으로 섞인 유머와 애잔함이 관객을 사로잡고, 강압적이며 물질주의적 사고관을 가진 어머니와 비극적이리만치 결함 많은 아버지처럼 인상적인 인물들이 다수 등장한다. 어머니와 아버지 역은 아주 강한 배우가 맡아 연기해야 하며, 유진 역도 마찬가지다. 가장 중요한 무대 장치 중 하나인 거대한 천사 조각상은 만만치 않은 과제가 될 것이다.

『사계절의 사나이A Man for All Seasons』 로버트 볼트Robert Bold 지음

▶ 남자 역 11명 ▶ 여자 역 3~4명
로버트 볼트는 소신을 굽히지 않으면서도 국왕에서 충신으로 남으려 했던 토마스 모어Thomas More와 헨리 8세의 갈등을 한편의 연극 안에 멋지게 담아냈다. 단역도 예외 없이 등장인물 모두가 아주 생생하게 묘사되어 있다.
무대는 아주 단순하다. 여자 역할이 너무 적은 것이 유일한 단점이다.

『샤이오의 광녀The Madwoman of Chaillot』 장 지로두Jean Giraudoux 지음

▶ 남자 역 24명 ▶ 여자 역 15명
극장에서 자주 만날 수 있는 이 인기작에서는 생기 넘치는 미친 할머니와 친구들이 등장한다. 그들은 힘을 모아 지하에 매장된 석유를 채굴하기 위해 파리 시를 파괴할지도 모를 계략을 꾸미는 기업인들의 음모를 가까스로 저지한다.
오랜 세월 식을 줄 모르는 이 연극의 인기 비결은 줄이어 등장하는 매력적인 파리 토박이들에 있지만, '개발'이라는 가면 뒤에 숨은 인간의 탐욕을 꼬집는 대사는 요즘 우리가 더 귀 기울여야 하는 말이 아닐까.

『결혼 중매인The Matchmaker』 손톤 와일더Thornton Wilder 지음

▶ 남자 역 9명 ▶ 여자 역 7명
지금까지 나온 미국의 해학극 중 단연 최고라 할 수 있는 이 작품은 부유한 호레이스 반더겔더 밑에서 일하는 두 하급 직원의 좌충우돌을 묘사한다. 반더겔더는 아내감을 구하기로 결심하고, 두 직원은 주인이 정신없는 틈을 타서 몰래 뉴욕에 가서 흥청망청 술을 마시기로 한다. 이런저런 사건 끝에 반더겔더의 혼사를 책임진 결혼 중매인이 그와 맺어지고, 두 직원도 유쾌하고 정신없는 과정을 거쳐 각자의 짝을 찾는다.

중매인인 돌리 레비는 무대를 완전히 장악할 수 있어야 한다. 의상은 아주 화려해도 좋다. 한 장면은 모자 가게를 배경으로 진행되는 만큼 모자에 특히 공을 들이게 된다.

『기적을 만든 사람들The Miracle Worker』 윌리엄 깁슨William Gibson 지음

▶ 남자 역 7명 ▶ 여자 역 7~12명

이 비범한 이야기는 헬렌 켈러와 그녀의 스승 앤 설리번이 처음 만난 시절을 극화한 것이다. 재미있고 감동적이며, 헬렌이 기나긴 암흑 속에서 마침내 빛을 발견하는 마지막 장면에서는 영감과 함께 쉽게 만나기 어려운 진정한 초월의 순간을 맛볼 수 있는 작품이다.

헬렌의 가족도 만만치 않게 어려운 역할이지만, 이 작품의 성공은 헬렌과 앤을 연기하는 두 배우의 어깨에 달려 있다고 해도 과언이 아니다. 특히 헬렌 역할은 몸짓 언어가 풍부한 여학생이 맡아야 한다.

『약소국 그랜드 펜윅의 뉴욕 침공기The Mouse that Roared』 레너드 위벌리Leonard Wibberley 지음

『약소국 그랜드 펜윅의 뉴욕 침공기』, 박중서 옮김, 뜨인돌출판사(2010년)

▶ 남자 역 12명 ▶ 여자 역 16명

유럽에 위치한 손톱만한 크기의 작은 국가가 파산 위기에 처하자 미국에게 전쟁을 선포한다. 전쟁에서 지고 미국에서 수십 억 달러의 원조를 받는 것이 국가를 부흥하게 하는 가장 빠른 길임을 역사를 통해 배운 것이다. 국제 외교를 비꼰 이 풍자 코미디는 툴리 바스콤이 이끄는 궁수 부대가 의도치 않은 승리를 거두면서 복잡해진다.

비중 있는 배역이 많은 이 작품은 협동을 경험하기에 더할 나위 없이 좋다. 무대는 간단해도 좋지만 화살이 날아다니는 장면에서는 사고가 나지 않도록 빈틈없이 안전 조치를 마련해 두어야 한다.

『미술관Museum』 티나 호위Tina Howe 지음

▶ 남자 역 16명 이상 ▶ 여자 역 22명 ▶ 공동 배역이면 인원이 더 적어도 가능

현대 미술계와 후원자들을 신랄하게 묘사한 작품이다. 현대 미술 화랑을 배경으로 다양하고 흥미로운 군상들이 예술 작품을 감상한다.

이 작품에서 유일하게 두드러지는 문제점은 극중 인물 누구도 변화하지 않는다는 것이다. 그 대신 작가는 풍자적 어조를 통해 폭넓은 메시지를 전하는데 주력한다. 그래도 꼬리를 물고 등장하는 매력적인 인물들 덕에 아주 흥미진진하면서 때로는 신나게 웃을 수 있는 작품이다. 이 연극을 무대에 올릴 때 가장 큰 어려움은 기괴한 형상의 현대 조각상과 아주 정교하게 제작한 빨래줄, 거기에 매달린 마네킹을 제작하는 것이다.

『니콜라스 니클비Nicholas Nickleby』 팀 켈리Tim Kelly 각색

▶ 남자 역 15명 이상 ▶ 여자 역 15명 이상

찰스 디킨스Charles Dickens의 동명 소설을 멋지게 각색한 희곡으로, 왝포드 스퀴어스가 운영하는 두더비 홀에서의 혹독한 생활부터 크럼리스 극단을 거쳐 취어리블 형제의 사무실에 이르는 니콜라스의 삶을 따라간다. 언어는 때로 밋밋하다. 소설의 폭넓은 시야를 한 편의 연극에 다 담기란 어려운 일이지만, 인물들은 디킨스 특유의 분위기를 잘 갖고 있으며 신파적이다.

『소로가 감옥에서 보낸 하룻밤The Night Thoreau Spent in Jail』
제롬 로렌스Jerome Lawrence/ 로버트 E. 리Robert E. Lee 지음

▶ 남자 역 11명 ▶ 여자 역 6명

베트남전 반전 운동이 한창이던 시기에 나온 작품이다. 헨리 소로Henry Thoreau가 멕시코 전쟁에 자금으로 쓰일 세금 납부를 거부하고 감옥에서 하루를 보냈던 사건을 극화했다. 소로가 과거를 회고하는 형식으로 에머슨Emerson을 추종하던 젊은 시절, 학교를 세우려던 시도, 운 나쁘고 서툴렀던 연애, 잡역부로 일하던 시절, 도망친 노예와 친구가 되었던 일 등을 보여 준다.

이 영리한 희곡에서는 소로의 예리한 관찰을 곳곳에서 만날 수 있으며, 주변 인

물들의 묘사도 탁월하다. 꿈속에서 싸움을 벌이는 마지막 장면은 고도의 음향, 조명 효과가 필요하다.

『일생에 한 번Once in a Lifetime』

조지 카우프만George Kaufman/ 모스 하트Moss Hart 지음

▶ 남자 역 24명 ▶ 여자 역 14명 ▶ 공동 배역 가능

1920년대를 배경으로 하는 이 할리우드 코미디는 '유성 영화'가 발명되면서 반짝 특수를 누렸다가 사양길에 접어든 세 명의 보드빌 공연자들의 파란만장한 삶을 보여 준다. 영화계의 거물들, 독일인 감독들, 하대 받는 영화 작가, 괴짜 비서들, 화려한 외모로 돈 많은 남자를 노리는 여자들, 장래가 촉망되는 신인 여배우들 등 별나고 개성 강한 인물들의 틈바구니 한중간에 조지라는 인물이 있다. 우둔하지만 마음씨 좋은 조연 배우인 그는 나중에 할리우드에서 가장 성공한 영화 제작자가 된다.

실내 장면도 종류별로 여러 개가 필요하고 화려한 드레스도 만들어야 하는 복잡한 작품이지만, 쾌활한 대화와 강렬한 인물들이 그만큼의 매력을 보장한다.

『옹딘Ondine』 장 지로두Jean Giraudoux 지음

▶ 남자 역 15명 ▶ 여자 역 12명

물의 정령과 사랑에 빠진 한 기사의 매혹적이지만 불행한 이야기다. 프랑스어 작품으로 의욕적인 프랑스어 교사의 지도 아래 축약해 프랑스어로 무대에 올린 적이 있다.

『우리 읍내Our Town』 손톤 와일더Thornton Wilder 지음

『우리 읍내』, 오세곤 옮김, 예니(2013년)

▶ 남자 역 17명 ▶ 여자 역 7명

손톤 와일더는 20세기 초반 뉴햄프셔의 작은 마을을 애정 어린 눈으로 보편적 진실을 전한다. 그의 천재성은 조지 깁스와 에밀리 웹처럼 지극히 평범한 인물의 특별할 것 없는 일상 속에서 비범한 것을 찾아내는 능력에 있다. 마지막 장에서

는 정신세계에서의 삶과 함께 죽은 자와 산 자 사이의 감동적인 관계에 대해 이야기한다. 미국 연극의 고전이라 할 수 있는 작품이다.
소품을 최소한으로 사용하도록 작품을 구성했기 때문에 무대 연출이 놀랍도록 간단하고 쉽다. 의자 몇 개와 사다리 하나면 충분하다.

『페르 귄트Peer Gynt』 헨릭 입센Henrik Ibsen 지음/ 폴 그린Paul Green 각색

『페르 귄트』, 곽복록 옮김, 신원문화사(2006년)

▶ 남자 역 26명 ▶ 여자 역 12명

입센의 걸작인 이 작품은 자기 만족만을 추구하며 다른 사람을 무책임하게 짓밟고 다니는 거칠고 허세 가득한 젊은 남자에 관한 이야기다. 낯선 땅에서 좌충우돌하면서 가는 곳마다 재앙을 남기던 그는 마침내 단추 만드는 사람과 대면하면서 자기 이기심이 만든 결과를 깨닫는다.
서사시적 규모와 웅장하고 장대한 시야를 갖춘 작품이다. 길이가 워낙 길어서 그대로 무대에 올리기 어렵기 때문에 편집 작업을 심각하게 고려해야 한다. 트롤왕의 궁정 장면은 안무를 멋지게 짜 볼 수 있는 좋은 기회다. 그리그Grieg의 음악도 결합시켜 볼 수 있다. 주인공 페르는 분량과 비중 모두 엄청난 역할이기 때문에 우리는 세 명의 배우가 한 막씩 나누어 연기하게 했다.

『벼랑 끝 삶The Skin of Our Teeth』 손톤 와일더Thornton Wilder 지음

『벼랑 끝 삶』, 김경옥 옮김, 동인(2004년)

▶ 남자 역 25명 ▶ 여자 역 11명 ▶ 공동 배역 추천

퓰리처상을 수상한 와일더의 이 풍자극은 오랜 세월 동안 앤트로부스 가족이 겪는 사건들을 보여 준다. 그들이 시대도 전혀 맞지 않는 별난 이야기 속에서 『구약성서』에 나올 법한 재앙, 시시각각 다가오는 빙하기에 맞서 고군분투하는 장소는 각각 뉴저지 근교, 애틀랜틱시티, 지구 종말 대전쟁이 끝난 이후의 어느 곳이다. 이야기마다 배어 있는 인간성에 대한 손톤 와일더의 깊은 신뢰로 인해 웃음과 함께 감동을 주는 작품이다.
총 3막으로 이루어졌으며 각각은 어떤 의미에서는 서로 연결되면서도 독립적이

기 때문에 이중 또는 삼중으로 역할을 맡아도 큰 문제가 없다. 슬라이드 상영을 위한 영사막과 선사 시대 동물 분장이 필요하다.

【유혹Temptation】 바츨라프 하벨Vaclav Havel 지음

▶ 남자 역 8명 ▶ 여자 역 7명

파우스트의 전설에 한 발을 걸친 블랙 코미디다. 우리 시대 작가면서 정치가로 변신한 하벨은 이 작품을 통해 관객에게 철의 장막이 걷히고, 베를린 장벽이 무너지기 전 동유럽의 삶을 엿보게 해 준다.

【밀크우드 아래서Under Milkwood】 토머스 딜런Dylan Thomas 지음

▶ 남자 역 29명 ▶ 여자 역 28명 ▶ 다수의 공동 배역

원래 라디오 드라마를 위해 쓴 서정성 풍부한 이 대본은 연극 애호가뿐 아니라 언어의 유려함을 사랑하는 사람들에게 성찬과 같은 작품이다. 새벽 깊은 잠부터 개인적인 저녁 일과까지 웨일즈 어촌 마을 사람들의 비밀스러운 꿈과 일상생활을 보여 준다. 토마스는 모두가 공감할 수 있는 소망과 비탄을 마음 깊이 간직한, 지극히 평범하면서도 인상적인 사람들이 살아가는 세상을 애정 어린 눈길로 창조한다.

이 비범한 작품은 우리에게 진정한 협동 작업을 경험해 볼 기회를 제공한다. 특별히 비중이 큰 역할이 없으며 다채로운 색깔의 다양한 인물들이 등장해서 몇 줄 안 되는 대사로 우리 가슴에 확실한 인상과 여운을 남긴다. 수십 개의 짧은 장면들과 내레이션이 얽혀 있기 때문에 매끄럽게 장면을 전환하는 것이 가장 중요하고 어려운 과제다. 여러 장면에 두루 쓰일 수 있도록 무대 공간을 복합적으로 연출하고, 배경에서는 대강의 분위기만 전달하는 것이 좋다.

셰익스피어 작품

셰익스피어의 희곡들은 우리 학교 연극에서 한 해도 거르지 않고 등장하는 소재이며, 영화와 드라마로도 워낙 자주 만들어지다 보니 모르는 사람이 별로 없다. 앞서 말한 것처럼 타의 추종을 불허하는 탁월한 언어 사용, 잊을 수 없는 인물들, 심금을 울리는 주제 등 여러 이유로 인해 청소년들과 작업하는 연출자들은 저절로 그의 작품에 눈을 돌리게 된다. 하지만 여자 역할이 적다는 치명적인 단점이 있다. 어렵고 비중 있는 역할에 관심 있는 여학생들은 남자 역할을 맡는 수밖에 없다. 가장 성공리에 공연했던 작품에 다음과 같은 것들이 있다.

『좋을 대로 하시든지As You Like It』

『헷갈려 코미디A Comedy of Errors』

『윈저의 유쾌한 아낙네들The Merry Wives of Windsor』

『한여름 밤의 꿈A Midsummer Night's Dream』

『헛소동Much Ado About Nothing』

『로미오와 줄리엣Romeo and Juliet』

『말괄량이 길들이기The Taming of the Shrew』

『폭풍우The Tempest』

『십이야Twelfth Night』

『베로나의 두 귀족Two Gentlemen from Verona』

『겨울 이야기A Winter's Tale』

『겨울 이야기』를 공연했던 경험에 비추어 볼 때, 청소년들에게는 비극이나 역사물보다 희극과 로맨스가 소화하기 쉽다. 하지만 배우진을 제대로 꾸릴 수 있으면 『햄릿』이나 『리어왕』, 『맥베스』도 고려할 수 있다.

실제로 공연을 해 본 적은 없지만 고려 대상이었던 작품들

『서민 귀족The Bourgeois Gentleman』 몰리에르Moliere 지음

『몰리에르 희곡선』, 민희식 옮김, 범우(2012년) 외 다수의 번역본

▶ 남자 역 8~12명 ▶ 여자 역 4~8명

신분에 집착하는 사람들의 가식을 풍자적인 시선으로 바라본다. 아주 폭넓게 연기할 수 있는 배역이 많다. 귀족이 되고 싶은 신사가 사기꾼과 가족 같은 사람에게 속아 넘어간다.

『형편없는 연기 II The Coarse Acting Show II』 마이클 그린Michael Green 외 지음

▶ 변동 가능한 캐스팅

네 편의 단막극에서 각각 『모비 딕Moby Dick』, 『벚꽃 동산The Cherry Orchard』, 셰익스피어의 『헨리 왕』 희곡들, 그리고 아방가르드 장르를 패러디한다. 몬티 피톤스러운 분위기로 불손하며, 탐탁스럽지 않은 취향도 간혹 보이지만 아주 재미있다.

『8시의 저녁 식사Dinner at 8』 조지 S. 카우프만George S. Kaufman/ 에드나 퍼버Edna Ferber 지음

▶ 남자 역 14명 ▶ 여자 역 11명

겉으로 보기에는 상류층의 화려한 저녁 파티 자리다. 하지만 하인들까지 합세한 음모의 도가니가 웃음과 감동을 동시에 준다.

『굿 닥터Good Doctor』 닐 사이먼Neil Simon 지음

『굿 닥터』, 박준용 옮김, 포도원 (1992년)

▶ 변화 가능한 캐스팅

닐 사이먼은 몇 편의 체호프 작품을 버무려 짧은 장면들로 이루어진 배꼽 잡는 작품을 썼다. 은행 지배인에게 장광설을 늘어놓는 한 남자, 여자를 유혹하려는 남자, 3루블을 받고 물에 빠져 죽으려고 하는 남자가 등장한다.

【그 여자는 화형 시킬 수 없어The Lady' s Not for Burning】
크리스토퍼 프라이 Christopher Fry 지음

▶ 남자 역 8명 ▶ 여자 역 8명

운문극 형식의 희극으로 노인을 개로 변하게 했다는 죄목으로 고발당한 한 매력적인 여자의 이야기이다. 여러 명의 남자가 마녀로 몰린 여자의 사랑을 얻기 위해 경쟁하며 사랑 싸움을 벌인다.

【서쪽 나라에서 온 플레이보이The Playboy of the Western World】
J. M. 씽Synge 지음

『서부지방 제일의 사나이』, 손동호 옮김, 동인(2016년)

▶ 남자 역 7명 ▶ 여자 역 5명

이 서정적 이야기의 무대는 아일랜드의 한 술집이다. 한 젊은이가 나타나 폭력을 휘두르던 아버지를 방금 죽였다고 떠벌린다. 죽었다던 사람이 두 발로 걸어 나타날 때까지 그는 영웅으로 칭송받고 두 여자는 서로 그의 마음을 두고 티격태격한다.

【계엄령State of Siege】 알베르 까뮈Albert Camus 지음

▶ 남자 역 24명 ▶ 여자 역 10명

전형적인 독재자로 의인화된 페스트와 데스(죽음)라는 이름의 여비서는 스페인의 한 도시에서 공포 정치를 행하고, 마을 사람들의 본질적인 인간성을 제거하려 한다. 단 한 사람의 용기와 사랑이 페스트를 물리친다.

【거리 풍경Street Scene】 엘머 라이스Elmer Rice 지음

▶ 남자 역 16명 ▶ 여자 역 11명

퓰리처상을 수상한 이 희곡은 뉴욕 시에서 살아가는 사람들의 삶을 묘사한다. 추악한 치정 사건, 이중 살인 등 성인용 주제도 일부 나온다. 이제 고전의 반열에 오른 이 작품에서는 다양한 사람들의 목소리, 사회적 동요, 도시 생활의 리듬을 만날 수 있다.

【도둑들의 무도회La Bal Des Voleurs】 장 아누이Jean Anouilh 지음

▶ 남자 역 10명 ▶ 여자 역 5명

쇠락한 휴양지 마을에서 귀족 부부와 매력적인 두 조카딸이 세 명의 도둑과 우연히 만나면서 벌어지는 절도와 연애 이야기. 젊은 소매치기들이 아가씨들과 사랑에 빠지면서 문제가 꼬인다.

【문 앞의 호랑이Tiger at the gates】 장 지로두Jean Giraudoux 지음

▶ 남자 역 16명 ▶ 여자 역 7명

이 20세기 희곡은 호머가 『일리아드』에서 그린 그리스와 트로이의 대결을 새롭게 해석한다. 헥토르가 전쟁을 찬미하는 데 환멸을 느끼고, 아름답지만 감동이 없는 헬레네에게 돌아가기로 결정하는 이야기가 중심이다.

【당신 삶의 시간The Time of Your Life】 윌리엄 샤로얀William Saroyan 지음

『생의 어느 하오』, 이기석 옮김, 한그루(1976년)

▶ 남자 역 18명 ▶ 여자 역 7명

퓰리처상을 수상한 샤로얀의 이 작품은 행복을 추구하는 생동감 넘치는 인물들이 단골로 드나드는 한 부둣가 선술집을 중심으로 이야기를 펼친다.

【앵무새 죽이기To Kill a Mockingbird】
하퍼 리Harper Lee 원작 소설/ 크리스토퍼 세겔 Christopher Sergel 각색

『앵무새 죽이기』 김욱동 옮김, 열린책들(2015년) 외 다수 번역본

▶ 남자 역 11명 ▶ 여자 역 9명

남부의 작은 마을을 무대로, 편견에 맞서 싸우는 한 가족의 이야기를 따뜻하고 감동적으로 그렸다.

【오늘밤 8시 30분Tonight at 8:30】 노엘 카워드Noel Coward 지음

아홉 편의 단막극으로 카워드 특유의 재간과 흥행력이 돋보인다.

【오늘 밤 우리는 되는 대로 해 볼 거야Tonight We Improvise】
루이지 피란델로Luigi Pirandello 지음

▶ 50명 정도
피란델로의 혁신적인 이 작품에는 한 남자의 구애를 받는 부인과, 그 부인의 친척들이 제정신이 아님을 알게 된 남자가 등장한다. 배우들은 즉흥 연기를 펼치면서 맡은 인물에서 수시로 벗어나 관객에게 직접 말을 걸고 마임을 한다. 이 모든 것이 피란델로가 연극 속에 짜 넣은 테크닉이다.

【그것을 가져갈 수는 없다You Can' t Take It With You】
조지 S. 카우프만Greorge S.Kaufman/ 모스 하트Moss Hart 지음

▶ 남자 역 12명 ▶ 여자 역 7명
카우프만과 하트는 관객들에게 별난 가족과 친구들에 관한 배꼽 잡는 이야기를 들려준다. 러시아인 레슬링 선수, 8년 전에 며칠 머물다 가라고 초대받았던 얼음 배달원, 뱀을 수집하는 할아버지, 소화불량에 시달리느라 피골이 상접한 기업계 거물, 그리고 젊은 연인들이 등장한다.

희곡을 찾는 가장 좋은 방법은 '새뮤얼 프렌치 출판사Samuel French Publishing Company', '드라마틱 퍼블리싱 컴퍼니Dramatic Publishing Company', '베이커스 플레이즈Baker's Plays'에서 출간한 도서 목록을 살펴보는 것이다. 좀 오래되긴 했지만 테오도르 섕크Theodore Shank의 『간추린 희곡 500Digest of 500 Plays』도 도움이 될 것이다.

『시학Poetics』 아리스토텔레스Aristotles 천병희 옮김, 숲, 2017
『낭만주의의 성숙Romanticism Comes of Age』 오웬 바필드Owen Barfield, Great Britain: Rudolf Steiner Press, 1966
『세상에서 가장 큰 혀꼬임 말 책The Biggest Tongue Twister Book in the world』 자일스 브랜드레스Gyles Brandreth, New Jersey: Wings Books, 1992
『배우와 일반인을 위한 게임Games for Actors and Non-Actors』 아우구스토 보알Augusto Boal, New York: Routledge, 1992
『창 던지는 사람The Spear Thrower』 피터 브리몬트Peter Bridgmont, Ireland: An Grianan, 1983
『배우, 말하기, 자유Liberation of the Actors』 피터 브리몬트Peter Bridgmont, 푸른씨앗, 2017
『텅 빈 무대The Empty Stage』 피터 브룩Peter Brook, New York: Atheneum, 1987
『미하일 체홉의 배우에게To the Actor』 미하일 체호프Michael Chekhov, 김선, 문혜인 옮김, 이은서 감수, 동인, 2015
『성당 살인 사건Murder in the Cathedral』 T.S. 엘리엇T.S. Eliot, 김한 옮김, 동인, 2007
『새로운 게임 책The New Games Book』 앤드류 플루겔만Andrew Fluegelman, 편집, Garden City, New York: Headlands Press, 1976
『세 편의 희곡Three Plays』 크리스토퍼 프라이Christopher Fry, New York: Oxford University Press, 1973

『분노의 포도Grapes of Wrath』 프랭크 갈라티Frank Galati, 김승옥 옮김, 민음사, 2008
『기적을 만든 사람들The Miracle Worker』 윌리엄 깁슨William Gibson, New York: Samuel French Publishing Co., 2000
『파우스트Faust』 요한 볼프강 폰 괴테 Johann Wolfgang von Goethe, 정서웅 옮김, 민음사, 2009
『즉흥 연기Impro』 키스 존스톤Keith Johnstone, 이민아 옮김, 지호, 2000
『미하일 체홉이 감독과 극작가에게Michael Chekhov's To the Director and Playwright』 찰스 레오나드Charles Leonard, New York: Limelight Editions, 1984
『스타니슬라브스키와 방법론Stanislavsky and the Method』 찰스 마로위츠Charles Marowitz, New York: The Citadel Press, 1964
『아서 밀러의 무대 일기The Theater Essays of Arthur Miller』 로버트 마틴A.Robert Martin A./스티븐 센톨라R.Steven Centola R., New York: Da Capo Press, 1978
『시라노Cyrano de Bergerac』 에드몽 로스탕Edmond Rostand, 이상해 옮김, 열린책들, 2009
『겨울 이야기A Winter's Tale』 윌리엄 셰익스피어William Shakespear, 김동욱 옮김, 동인, 2015
『좋을 대로 하시든지As You Like It』 김정환 옮김, 아침이슬, 2010
『리어왕King Lear』 김정환 옮김, 아침이슬, 2008
『햄릿Hamlet』 김정환 옮김, 아침이슬, 2008

『한 여름 밤의 꿈A Midsummer Night's Dream』 김정환 옮김, 아침이슬, 2008
『헛소동Much Ado About Nothing』 김정환 옮김, 아침이슬, 2017
『맥베스Macbeth』 김정환 옮김, 아침이슬, 2008
『십이야Twelfth Night』 김정환 옮김, 아침이슬, 2010
『무대를 위한 즉흥 연기Improvisation for the Theatre』 비올라 스폴린 Viola Spolin, Northwestern University Press, 1999
『말하기와 연극 예술Sprachgestaltung und Dramatische Kunst』(GA 282) 루돌프 슈타이너Rudolf Steiner, London: Anthroposophical Publishing Company, 1959
『인간학과 수업 계획Menschenerkenntnis und Unterrichtsgestal-tung』(GA 302) 루돌프 슈타이너Rudolf Steiner, London: Anthropo-sophical Publishing Company, 1996
『고차 인식의 단계Die Stufen der h heren Erkenntnis』(GA 12) 루돌프 슈타이너Rudolf Steiner, London: Anthroposophical Publishing Company, 1996
『밀크우드 아래서Under Milkwood』 딜란 토마스Dylan Thomas, New York: New Directions, 1954
『풀잎Leaves of Grass』 월트 휘트먼Walt Whitman, 허현숙 옮김, 열린책들, 2011
『세 편의 희곡Three Plays』 손톤 와일더 Thornton Wilder, New York: Bantam Books, 1972

*번역 출간된 것은 번역물만 참고(여러 번역본이 있는 경우 임의로 선택)

부록

- 간장공장 공장장은 간 공장장이고 된장공장 공장장은 장 공장장이다.
- 저기 있는 저분은 박 법학박사이고, 여기 있는 이분은 백 법학박사이다.
- 저기 가는 저 상장사가 새 상장사이냐 헌 상장사이냐.
- 중앙청 창살은 쌍창살이고, 시청 창살은 외창살이다.
- 한양양장점 옆 한영양점점, 한영양장점 옆 한양양장점.
- 저기 있는 말 말뚝이 말 맬 만한 말 말뚝이냐 말 못 맬 만한 말 말뚝이냐
- 앞집 팥죽은 붉은 팥 풋팥죽이고, 뒷집 콩죽은 햇콩 단콩 콩죽이고 우리 집 깨죽은 검은깨 깨죽인데 사람들은 팥죽 콩죽 깨죽 죽 먹기를 워낙 싫어하더라.
- 검찰청 쇠철창살은 새 쇠철창살이냐 헌 쇠철창살이냐.
- 내가 그린 기린그림은 잘 그린 기린그림이고 니가 그린 기린그림은 못 그린 기린그림이다
- 들고 있는 팥콩깍지는 속 꽉찬 콩깍지인가, 속 안찬 팥콩깍지인가?
- 저분이 박 법학박사의 친구 방 법학박사이고, 이분은 황 법학박사의 사돈 곽 법학박사다.

- 서울특별시 특허 허가과 허가과장 허과장
- 백합백화점 옆에 백화백화점이 있고, 백화백화점 옆에 백합백화점이 있다.
- 저기 저 뜀틀이 내가 뛸 뜀틀인가 내가 안 뛸 뜀틀인가
- 귀돌이네 담 밑에서 귀뚜라미가 귀뚤뚤뚤 귀뚤뚤뚤, 똘똘이네 담밑에서 귀뚜라미가 똘돌돌돌 똘돌돌돌
- 칠월 칠일은 평창 친구 친정 칠순 잔칫날
- 대우 로얄 뉴로얄, 철수 책상 철책상, 행당동 횡단보도, 신진 샹숑가수의 신춘 샹숑쇼우
- 내가 그린 구름그림은 새털구름 그린 그림이고 네가 그린 구름그림은 양털구름 그린 그림이다.
- 상표 붙인 큰 깡통은 깐 깡통인가? 안 깐 깡통인가?
- 우리집 옆집 앞집 뒷창살은 홑창살이고,우리집 뒷집 앞집 옆창살은 겹창살이다.
- 작은 토끼 토끼 통 옆에는 큰 토끼 토끼 통이 있고, 큰 토끼 토끼 통 옆에는 작은 토끼 토끼 통이 있다.
- 산골 찹쌀 촌 찹쌀, 갯골 찹쌀 햇 찹쌀
- 고려고 교복은 고급 교복이고 고려고 교복은 고급 원단을 사용했다.

- 멍멍이네 꿀꿀이는 멍멍해도 꿀꿀하고, 꿀꿀이네 멍멍이는 꿀꿀해도 멍멍하네.
- 생각이란 생각하면 생각할수록 생각나는 것이 생각이므로 생각하지 않는 생각이 좋은 생각이라 생각한다.
- 신춘 샹송 쇼를 샹그릴라 호텔에서 연 신진 샹송 가수 송상성 씨가 저기 저 미트 소시지 소스 스파게티는 깐쇼새우 크림 소스 소시지 소스 스테이크보다 비싸다며 단식에 들어가 호텔의 빈축을 사고 있습니다.
- 안 촉촉한 쵸코칩의 나라에 살고 있는 안 촉촉한 쵸코칩이 촉촉한 쵸코칩 나라의 촉촉한 쵸코칩을 보고 촉촉한 쵸코칩이 되고 싶어 촉촉한 쵸코칩의 나라에 갔는데, 촉촉한 쵸코칩 나라의 문지기가 '넌 촉촉한 쵸코칩이 아니라 안 촉촉한 쵸코칩이니 안 촉촉한 쵸코칩의 나라로 돌아가라'라고 해서 안 촉촉한 쵸코칩은 촉촉한 쵸코칩이 되는 것을 포기하고 안 촉촉한 쵸코칩의 나라로 돌아갔다.

2. 파란만장 8학년 연극 제작기

공연 시작 5분 전, 큰 실수 없이 무사히 잘 넘기게 해 달라고 천사에게 기도라도 해야 할 판이었는데 사실 그럴 만한 여유도 없었다. 무대 감독도, 아이들이 대사를 까먹었을 때 대사를 읽어 줄 프롬프터도 정해 놓지 않은 상태였기 때문에 나는 관객이 입장하기 직전까지 무대 앞뒤를 뛰어 다녀야만 했다. 게다가 한 학생이 자기가 신을 신발을 잃어버려서 그걸 함께 찾느라 동분서주했다. 벌써 밖에는 30분 전부터 꼬마 관객들이 길게 줄을 서서 8학년 연극을 기다리고 있는 중이다.

장면 전환을 위해 칠 수 있는 무대 막도 없는 공연장이었기 때문에 조명을 어둡게 해서 다시 켜는 것을 신호로 공연의 시작을 알렸다. 조명이 꺼지고 다시 켜지던 그 10초 동안 나는 아주 잠깐 숨을 돌리고, 공연에 내 모든 에너지를 보내 주었다.

마침내 『맹 진사 댁 경사』의 맹 진사가 큰 소리로 호통을 치며 관객석 쪽에서 무대로 입장을 했다. 숨죽여 연극에 몰입하기 시작하는 관객들. 교사가 되고 처음 작업한 연극 공연은 이렇게 시작했다.

한국 최초의 발도르프학교인 과천자유학교(현 청계자유 발도르프학교)에서 선배 학년인 7학년과 8학년(2008년)은 발도르프학교에서 해야 하는 것은 무엇이든 가장 먼저 '해내야만' 했다. 새로 '되어가는' 학교였기 때문에 학생들은 항상 지금까지 없었던 것을 새로 만들어 나가야 하는 개척자의 위치에 서 있었다. 그래서 선배들로부터 보고 배운다거나 선배들이 해 왔던 것을 물려받아 쓰는 일은 있을 수 없었다. 힘든 점이 정말 많았지만, 그랬기 때문에 학생들은 세상의 어떤 어려운 일이라도 한번 해 볼만 하다는 것을 배울 수 있었다. 그리고 무슨 일이든 늘 처음 시작하는 상황이었기 때문에 항상 많은 사람의 호응과 사랑을 받을 수 있다는 것이 큰 장점이었다.

그래서인지 '8학년 연극'이라는 작업을 처음 해 보는 우리의 십 대들은 항상 진지했다. 가끔은 교사보다도 예술성에 대한 기준이 높아서 끊임없이 고치고 연구해서 완벽하게 완성해 내려고 하는 학생도 있었다. 물론 남 앞에 나서기 싫어하는 학생들은 도대체 8학년 때 연극을 해야 하는 이유가 무엇이냐고 질문하기도 했고, 새로운 것에 도전하는 것을 주저해 무기력에 빠진 학생들도 있었다. 심지어는 방과 후나 주말에 학교에 나와서 연습을 해야 한다는 것 자체를 싫어하는 학생도 있었다.

하지만 연극 공연을 마치고는 단 한 명도 연극의 의미에 대해서 질문하지 않았고, 눈빛이 반짝 거리지 않은 학생이 없었다. 우리가 연극을 준비한 몇 달의 시간이 결국 학생들의 질문에 답이 되어 주었고, 각자에게 각각 다른 의미를 가져다 주었기 때문이다.

사전 준비와 희곡 선정

8학년 연극을 위해서 7학년 때부터 학생들과 함께 많은 희곡을 읽었다. 역사 수업에서 다루었던 주제인 로마 이야기를 바탕으로 셰익스피어의 『줄리어스 시저Julius caesar』의 일부를 발췌해 시를 낭송하듯 함께 읽어 보았고, 남학생들보다 더 빨리 성숙해지고 있는 여학생들을 위해 특별히 조지 버나드

쇼의 『잔 다르크Jeanne d'Arc』를 함께 읽어 보기도 했다. 하지만 우리말로 쓰인 작품이 아닌 번역 작품이어서 우리 언어로 다시 소화해서 읽는 것이 어려웠다. 물론 시처럼 쓰인 셰익스피어의 작품을 읽으면서, 작품 아래에 잠재되어 있는 본질적 가치들을 역사책에서보다 더 진하게 배울 수 있었지만, 우리에게는 우리 말 그 자체의 즐거움을 느낄 수 있는 작품이 필요했다. 그래서 7학년 말에는 국어 시간을 할애해서 『춘향전』을 희곡으로 각색한 작품을 함께 읽어 보았다. 모두가 알고 있던 이야기임에도 학생들은 말의 참 재미를 느끼면서 즐겁게 작품을 읽어 나갈 수 있었다. 그해 겨울, 기나긴 겨울 방학 동안 나는 우리 반에 맞는 극을 찾기 위해 무던히도 많은 책을 뒤져야만 했다.[*]

내가 희곡을 선정한 기준은 1)우리말의 재미를 찾을 수 있는 우리 극, 2)우리 반 전체의 분위기와 어울리는 극, 3)학급 전체뿐만 아니라 학생들 개인에게도 도움을 줄 수 있는 극, 이 세 가지였다. 특별한 기준은 아니었지만 우리 반 학생들 열한 명 각각을 떠올리고, 거기에 전체 학급의 분위기를 동시에 생각하다 보니, 이 기준을 백 퍼센트 만족시키기가 쉽지 않았다. 또 청소년들에게 적합한 한국 희곡을 찾는 일이 매우 힘들었다. 우리나라에도 훌륭한 희곡 작품이 많았지만, 청소년들이 소화해 내기에는 다소 어렵고 추상적인 이야기들이 주를 이루었다. 또 역사적 사건을 바탕으로 창작된 희곡들은 치정에 치우친 이야기들이 많은 비중을 차지하고 있거나, 보편하고 본질적인

* 『청소년을 위한 단막 희곡선집』, 『명작 학생극 공연 대본집』 등과 같이 청소년들이 해 볼 수 있는 희곡을 모아 놓은 단행본들뿐만 아니라, 함세덕, 오영진, 이강백, 이근삼, 오태석 등 우리나라를 대표하는 희곡 작가들의 작품을 훑어보았고, 몰리에르, 셰익스피어와 같이 서양의 작가들 중에서도 재치 있는 언어로 희곡을 썼던 작가들의 작품을 보았다. 경험상 8학년 단계에서는 비극보다는 희극을 하는 것이 더 어울린다고 생각한다. 또 〈사운드 오브 뮤직〉, 로미오와 줄리엣을 각색한 〈웨스트사이드 스토리〉 등 학생들이 즐겁게 할 수 있을 만한 뮤지컬 작품들도 참고했다. 이외에 각 학급의 상황과 학생들의 상황에 맞게 다른 극을 찾아볼 수 있을 것이다.

교훈보다는 특정 추상 개념에 대한 강렬한 이미지를 나타내는 극이 많았다. 그래서 이런 저런 고민 끝에 이야기의 전개가 명확하면서도, 우리말의 재미를 느낄 수 있으며, 누구나 공감할 수 있는 보편한 교훈을 담고 있는 오영진의 『맹 진사 댁 경사』를 최종 작품으로 선정하게 되었다.

말하기 연습 (서상권 선생님*께서 학생들과 함께 수업하신 내용이다.)

12월 23일을 공연 날로** 확정하고, 우리는 5월 말부터 아침 수업 시간의 일부를 할애해서 말하기 연습을 하고 일주일에 한 번 연극에 관한 활동을 할 수 있는 시간을 가졌다. 연극을 해 본 적은 있지만 연극을 전문적으로 배우거나 학생들과 함께해 본 경험이 없었기 때문에 나 혼자 학생들과 작업할 수는 없었다. 그래서 오랫동안 연극과 말하기에 대해서 연구해 오신 서상권 선생님과 함께 공동 작업을 하게 되었다. 가장 먼저 우리는 말하기 연습을 시작했다. 1학기에는 기본적인 말하기 훈련을 탄탄하게 하는 것이 우리의 계획이었다. 말에는 정신이 들어 있다는 것이 전제였고, 그렇기 때문에 어떤 말을 하더라도 의식적으로 하는 것이 이 말하기 훈련의 목표였다. 이를 위해서 일상적이면서도 동시에 공적인 말하기를 연습해 보았다. 일상적인 말처럼 자

* '연희단 거리패'에서 오랫동안 활동하시고, 국립극장 보이스 트레이너 및 대학 연극 영화과에서 발성, 말하기 수업을 여러 해 동안 맡아 오셨다. 과천자유학교와 인연이 되어, 학생들과 함께 연극 작업을 하셨다.

** 12월 말에 공연을 할 경우 많은 단점이 있어서, 그 다음해에는 12월 초로 공연 날짜를 조정했다. 12월 말에 연극이 끝남과 동시에 학사 일정도 끝이 난다. 그래서 학생들이 연극을 했던 과정을 정리하고 감정을 함께 공유할 시간이 없어서, 방학 때 아주 힘들어 했다는 것이 가장 큰 이유였다. 그 다음 몇 가지 실질적인 이유는 연말이 되면 학교의 다른 일정들과 많이 겹쳐서 교사, 학생, 학부모 모두에게 엄청난 일이 될 뿐 아니라, 연말이라 공연장을 빌리기가 쉽지 않다는 점이다.

연스러우면서도 자신의 말을 조절하고, 대상을 '향해' 말하는 것이 이 연습의 내용이다. 이를 위해서 우리는 '책 읽어 주기' 활동을 해 보았다. 자기가 읽고 싶은 책이나 이야기를 선정하고 그 이야기를 학급 친구들 앞에서 읽어 주는 활동이다. 단 책을 보고 읽으면서도 마치 자기가 방금 지어낸 이야기인 것처럼 뻔뻔스럽게 읽는 것이다.

쿠바의 담배 공장에는 공장 노동자들의 능률을 높이기 위해서 공장 안에 책 읽어 주는 사람이 있었다고 한다. 책 읽어 주는 사람은 사람들 사이의 높은 의자에 앉아 책이며 잡지, 신문 등을 읽어 주었는데, 사람들은 끊임없이 담배를 말고 또 말면서 그 사람이 읽어 주는 이야기에 귀를 기울였다. 그런데 이야기에 귀를 기울일 수 있었던 이유는 책 읽는 사람이 단순히 낭독을 했기 때문이 아니라, 능청스럽게 자기의 생각까지 곁들여서 마치 '세상을' 읽어 주는 것 같았기 때문이다. 이를 테면, "어허… 이 사람들 이거 큰일 났구먼… 또 사고가 터졌네!… 가만 있어보자, 지난밤에 글쎄 그 남자가 높은 담벼락을 넘어 달아났지 뭔가."라는 식으로 아주 생생하게 이야기를 하는 것이다. 이렇게 이야기를 읽어 주면 공장 안은 차분해졌고, 바스락 거리며 담배 마는 소리만 들려올 뿐이었다. 그날 다 듣지 못하고 일이 끝나면, 노동자들은 다음 날 일찍부터 나와 자리에 앉아 그의 낭독을 기다렸다. 책 읽어 주는 사람이 얼마나 잘 하느냐에 따라 공장의 담배 생산량과 불량률이 달라질 정도였다. 지금으로 치면 스카우트 경쟁도 치열했는데, 다른 공장에서 책을 잘 읽는 사람을 웃돈을 주고 모시고 가면, 그 사람의 낭독에 울고 웃던 노동자들도 따라서 공장을 옮기기도 했다고 한다. 우리 옛 장터의 전기수도 이와 비슷하다. 전기수는 말 한 마디로 사람들을 울고 웃기며, 중요한 순간에 이야기를 멈춰서 제법 돈이 모일 때까지 이야기를 하지 않았다. 그래도 사람들은 그 이야기를 듣기 위해 아낌없이 돈을 던져 주었고, 전기수가 늘어놓는 이야기를 진짜처럼 받아들여 전기수를 해친 사건도 있었다고 하니, 말하기의 힘이란 이렇게 대단한 것이다.

학생들은 미리 준비하지 않고 학급 문고에 꽂힌 책 하나를 집어 들고 친구들 앞에서 바로 이야기를 시작한다. 물론 읽는 학생도 처음 보는 이야기이기 때문에 자꾸 책을 들여다 보아야 하지만, 의식과 감각과 마음을 한 곳으로 모으면 마치 자기 이야기처럼 신나게 할 수 있다. 그야말로 재현과 즉흥의 하모니가 이루어지는 순간이다. 이 활동을 통해서 학생들은 사람들 앞에서 어떻게 말을 해야 다른 사람들이 자기의 이야기에 집중하는지 알 수 있었고, 무엇보다도 원초적인 말하기의 즐거움에 대해 알게 되었다. 즉 '전달'이 되도록 말을 하는 것이다. 이렇듯 다른 사람을 위해 최선을 다해 글을 읽게 되면, 그 글 때문에 자기가 사라지는 것이 아니라 말하는 사람과 듣는 사람 사이에 어떤 기류가 형성이 된다. 이 기류가 말하기와 말하는 사람을 새롭게 만들어 주는 원천이 된다. 이 활동을 하면서 학생들은 자기들이 가진 문제점에 대해서 스스로 이야기를 하기 시작했다.

- "앞에 서서 말하는 게 민망해서 이야기를 빨리 읽어 버리고 들어가야겠다는 생각을 했어요."
- "말을 빨리 해치워야겠다고 생각했어요. 그래서 말을 너무 빨리 한 것 같아요."
- "기계처럼 줄줄 읽기만 했어요."
- "너무 과장해서 말한 것 같아요."
- "듣는 사람들을 배려하지 않고, 내 중심으로 말한 것 같아요."

학생들이 이렇게 자기의 어려움을 인식하고 난 뒤, 이야기를 다시 읽으면 처음과는 완전히 다른 형태로 읽어 나갈 수 있다. 그리고 자기보다 더 재미있게 읽은 다른 학생들을 보면서, 어떤 점을 더 고칠 수 있는지 본능적으로 느끼게 된다. 이것은 모든 것을 스펀지처럼 흡수하는 십 대들의 힘이다. 이 시점에서 서상권 선생님은 학생들에게 몇 가지 조언을 주셨다. 바로 세 가지 방해 요소를 제거하면, 이야기를 훨씬 더 생생하게 읽을 수 있다는 것이다.

1) 복합어

2) 말을 완성하려는 의지가 없다.

3) 책과 나 사이의 공간에만 갇혀 있다.

복합어가 많은 것은 우리말의 특징 중 하나인데, 예를 들면 '가 버렸다', '살고 있었다'처럼 두 가지 단어가 합해져서 만들어진 단어들을 말한다. 이 복합어를 아무런 의식 없이 말하면, 뒷말이 흐려지는 경향이 있다. '가+버렸다', '살고+있었다'처럼 각각의 의미가 분명한 단어들을 합한 것인데도, 사람들은 지나치게 익숙하기 때문에 말들을 그냥 흘려버린다. 말하는 사람이 말을 흘리면 듣는 사람도 아무런 느낌 없이 그 말을 흘려들을 뿐이다. 그래서 마치 세 살짜리 아이가 처음 알게 된 새로운 단어를 한 자 한 자 짚으며 온 몸으로 말하는 것처럼, 말에 자기의 힘과 의식을 담아야 한다는 것이 첫 번째 조언이다. 이 이야기는 바로 두 번째 조언과도 연결된다. 말 전체를 완성하려고 하는 의지를 담지 않으면 말은 그야말로 완성되지 않는다. 허공에 떠다니며 금방 흩어져 버릴 것이다. 마지막으로 대본 혹은 책과 화자 사이의 공간이 말의 경계가 되고, 그 이상으로 말이 나아가지 못하는 것이다. 책에 빠져 글을 읽다 보면 나를 둘러싼 의식은 나와 책 사이의 공간 그 이상으로 더 뻗어나가지 못한다. 듣는 사람에게 그 이야기가 잘 들릴 리 없다.

이렇게 세 가지 방해 요소를 제거함과 동시에 세 가지 취해야 할 점도 이야기 나누었다.

첫 번째는 이야기를 하거나 말을 할 때 눈을 분명히 뜨는 것이다. 이는 눈에 힘을 주는 것이 아니라 내 눈에 들어오는 모든 시각적 요소들을 받아들이는 것이다. 그렇게 되면 말을 하는 동안 긴장감을 잃지 않고, 그 시간을 살아 있게 만들 수 있다. 이때 말은 살아 있는 새처럼 말하는 이와 듣는 이 사이를 아름답게 비행한다. 두 번째는 자신이 하는 말 하나하나를 머릿속의 촉수로 인식하는 것이다. 머릿속에는 말 하나하나를 집어주는 손(촉수)이 있고, 그 손이 말을 분명히 인지하면서 점을 찍어 준다. 그렇게 되면 지금 말하고 있는 대상에 대한 의식의 힘이 무척 좋아진다. 이를 잘 연습하면 무대 공포증에도 도움을 줄 수 있다. 분명하게 점을 찍지 않으면 자기 말에 대한 자신감을 잃고, 나를 보는 이들이 두려워지기 시작하는 것이다. 마지막으로 자기가 말하는 시간을 참고 견뎌내야 한다는 것이다. 그 시간을 견뎌 내면 말하기의 속도는 자연스레 조절된다.

말하기 훈련은 동시에 듣기 훈련이기도 하다. 무대에 오를 사람이 말만 잘하면 되지 듣는 것이 왜 필요할까라고 반문할 수 있겠지만, 잘 듣지 못하면 다른 배우들과 잘 호흡할 수 없다. 그렇기 때문에 대사를 외워서 기계적으로 하는 것이 아니라 마치 진짜 말하는 것처럼 하려면, 마찬가지로 진짜 들어야만 한다. 또한 잘 듣지 못하면 관객과의 호흡도 틀어질 수밖에 없다. 여전히 자신의 입장에서 쏟아 내는 것을 목적으로 둔다면, 보는 이 그 누가 그것을 즐길 수 있겠는가.

그래서 우리는 말하기 연습을 하면서 동시에 잘 듣는 연습도 했다. 교사가 학생들에게 이야기를 들려주고, 학생들은 그 이야기를 다 들은 뒤 기억을 떠올려서 다시 말해 보는 것이다. 이것이 듣기 연습 중 하나이다. 상대방의 말을 정확히 들은 학생은 자기의 말도 정확히 해 낼 수 있었다.

이런 말하기 훈련은 이후 연극 막바지에 학생들이 대사를 외워야 하는 상황이 왔을 때도 아주 큰 도움이 되었다. 대본을 들고 연습을 할 때 모든 대사를 마치 진짜 자기의 말처럼 해 보았던 것이 결국 자연스럽게 자기의 것이 되었다. 학생들은 대본으로부터 자유로워져 나날이 나아졌다. 결과적으로 아주 기계적으로 대사를 달달 외우는 학생은 단 한 명도 없었다.

1학기가 끝나 갈 무렵, 말하기 훈련을 마무리 하면서 우리는 둥그렇게 둘러 앉아 나뭇잎 한 장을 놓고 이야기를 나누었다. 서상권 선생님이 아이들에게 질문했다.

"지금 이 나뭇잎을 보고 떠오르는 것이 뭐지?"

"초록색, 수건, 벌레, 가져오고 싶다, 모르겠다, 다람쥐, 숲…"

"자, 그럼 이제 이 나뭇잎을 본 다음에 우리 주변이나 풍경을 한 번 둘러보고 떠오르는 것은?"

"공간, 모든 게 다 있었네, 나뭇잎들, 어색함, 외로움, 무언가 품고 있다…"

"마지막으로 먼저 이 나뭇잎을 보고, 그리고 우리 주변과 전체를 보고, 그 다음에 나를 본다면 이제 무엇이 떠오르지?"

"다름, 끈, 색깔, 내 것, 없다, 더 이상, …"

"자, 얘들아. 우리의 이야기가 점점 달라지고 있지? 우리가 받아들이고 있는 정보가 바뀌고 있는 거지. 이렇게 세상을 어떻게 바라보는지에 따라서 입에서 그리고 머리에서 나오는 말이 달라질 수 있어. 우리는 왜 연극을 공부할까?"

"연기 잘하려고요…."

"단순히 연기를 잘하려고 하는 것만은 아니겠지. 공간이 달라지면 우리에게서 나오는 말도 달라지지. 모든 말은 다른 공간에서 오는 거야. 그래서 말은 그냥 변하는 것이 아니라 아주 입체적으로 변하는 거지. 결국 우리는 말을 잘하기 위해서 연극을 배우는 거야. 말을 잘한다는 것은 순간순간 우리가 살아가야 하는 삶을 찾아내는 힘이 되고, 삶의 위기를 돌파하는 힘이 되고, 삶의 어려움을 이겨 내는 힘이 되고, 삶을 의미 있게 영위하는 힘이 될 거란다."

1학기의 마지막 말하기 연습을 이렇게 멋지게 마무리 지을 수 있을 줄은 몰랐다. 순간 감탄할 수밖에 없었다. '나'와 '내 주변'을 연결하고 그것을 인식하고 그것에 대해 '나'의 생각을 다시 표현해 내는 힘, 연극이 우리 아이들에게 줄 수 있는 힘이 바로 그것 아닐까. 그래서 연극을 가장 사회적인 예술이라 부르는 것이리라. 이 말을 학생들이 이해했는지 못 했는지 모르겠으나, 한 학생이 우리가 넘어야 할 2학기 도전 과제를 제시하는 질문으로 1학기 말하기 연습을 마무리 지었다.

"아, 선생님. 그렇게 말씀하시는 것을 들어보니 연극은 정말 멋있는 것 같아요. 이제 사람들 앞에서 말하는 재미도 좀 느꼈고요. 근데… 전 한 가지 문제가 있는데요. 제가 말할 때 도무지 제 손을 어디다 둬야 할 지를 모르겠어요."

그렇다. 2학기부터는 다른 사람 앞에 서서 어색하지 않게 몸을 움직이고 사용하는 방법, 그게 우리가 해결해야 할 과제가 되었다.

본격적인 연극 준비

2학기가 되어서는 본격적으로 연극 준비를 했다. 10월에 각자 배역을 정하기로 하고, 그 전까지는 여러 역할을 다양하게 경험해 보면서 대본을 읽고, 이야기의 얼개를 파악해 나가고, 인물들의 특성을 여러 가지 즉흥 연기를 통해 표현해 보았다. 국어 수업 시간과 재량 시간을 이용해 작품에 대한 분석을 하고, 작품과 관련한 설화와 작품에 나오는 소재나 소품들에 대한 조사, 이를테면 이 이야기가 어디에서 온 것인지, 이 시대 사람들이 무엇을 입고 어디에 살았는지에 대한 꽤 학문적인 조사도 해 보았다. 그리고 남학생이 여자 역할도 해 보고, 여학생들도 남자 역할을 해 보는 등 모든 학생이 모든 역할에 대해 열려 있는 기회를 가졌다. 우리는 이렇게 극과 인물에 대한 그림을 퍼즐 맞추듯 함께 그려 나갔다. 작품에 필요한 음악을 음악 선생님께서 작곡해 주시면서, 동시에 음악 시간에는 그 노래에 알맞은 가사들을 함께 만들어 보고 불러 보았다. 이렇게 과목간의 연계가 학생과 수업을 풍부하게 만들어 준다는 것을 알게되면서 다음 해 『올리버 트위스트』를 공연할 때는 미술 시간에 무대 디자인을 해 보고 그것을 바탕으로 무대 배경을 천에 직접 그려 보고, 연극의 인상적인 장면을 수채화로 나타내 연극 포스터를 제작하기도 했다. 또 목공예 시간을 이용해 무대 장치를 제작하고, 수공예 시간에 의상에 대한 준비를 함께 했다. 그야말로 종합 예술이 발현되는 순간이었다.

배역 정하기

공연을 2개월 앞두고 배역을 정했다. 그동안 연습을 통해 어떻게 배역을 정할 것인지는 이미 마음속에 있었지만, 배역을 확정하기까지 수없이 고민했다. 매일 밤마다 학생들을 떠올리며 행하는 정신적 작업이 이즈음에는 참으로 헷갈리고 흔들렸다. 과연 내가 이 학생들을 제대로 보고 있는 것인지, 정말로 이 역할이 이 학생에게 도움이 될지, 아니면 시련을 줄지. 그리고 지나친 고정 관념을 가지고 학생들을 보는 것은 아닌지 스스로를 의심하기도 했다. 또 학생들에게 본인 성격과 비슷한 배역을 주어야 할지, 완전히 다른 배역을 주어서 그것을 극복하게 해야 할지 하는 것도 큰 고민거리 중 하나였다. 결국 다음 네 가지를 조합하여, 배역을 정하기로 하였다. 첫 번째는 학생들에 대한 나의 생각, 두 번째는 학생들에 대한 동료 교사들의 생각, 세 번째는 학생들이 자기와 친구들을 바라보는 관점, 마지막으로 오디션! 일차적으로는 나의 마음속에서 배역을 확정한 다음, 고민이 되는 부분은 동료 교사들과 상의했고, 세 번째로는 학생들에게 설문지를 돌려서 그 생각을 보충하였다. 설문지에는 다음과 같은 질문이 있었다.

1) 본인이 희망하는 배역을 1지망, 2지망, 3지망 순으로 적고, 희망하는 이유를 적어 보세요. 그리고 그 인물을 어떤 사람이라고 생각하는지도 적어 보세요.

2) 8학년 친구들이 각각 어떤 배역을 맡을 때, 우리 연극이 가장 조화로워질지 적고, 그 이유도 적어 보세요.

흥미로웠던 점은 나와 동료 교사와 학생들의 생각이 거의 일치했다는 사실이다. 또 이 질문지를 통해 내가 평소에 보지 못한 학생의 모습을 다른 학생들을 통해서 더 깊이 알게 되었다. 내가 평소에 늘 장난기가 많다고 생각하는 학생에 대해, 다른 학생이 이렇게 적었다.

00역 (***): 가끔씩 나오는 진지하고 다 큰 어른 같은 모습을 보면, 이 친구는 분명 내면에 그런 힘을 가지고 있다. 이 역할을 잘 해낼 것이다.

또 학생들이 전체 연극에 대해서 얼마나 구체적인 그림을 그리고 있는지, 인물을 어떻게 이해하고 있는지를 확인할 수 있는 좋은 기회이기도 했다. 두 학생이 이렇게 표현했다.

한씨: 갑분이를 달랠 때는 포근한 엄마 같지만, 맹 진사에게는 깐깐하게 구는 여자이기 때문에 한 얼굴을 한 두 사람이라고 할 수 있다.

이미 머릿속으로 이 인물을 어떻게 연기할 것인지를 구체적으로 생각해놓은 듯했다.

00역 (***): 이 장면의 처절한 목소리 연기를 생각하면, 이 친구가 떠오를 수밖에 없다.

지문에 나와 있거나 작가가 지시한 내용이 아닌데도, 처절한 목소리까지 떠올리며 희곡을 읽었다는 것이다. 이 질문지는 여러모로 많은 것을 둘러볼 수 있는 기회였다. 아마도 학생들에게도 배역과 연극에 대한 상을 글로 정리해 볼 수 있는 기회였을 것이다. 오디션은 당연히 누군가를 붙이고, 누군가는 떨어뜨리는 시험과 같은 것은 아니었다. 단지 학생들과 일대일로 만나 인물에 대한 대화를 나누어 보고, 개인이 가진 어려움에 대해 조언해 주는 유익한 시간이 되었다. 이런 과정을 통해 배역 선정을 멋지게 해낼 수 있었다.

막바지 준비

배역을 정하고 공연 날이 가까워질수록 우리는 말과 함께 몸에 대해서 많이 생각하고 연습해 보았다. '공간 속에 어떻게 존재하는 것이 좋겠는가' 하는 것이 후반부 주제였다.(물론 학생들에게는 "어떻게 서 있을래?", "어떻게 퇴장할 거야?"같이 단순한 질문을 이용했다) 우리가 시간적 존재로서 말을 의식적으로 하고, 공간적 존재로서 몸을 의식적으로 두는 것이 전반부 연습과 후반부 연습의 결과가 된다. 그래서 우리는 학생들에게 "절대로 관객에게 등을 보이지마."와 같은 선언하는 말을 하기보다는 "네 얼굴이 안 보이니까 무슨 말을 하는지 잘 알아들을 수 없네."와 같은 사실을 설명해 주었다.

동시에 교실 밖에서는 엄청나게 많은 사람이 분주하게 움직이고 있었다. 부모님들이 무대를 제작할 만한 마땅한 공간이 없었기 때문에 주변 창고에서 무대 제작을 돕고 있었고, 의상을 빌리기 위해 더 싸면서도 가깝고 좋은 의상실을 찾느라 수많은 의상실에 전화를 하고, 눈이 벌게지게 인터넷을 검색해야만 했다. 『올리버 트위스트』에서는 의상과 소품 대부분을 제작했기 때문에 부모님들이 '녹색 가게'나 '아름다운 가게' 같은 헌 옷을 파는 가게들을 누비며, 아무도 살 것 같지 않은 오래된 양복과 코트들을 모조리 휩쓸어 오셨다. 그야말로 환경을 돕고 우리 연극을 돕는 훌륭한 활동이었다. 허리를 다쳐 움직이지 못하는 상황에서도 수공예 선생님은 수공예실 바닥에 누워 모든 상황을 진두지휘하셨고, 결국에는 엄청나게 완벽한 의상들을 완성해 주셨다! (실제로 연극이 끝나고 그 옷을 갖고 싶어 한 사람들이 있을 정도로 완벽했

다) 의상을 만드는 3주 동안 수공예실 불이 꺼지는 날이 거의 없었다.* 또 운 좋게도 분장을 공부하신 학부모님이 우리 연극의 분장을 도맡아 해 주셨다. 분장 감독을 맡아 주신 그 어머님은 리허설과 공연 당일뿐만 아니라, 막바지 연극 연습에 함께 참여하셔서, 연극의 전체 흐름이 어떠한지, 인물들의 특성이 어떠한지, 중간에 분장이 바뀌어야 할 부분은 없는지, 어떤 분장 도구들을 준비해야 하는지 등을 직접 확인하고 준비해 주셨다.

이때부터는 모든 일이 단순하게 그냥 일어나는 것은 아니라고 믿게 되었다. 왜냐하면 원하는 모든 것이 바로 이루어졌기 때문이다. 이를테면 『맹 진사댁 경사』의 반주를 국악기로 하는 것이 극 전체의 분위기와 어울릴 거라고 생각하고 있을 즈음에 학생들 만나는 걸 좋아하는 해금 연주자 한 분이 기꺼이 학생들을 돕겠다고 바쁜 시간을 쪼개어 연습에 참여해 주셨을 뿐 아니라 연극의 흐름에 완벽히 어울리는 연주를 해 주셨다. 게다가 다음 해 1학년 담임이 될 선생님(아직 신입생이 입학 전이라 막바지 전체 연습을 항상 함께해 주실 수 있었다!)이 대금을 연주해 주셔서 음악은 더욱 풍성해졌다. 학생들도 온 힘을 다해서 연극에 참여했다. 『올리버 트위스트』를 준비할 때는 그림을 잘 그리는 한 학생이 부탁하지도 않았는데 (사실은 준비해야 한다는 것을 까맣게 잊어버리고 있었다) 올리버 엄마의 초상화를 수채화로 정성스럽게 그려 왔다. 만약 그 초상화가 없었다면 올리버가 허공을 보고 심각한 대사를 해야만 하는 우스꽝스러운 상황이 벌어졌을 것이다. 이렇게 우린 모두 힘을 합했

* 지금도 믿겨지지 않는다. 어떻게 3주 동안 그 많은 의상을 완벽하게 만들어 낼 수 있었던 걸까? 수공예실에는 아무도 모르는 마법의 재봉틀이 있었던 것은 아닐까?
학생들이 의상과 소품을 될 수 있으면 빨리 입어 보고 연기하는 것이 여러모로 좋기 때문에 나처럼 둔하지 않은 교사라면 미리 계획을 짜고 준비해서 최대한 빨리 학생들이 입어 보거나 사용해 보는 것이 연극에 더 도움이 될 것이다.

고, 그 힘을 넘어서는 어떤 무언가가 우리를 들어 올려주었다.

드디어 때가 왔다

올 것이 오고야 말았다. 딱 일주일만 더 있으면 더 잘 할 수 있을 것 같다는 말이 여기저기서 터져 나왔지만 공연 날은 오고야 말았다. 아침 일찍부터 모여서 몸과 마음을 풀고 간단하게 분장을 한 뒤 리허설을 진행했다. 점심을 먹고 분장과 의상을 다시 고치고, 모두 무대에 모였다. 남학생들은 수다와 장난으로 긴장을 풀었고, 여학생들은 아주 굳은 표정과 진지한 모습으로 긴장감을 떨치지 못하는 모습이었다. 우리는 공연장 안의 모든 불을 끄고 30분 정도 무대에 모두 누워 침묵의 시간을 가졌다. 모든 긴장을 다 풀어 버리고, 오늘 우리가 오를 무대 바닥으로부터 엄청난 기운을 받기 위해서.

일종의 의식을 끝내고 우리는 약속했다. 누군가 무대에 올라갔을 때, 무대에 오르지 않은 모든 사람도 거기에 집중하기로, 그리고 무대 위에 올라간 사람의 말을 모두 들어 주기로.

관객이 입장하고 막이 올랐다. 믿기지 않는 일들이 벌어졌다. 어린 배우들이 무대 위에서 관객을 들었다 놨다 하는 것이 아닌가. 몇몇 학생은 무대와 관객석을 가로지르며 날아다니고,* 갑자기 벗겨져 날아가 버린 신발을 태연하게 주우러 가서 애드리브를 하기도 한다. 『올리버 트위스트』에서는 남학생이 여자 흉내를 내는 장면에서 과장 연기의 묘미를 보여 주며 관객들의 웃음을 이끌어 냈다. 그렇게 1시간 30여 분의 공연이 막을 내렸다. 무대 인사를

* 연극에서 관객석으로 가는 장면이 있었다. 이쯤에서 눈치 챘겠지만, 진짜 날았다고 생각하지는 말기를. 단지 우리 연극을 채우는 분위기가 진실로 그러했고, 그 모든 것은 진짜였다.

하기 위해 무대로 올라가 학생들과 손을 잡았다. 엄청난 땀과 열이 손으로 전해졌다. 내 손을 잡은 학생이 이렇게 속삭였다. "선생님, 저 오늘 갖고 있던 힘을 다 써 버렸어요." 모든 학생이 이 말을 하고 싶었을 것이다. 이것만으로도 연극은 성공이었다.

뒤풀이

그렇게 두 번 공연을 더 하고 나서 수개월 동안 조금씩 준비해 온 우리 연극은 막을 내렸다. 모두가 무대로 모여 단체 사진을 찍고, 금방 비워 줘야 하는 공연장을 정리해 나가기 시작했다. 감동을 받은 꼬마 관객들이 배우들의 사인을 요구하고, 어른 관객들은 단 세 번만 공연하기에는 정말 아까운 공연이니 순회 공연을 하라는 말로 칭찬을 대신한다. 우리는 그날 밤 세계 일주를 할 정도로 비행기를 많이 탔다. 그리고 나는 진심으로 우리가 해낸 것이 그럴만한 가치가 있는 것이라고 생각한다. 하지만 이제 공연이 끝남과 동시에 우리는 제자리로 돌아와야 한다. 시작할 때 도대체 연극을 왜 해야 하는지 모르겠다던 학생은 살며시 내게 다가와, "선생님, 할 만한데요."라고 말하며 씨익 웃는다. 드디어 끝난 것을 기뻐하는 학생, 이렇게 끝나버리는구나 하고 아쉬워하는 학생들. 무대는 하나씩 부수어 가지만, 이 모든 순간은 오롯이 우리 마음속 저장고에 곱게 담길 것이다.

곧 이어지는 뒤풀이. 학생들은 삼삼오오 모여 오늘의 명장면, 큰일 날 뻔 했던 일 등 에피소드를 나누고, 다음에 연극하면 이런 저런 역을 맡아 보고 싶다고 미래를 계획하기도 한다. 말없이 친구 등에 기대어 피곤함을 위로받기도 하고, 또 아까 굴러가서 난감했던 신발을 멋진 애드리브와 함께 가져다 준 상대 배우에게 고마움을 표시한다. “나는 네가 그렇게 똑똑한 줄 몰랐어. 너 그때 진짜 멋있었어. 고마워.”라며 평소라면 칭찬하기에 어색한 관계였던 둘은 서로를 고맙게 여긴다. 그렇게 학생들은 조금씩 연극을 정리하고 담아 낸다. 이런 큰일을 치르고 난 뒤에는 반드시 함께 공유하고 풀어낼 수 있는 자리가 필요하다는 것을 느끼는 순간이다.

글을 쓰다 보니 제목처럼 파란만장했다기보다는 열심히 잘한 일들만 적은 것 같아 부끄러우면서도 뿌듯하다. 진짜 파란만장했던 과정이 생략되어 버렸다. 굳이 다시 꺼내어 보자면 중간에 학생들이 겪은 슬럼프, 그것을 극복해내기 위한 과정(가끔은 이 과정이 청소년기 학생들의 비위를 맞추기가 얼마나 어려운 일인지를 깨닫게 해 준다), 이 책에서 권장하듯이 4주 전부터 공연장에서 연습을 하고 싶었지만, 공연장을 3일 빌리는 것도 쉽지 않았던 일, 스무 군데가 넘는 공연장에 연락을 해서 겨우 우리 연극에 어울리는(사실은 자리가 빈) 공연장을 찾을 수 있었던 일, 수없이 많은 준비물을 학교에 두고 와 여러 사람들을 고생시켰던 일, 연극 때문에 다른 수업 시간에 많은 피해를 줬던 일 등. 죄다 고맙고 죄송스러운 일들 뿐이다.

연극을 통해 학생들은 참 많이 성장했다. 잠시도 고요한 순간을 참아내지 못하던 학생들이 이제 ‘쉼’의 미학을 알게 되었고, 분위기를 어떻게 파악하고 어떻게 이끌어 내야 할지 알게 되었다. 더불어 교사도 함께 성장했다. 미리 준비하고, 계획하는 것의 중요성을 알게 되었고, 학생들을 더 깊이 이해할 수 있게 되었다. 또 교육적으로 훌륭한 연극이 예술적으로도 훌륭한 연극이 될 수 있다는 사실도 알게 되었다. 이 모든 과정을 통해 연극은 단순히 시각적인 감각 예술이 아니라, 우리 내면세계에서 일어나는 영적인 과정의 외적인 표현이라는 사실을 발견하였다. 하나의 연극 작품을 만들기 위한 모든 제작 과정은 인간이 태어나서부터 죽음에 이르는 인생 전체에 대한 은유적 그림이라는 사실도.

이은서
청계자유 발도르프학교 전 담임 과정 교사

맹 진사 댁 경사

작 **오영진**

각색 **이은서**

등장인물

맹 진사(태량) / 맹 노인(그의 아버지) / 맹 효원(그의 숙부)
한씨(그의 아내) / 갑분(그의 딸)
참봉 / 입분 / 삼돌(머슴) / 김미언
김명정(악사) / 마을 처녀들 / 군인들 / 기타 마을 사람들

제1막

1장

무대 (맹 진사 태량씨의 안사랑, 가풍 있는 전가 하수는 안방 집 뒤로 재실이 있는 모양, 나무가 울창하고 그중 한 그루 잣나무가 상수 한 구석에 높이 섰다. 막이 열리면 무대는 잠시 비어 있다. 무대 한 쪽에는 악사들이 앉아 있다. 맹 진사 하수 쪽 문으로 들어선다. 기고만장하여 일종의 흥분상태이다)

맹 진사 예 아무도 없느냐 아무도 없어? 허허…! 내가 어떤 길을 다녀왔는데 쥐새끼 한 마리도 얼씬 않느냐!

(삼돌이 안에서 나온다)

삼돌 에그 나리마님, 댕겨 오셨슈

맹 진사 예끼 이놈! 그래… 마님 계시냐?

삼돌 네. 그렇잖아두 일이 어찌 되셨나 지금 안절부절…

맹 진사 안절부절은 왜? 그런 걱정 말구 냉큼 나오시라고 그래.

삼돌 운산골 나리까지 오셨어유.

맹 진사 운산골 나리? 오, 작은아버지께서도 오셨단 말이지?

삼돌 네. 가셨던 일이 어찌되셨나 하구

맹 진사 에이 걱정들두… 나가 여쭤라. 곧 나가 뵙겠다구

삼돌 그럼 거의 성사가 됐나 보네요.

맹 진사 헛! 누가 나선 일인데!

삼돌　아무렴요. 제가 뭐랬습니까.

맹 진사　갑분 아씬 어딨느냐.

삼돌　갑분 아가씬 입분이 거느리고, 이웃 색시들허구 뒷산에 도라지 캐러 가셨나 봅니다.

맹 진사　뭣이? 도라지 캐러? 에이! 조심성 없는 것! 냉큼 쫓아가 모셔 오너라.

삼돌　네에 (발 씻을 물을 떠다 놓고 사랑으로 나간다)

맹 진사　저 때문에 이 애비가 겪는 이 고초도 모르고… 그나마 지체 높은 김판서댁 며느리가 되느냐 못되느냐 하는 판국에… 에이! 조심성 없는 계집애 같으니라구!

(한씨 안에서 나온다)

한씨　에그 영감! 듣자하니 거의 성사 시켜 가지구 오셨다지요.

맹 진사　나왔소? (잔뜩 버티며 의관을 벗는다)

한씨　(의관을 받아 팔에 걸치고) 자 가셨던 일 얘기나 좀 하시구려. 그래 어떻습디까?

맹 진사　(뜸을 들이며)… 에헴!

한씨　아이 갑갑해!

맹 진사　에헴. 놀라지 말어. 행랑방만 사십 칸! 아니 아니~! 사십 칸도 더 되겠던 걸. 행랑방만 말야. 행랑방만… 알았어?

한씨 에그머니나! 행랑방만 사십 칸? 이건 정말 …

맹 진사 거기다가 오곡백과가 가뜩 채워진 곡간이 아마도 하나 둘 셋 넷…

한씨 대궐 같은 집인가 보구려.

맹 진사 내게 한 접대는 또 어떻구. 궁궐에서 나온 손님인양 융숭하기 이를 데 없구.

한씨 아니, 그런 대단한 집에서 우리 같은 집안을 거들떠보기나 할까요? 괜히 영감 혼자 김칫국만 마시는 거 아니유?

맹 진사 헛! 김칫국이라니, 누가 간 일인데. 애초에 도라지골로 찾아 갈 때부텀 이 속엔 계책이 딱 섰던 거야. 아암! 계책과 승산과 자신대로 허허허…. 안 될 게 어디 있겠어?

한씨 정말이유? 정말 저 편에서도 좋다구 그랬나요?

맹 진사 이렇게 사람을 못 믿어하긴 참… (뻐기며) 만사가 다 수완 나름이거든 수완. 수완 나름이다마다. 허허허.

한씨 에그 영감 수완 놀라우신 거야 누가 모르리까? 어쨌든 이번 일을 성사하셨다면 영감 평생에 첫 공으로 공덕비라두 세워 드려야겠구려.

맹 진사 공덕비? 아함 그렇지 히히히…

한씨 (비꼬는 투로) 하늘에 별 따려고 돌 던졌는데 어쩌다 맞췄을 테니. 좀 놀라운 공이시유

맹 진사 뭐어? 에헴! 난 말이야. 이제부터 말이야. 권세 높은 김판서 대감의 사돈이야.

한씨 참 영감. 그러고 보니 영감께서 돈으루 사서 한 벼슬이지만 진사하나 해 두기를 잘 하셨죠~! 안 그래요?

맹 진사 돈으루 사서 한 진사? 쉿! 요 촐랑아! 누가 듣겠구료! 엥이!

한씨 에구머니나! 아버님께서 나오시나 보네. (안으로 들어간다)

(맹 효원에게 부축 받아 나오는 맹 노인. 맹 노인은 이는 빠지고 몽롱한 표정으로 세상만사가 비몽사몽간이다.)

맹 진사 아버지 나오십니까. 에그 작은아버지 어려운 길 와 주셨네요.

맹 효원 맹씨 집안의 인륜대사가 결정된다는 마당에, 내가 안 와 볼 수가 있느냐. (마루에 앉는다)

맹 진사 (아버지와 숙부 앞에 넙죽 절하며) 도라지골엔 방금 댕겨 왔습니다.

맹 효원 애썼다. 그래 어떻게 됐느냐. 모처럼 애써 찾아간 보람이나 있었느냐?

맹 진사 네… 염려해 주신 덕분으로 일은 순조롭게 성사될 것 같습니다.

맹 효원 어떻게? 김판서두 만나구?

맹 진사 아 그야 사돈 될 양반을 안 만나면 누굴 만나겠습니까?

맹 효원 허… 만났어… 그래 만나본 결과는?

맹 진사 누구 일이라구. 어련 하겠습니까? 헤헤헤.

맹 효원 아암. 네가 직접 나섰으니까? 그래서?

맹 진사 아버지와 숙부님 승낙 해 주시는 데로 곧 사주 보낼 택일을 헌다고 그랬습니다.

맹 효원 어느새 택일이라니? 서로 얼굴들도 안 보구서?

맹 진사 염려 마세요. 저편에선 우리 갑분일 이미 잘 알고 있던걸요.

맹 효원 그래. 헛헛헛 딴은 대가의 솜씨라 다르구나. 헌데 우리두 신랑의 얼굴을 봐야지. 니가 잘 보고 왔느냐?

맹 진사 누구 말씀입니까?

맹 효원 당사자 말이지.

맹 진사 당사자라시면?

맹 효원 아 이 애가! 신랑 될 그 미언인가 하는 김판서 아들이지 누군 누구야.

맹 진사 네… 그야 만나나 마나 하지 않습니까. 작은 아버지.

맹 효원 뭐? 만나나 마나 하다니? 원 이런 말도 안 되는 소리가 있나. 혼사를 건네러 가서 신랑 선을 안 보구 오다니.

맹 진사 아 뉘댁 자제라고, 어련 하겠습니까. 원 작은아버지께서두.

맹 효원 무슨 소리냐! 경줏 돌이면 다 옥돌이라더냐. 그럼 구태여 거기까정 댕겨 올 필요도 없지 않느냐.

맹 진사 네. 전 구태여 보지 않기로 했습니다. 그러다가 도리어 세도 명문가의 예의범절에 거슬리기나 하면 어찌허나 했구. 더군다나 판서 대감께서 말씀하시기를…

맹 효원 그래두 그런게 아냐. 게다가 그 미언인가 하는 신랑, 소문을 듣자하니 인물이 보통이 아니라는 걸 그래.

맹 진사 보통이 아니라니요? 뭐 코가 두 개란 말씀이오, 눈이 하나란 말씀이요?

맹 효원 아니, 성미가 괴팍하기가 이만저만이 아니더라구.

맹 진사 남자의 성미야 뜨뜻미지근하기보다야 괴팍한 편이 큰 인물감이죠. 안헐 말루 흉을 잡으려면 우리 편에 더 많습니다. 기껏해야 갑분이는 진사의 딸에, 저편은 판서대감의 자제. 이왕이면 다홍치마라고 그만한 세도권문허구 사돈 맺기가 어디 그리 쉬운 일이오며, 이후 우리 가문을 위해서라두 작은아버지, 무엇이 부족합니까. 거 말하자면 이후에 한 가지 덕이라두 봤으면 봤지 한 가지라도 해로울 게 있겠습니까. 헤헤헤

맹 효원 덕을 보다니? 네 생각이 내겐 마땅치 않다. 형님! 형님께선 어떠십니까? 저 애 얘기가…

맹 노인 무슨 이야기? 난 한 마디두 못 알아 듣겠다. 난 요새 이놈의 귀구녁에서 모기떼가 부쩍 아우성치는 통에 들리는 소리란 왼통 저승의 사자들이 부르는 소리밖엔 안 들리는구나.

맹 효원 형님~! 태량의 딸 말씀이에요. 갑분이.

맹 노인 갑분이?

맹 진사 아버지 손녀 말씀이에요. 벌써 열여덟인데 어디다 보내야 허지 않겠습니까?

맹 노인 열여덟 살… 어허… 고것이 어느새…

맹 진사 어떨까요? 김판서 자제 하구요

맹 노인 누구 하구?

맹 효원 도라지골 김판서 자제요.

맹 노인 도라골 김판서? 좋지 좋다마다. 김판서는 소싯적부터 신동으로 열다섯에 과거 급제를 하더니만 매년 지위가 올라서 삼십 때엔

판서루 앉은 사람이야… 허 그 선친이란 사람도 역시 여간 걸물이 아니어서, 평안감사로서 착실히 한 몫 보았는데, 실상은 김승지가 승지가 된 시초도 이를테면 그 돈 덕이었고, 또 감사의 선친이란 인물이 바로 왜 저 그러니까… 김판서의 조부가 바로 그 종조부의 아들이지만, 김판서의 아버지를 낳아 가지구설랑 평안감사 벼슬자리 승지루 승차하구…

맹 진사 (말을 자르며) 아버지는 혼사에 부족이 없다구 여기시는데요.

맹 노인 혼사라 (생각하다가)… 누 누구의 혼사던가

맹 효원 갑분이 허구 말씀이에요.

맹 노인 오라! 갑분이… 갑분이가 누구든가?

맹 진사 어이구! 아버지 손녀! 제 딸 갑분이!

맹 노인 오~라!

맹 효원 형님 생각이 어떠십니까. 김판서 댁이어요. 우리 갑분이 허구.

맹 노인 오라. 김판서 허구… 두말 하면 잔소리다. 훌륭하다 뿐이냐. 헌데 얘들아. 거 나이 차이가 너무 나지 않느냐? 김판서하고는.

맹 효원 (놀라 자빠지며) 김판서가 아니구. 김판서의 아들이에요.

맹 노인 허허! 김판서에게 그런 아들이 있었던고!

맹 효원 에이고, 형님두 참!

맹 노인 김판서가 아니구 김판서의 아들이라… 헷헷헷 (혼자 좋아한다)

노래 내 귀여운 손녀 딸아 (맹 노인)

(삼돌 등장)

삼돌　영감마님 점심 진지 차려 놨습니다. 모시구 큰사랑으로 나가 식사하시랍니다. 안방마님께서.

맹 진사　아버지, 큰 사랑으로 나가세요.

맹 노인　어디루 가?

맹 효원　점심 진지 잡수시래요!

맹 노인　(일어나면서) 점 치러 가? 궁합을 보려구?

맹 진사　점이 아니라 점심이에요.

맹 노인　오냐! 점을 쳐서 궁합을 봐야지. 어서들 댕겨 오너라. 나야 가나 마나 허지… (소리를 버럭 지르며) 이놈 삼돌아!

삼돌　네엣?…

맹 노인　왜 장승처럼 서 있어. 어서 내 점심상 채근하지 않구!

(어이없는 삼돌. 그 분위기를 알리는 짧은 음악 혹은 효과음과 함께 암전)

추천사

연극이 끝나고 난 뒤

연극이 끝나고 난 뒤, 학생들이 치기 어린 청소년에서 진정성을 표현하는 배우가 된다. 공연을 함께 준비하는 과정을 통해 모두가 주인공으로 거듭나면서 각자가 각본 없는 '드라마'를 만들어 낸다. 배역의 비중이 크고 작음을 떠나 그 인물이 되어 세상을 보고, 걷고, 말하고, 사랑한다.

발도르프학교에서는 학년별로 각 과목들을 유기적으로 연계하여 수업을 구성한다. 학년마다 해당하는 아이들의 발달 상황에 따라 무엇을 배울 것인지, 꼭 다뤄야 할 내용이 어떤 것인지를 기반으로 각 과목들을 종으로 횡으로 연결해서 풍부하게 수업을 소화할 수 있도록 제안한다. 동네학으로 시작하는 '지리 수업'이 대표적이다. 역사와 맥을 같이하여 특정한 공간과 시대의 이야기와 삶, 문화를 자연스럽게 전달하는 식으로 수업하는 것이다. 그리고 또 하나, 바로 '연극 수업'이다. 연극이야말로 배움에 필요하고도 중요한 요소를 모두 경험하고 연습하며, 예술적 완성도를 위해 계속 수정하고 만들어 가는 과정에서 아이들의 내적 성장까지 도모하는 '꽃'과 같은 수업이라고 생각한다.

읽기, 말하기, 이해하기, 분석하기, 떠올리기, 구체적으로 만들기, 관계 맺기, 반복하기, 타인의 입장에 서 보기, 노래하기, 내 자신과 대면하기, 움직이기, 좌절하기, 견뎌 내기, 넘어서기, 관찰하기, 함께 작업하기, 공감하기, 긍지를 갖고 기쁨 맛보기, 특별히 상상하기, 몰입하고 집중하기는 그 어떤 수업에서도 맛볼 수 없는 기가 막힌 경험들이다. 과연 외계인도 무서워한다는 중2, 8학년들과(주로 8학년과 연극 수업을 했다) 연극을 어떻게 할 것인가? 많은 파란이 예고됨에도 마음을 열고 솔직한 모습으로 임할 때 몇 가지 기적을 틀림없이 보게 된다. 어떻게 아이들의 마음을 열고 솔직하게 만들 것인가? 연극의 핵심인 상상하기와 몰입하기를 어떻게 구체화하여 현실로 만들어 낼 수 있을까?

그곳으로 안내하는 길이 이 책에 담겨 있다. 아이들을 한 발씩 한 발씩 무대로 끌어내어 상상과 몰입이 주는 짜릿한 세계로 들어갈 수 있도록 해 주는 아주 구체적이고 체계적인 다양한 방법을 풍부하게 설명하고 있다. 이 책은 초보 연출가에게는 든든한 사부님 같은 책이며, 교사들에게는 비단 연극 수업뿐 아니라 평소 말하기, 움직임, 상상력을 자극하는 활동을 구성하는 데 많은 아이디어를 준다.

이렇게 근사한 책을 쓰신 저자와 실제로 활용할 수 있도록 번역해 주신 번역자님께 존경과 감사를 드린다.

이은영
청계자유 발도르프학교 8년 담임 역임, 현재 발도르프학교 연극 강사

추천사

우리는 왜 연극을 하는가!

무대극을 떠올리는 우리나라 대다수 사람에게 연극은 '내'가 할 수 없는 어렵고 특별한 것으로 인식되어 왔다. 연극에 대한 단편적 이해나, 남에게 자신을 드러내 보여야 한다는 부담감은 연극을 자신과 상관없는 것으로 만들어 버렸다.

그러나 연극은 잘하기 위해서도, 또 남에게 잘 보이기 위해서 하는 것도 아니다. 다만 결과로서 주어지는 선물이다. 처음 연극을 하는 사람들뿐 아니라 전문 배우에게도 연극을 위한 놀이적 접근은 매우 유용하다. 다양한 놀이를 통해 마음껏 자신을 표현하고 여럿이서 다양한 방식으로 발표를 하다 보면 이 모든 것이 남을 위한 발표가 아닌 자신을 위한 과정이라는 것을 알게 된다. 놀이는 그 자체로 연극에서 필요한 다양한 무대 기법을 자연스럽게 이해하게 하고, 그것을 통해 함께 하는 사람들에 대한 특성을 이해하면서 원활한 관계를 형성하고 다양한 표현을 할 수 있는 내적 민첩함과 창의성을 개발하게 된다. 그 과정 하나하나에 자신을 직면하게 하는 순간이 살아 있고 타인을 자신처럼 이해할 수 있는 기회가 찾아 온다.

이렇게 연극을 준비하다 보면 학급에서 전혀 주목받지 못하고 심지어 왕따를 당하던 아이가 새로운 능력을 펼쳐 보이며 주변 친구들과 담임 교사를 놀라게 하는 일이나, 산만하고 주의 집중이 안되어 늘 야단맞던 아이가 창의적이고 주도적인 아이로 새롭게 태어나는 기적이 종종 일어나는 것을 경험하게 된다. 그만큼 연극은 새로운 자신을 만나는 일이다. 현재 일어나고 있는 그대로를 보게 하고 늘 깨어 있게 하는 작업이다.

이 책은 그런 과정들을 생생하게 전해 준다. 어떻게 불과 15~19세 청소년들이 인물을 내면화하여 생생하게 극의 주제를 관객에게 전달하며 공감시킬 수 있는지. 놀이와 활동, 즉흥 연기를 통해 마음껏 상상력을 펼칠 때 순수한 기쁨을 느끼는 매 순간들이 모여 자신도 몰랐던 영혼의 저 먼 영역까지가 닿을 수 있는 힘을 길러주는지. 이해한다는 것은 함께 태어나는 것이라는 말이 있다. 상상의 힘을 활성화하여 자신과 연극 속의 등장인물을 살아 있는 인물로 만나는 과정뿐만 아니라 연극이라는 사회적이고 협동적인 작업을 통해 함께하는 사람들을 새롭게 만나는 과정은 자신과 타인을 진정으로 이해할 수 있는 기회를 제공해 준다. 연출자 역할을 해야 하는 교사도 자신의 자유로운 상상력으로 모든 과정을 함께 즐기며 자신과 학생들을 이해할 수 있는 시간을 갖는다면 서로 성장하는 좋은 시간이 될 것이다.

또한 많은 시간과 노력을 들여 만드는 연극에 대해 혹시라도 그렇게까지 해야 하나 의구심이나 불만을 가지는 부모님들이라면, 이 책을 통해 생생한 현장의 분위기에 조금이나마 함께할 수 있도록 독자의 상상력을 발휘하여 그 순간에 머물러 보라. 그리고 왜 연극을 하는가에 대해 스스로 답을 구해 보라.

'나는 왜 연극을 하는가?' 이것은 내가 학생들과 연극을 시작하면서 자주 하는 질문이다. 유사 이래 연극은 이 질문을 통해 인간에 대한 본질적인 이해에 다가가려 했으며 그에 대한 해답으로 각 시대마다 다양한 연극 형태를 발전시켜 왔다고 본다. 이 책『발도르프학교의 연극 수업』은 그런 본질적인 질문에 대해 일깨워 준다.

박정열
(사)연극놀이터 해마루 대표

함께 읽으면 좋은 ——

푸른씨앗 책

8년간의 교실 여행_발도르프학교 이야기

토린 M.핀서 지음 청계자유발도르프학교 옮김

담임 과정 8년 동안 교사와 아이들이 함께 성장한 과정을 담은 감동 에세이. 한국에서 첫 발도르프학교를 시작하는 모임에서 함께 공부하며 번역한 책으로 아이들과 함께 교육 현장의 변화를 꿈꾸는 모든 분에게 권장

150×220 | 264쪽 | 14,000원

형태그리기 1~4학년

에른스트 슈베르트·로라 엠브리-스타인 지음 하주현 옮김

'형태그리기'는 발도르프 교육만의 특징적인 과목으로 새로운 방식으로 생각하는 힘을 키우기 위해 제안되었다. 수업의 주된 목적은 지성을 건강하게, 인간적인 방식으로 육성하고 발달시키도록 하는 것이다. 1학년부터 4학년까지 학년별 형태그리기 수업에 지침서가 되는 책이다.

210×250 | 56쪽 | 10,000원

발도르프학교의 형태그리기 수업

한스 루돌프 니더호이저·마가렛 프로리히 지음 푸른씨앗 옮김

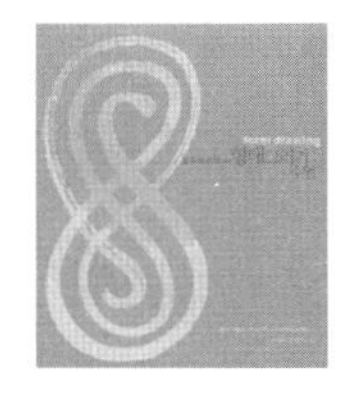

생명력과 감각, 형태그리기와 기하학의 관계를 비롯해 도덕성과 사고 능력을 강하게 자극하는 형태그리기 수업의 효과에 대해 설명한다. 루돌프 슈타이너가 제안한 형태의 원리와 의미를 수업에 녹여 내는 방법과 수업 경험을 실었다.

210×250 | 100쪽 | 15,000원

맨손 기하_형태그리기에서 기하 작도로

에른스트 슈베르트 지음 **푸른씨앗** 옮김

현대 수학 교육에서 소홀히 다루고 있는 기하 수업의 중요성을 일깨우기 위해 애쓰고 있다. 3차원 공간을 파악하기 시작하는 4~5학년에서 원, 삼각형, 사각형 등 형태의 특징을 알고 비교하며, 서로 어떤 관계가 존재하는지 찾는 방식을 배운다.

210×250 | 104쪽 | 15,000원

발도르프학교의 수학_수학을 배우는 진정한 이유

론 자만 지음 **하주현** 옮김

아라비아 숫자보다 로마 숫자로 산술 수업을 시작하는 것이 좋다, 사칙 연산을 통해 도덕을 가르친다, 사춘기 시작과 일차 방정식은 무슨 상관이 있을까? 40년 동안 발도르프학교에서 수학을 가르친 저자가 수학의 재미를 찾아 주는, 통찰력 있고 유쾌한 수학 지침서

165×230 | 400쪽 | 25,000원

발도르프학교의 미술 수업_1학년에서 12학년까지

마그리트 위네만·프리츠 바이트만 지음 **하주현** 옮김

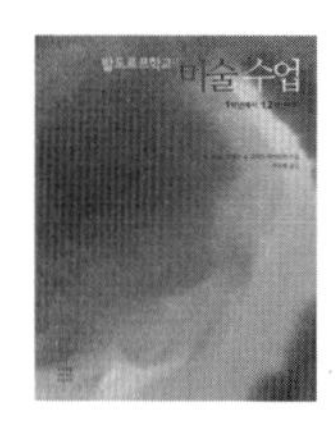

독일 발도르프학교 연합 미술 교사 세미나에서 30년에 걸쳐 연구한 교과 과정 안내서. 담임 과정(1~8학년)을 위한 회화와 조소, 상급 과정(9~12학년)을 위한 흑백 드로잉과 회화에 대한 설명과 예술 작품, 괴테의 색채론을 발전시킨 루돌프 슈타이너의 색채 연구를 만날 수 있다.

188×235 | 272쪽 | 30,000원

살아있는 지성을 키우는 발도르프학교의 공예 수업

패트리샤 리빙스턴 & 데이비드 미첼 지음 **하주현** 옮김

공예 수업은 "의지를 부드럽게 깨우는 교육"이다. '의지'는 사고와 연결된다. 공예 수업을 통해 아이들은 명확하면서 상상력이 풍부한 사고를 키울 수 있다. 30년 가까이 공예 수업을 한 교사의 통찰을 바탕으로 발도르프학교의 1~12학년 공예 수업을 만날 수 있는 책

150×193 | 308쪽 | 25,000원

파르치팔과 성배 찾기

찰스 코박스 지음 **정홍섭** 옮김

18살 시절 나는 무엇을 하고 있었나? 내가 누구인지, 이 세상에서 해야 할 일이 무엇인지 알고자 나는 무엇을 하고 있었던가? 1960년대 중반 에든버러의 발도르프학교에서, 자아가 완성되어 가는 길목의 학생들에게 한 교사가 진행한 '파르치팔' 이야기를 상급 아이들을 위한 문학 수업으로 재현한 이야기

150×220 | 232쪽 | 14,000원

e북 오디오북

오드리 맥앨런의 도움수업 이해

욥 에켄붐 지음 **하주현** 옮김

학습에 어려움을 겪는 아이들을 돕는 일에 평생을 바친 영국의 발도르프 교사 오드리 맥앨런이 펴낸 「도움수업」의 개념 이해를 돕는 책. 도움수업의 토대가 되는 인지학의 개념을 소개하고 저자의 수업 경험을 함께 담았다.

150×193 | 330쪽 | 25,000원

e북

동화의 지혜

루돌프 마이어 지음 **심희섭** 옮김

그림 형제 동화부터 다른 민족의 민담까지 지역과 시대를 넘어서는 전래 동화의 의미를 인지학적 개념을 바탕으로 살피고 있다. 어린 시절에 동화를 들려주는 것의 중요성을 깨닫고, 가슴 깊은 곳에 순수한 아이 영혼이 되살아 남을 느낄 수 있을 것이다.

140×210 | 412쪽 | 30,000원 | 양장본

초록뱀과 아름다운 백합

요한 볼프강 폰 괴테 지음 **최혜경** 옮김

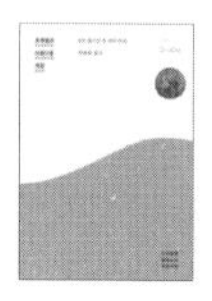

인간 정신과 영혼의 힘을 그림처럼 풍성하게 보여 준다. "커다란 강을 사이에 둔 두 세계 여기저기 사는 사람들과 환상 존재들이 하나의 목적지를 향해 가는 과정이 굉장히 압축된 시간 안에 시詩에 가까운 문학적 표현"으로 전개된다. 루돌프 슈타이너에게 깊은 영향을 준 괴테의 동화

105×148 | 112쪽 | 6,000원

푸른꽃

노발리스 지음 **이용준** 옮김

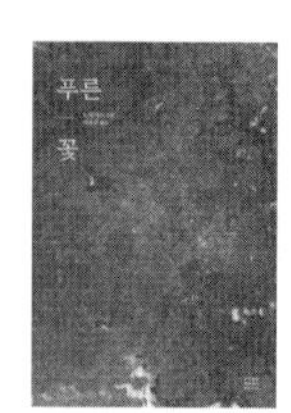

유럽 문학사에 큰 영향을 준 이 작품은 음유시인 하인리히 폰 오프터딩겐이 시인이 되기까지의 여정을, 동화라는 형식을 통해 표현한 작품으로 시와 전래 동화의 초감각적 의미를 밝히고 있다. 세월을 뛰어넘는 상상력의 소유자, 노발리스 탄생 250주년에 『푸른꽃』 원전에 충실한 번역으로 펴냈다.

140×210 | 280쪽 | 16,000원

우주의 언어, 기하_기본 작도 연습

존 알렌 지음 푸른씨앗 옮김

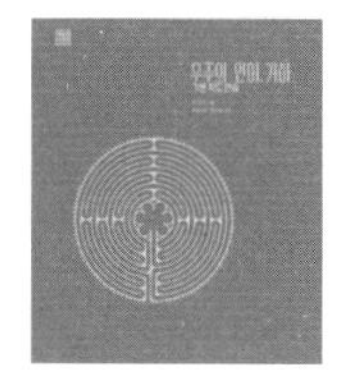

시간이 흘러도 변치 않는 아름다운 공예, 디자인, 건축물을 들여다보면 그 속에는 기하가 숨어 있다. 계절마다 변하는 자연 속에서 대칭을 만날 수 있고, 샤르트르 노트르담 대성당의 미로 한가운데 정십삼각별이 있다. 컴퓨터가 아닌 손으로 하는 2차원 기하 작도 연습으로, 형태 개념의 근원을 경험하고 느낀다.

210×250 | 104쪽 | 18,000원

e북

인생의 씨실과 날실

베티 스텔리 지음 하주현 옮김

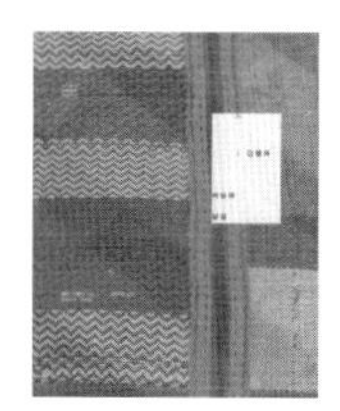

너의 참모습이 아닌 다른 존재가 되려고 애쓰지 마라. 한 인간의 개성을 구성하는 요소인 4가지 기질, 영혼 특성, 영혼 원형을 이해하고 인생 주기에서 나만의 문명으로 직조하는 방법을 모색해 본다. 미국 발도르프 교육 기관에서 30년 넘게 아이들을 만나온 저자의 베스트셀러

150×193 | 336쪽 | 25,000원

12감각

알베르트 수스만 지음 서유경 옮김

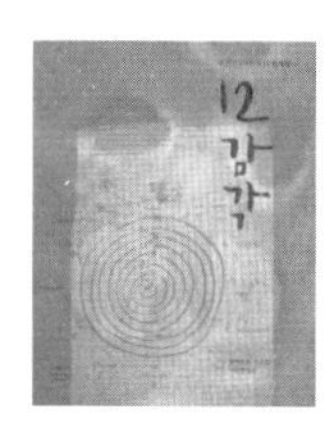

인간의 감각을 신체, 영혼, 정신 감각으로 나누고 12감각으로 분류한 루돌프 슈타이너의 감각론을 네덜란드 의사인 알베르트 수스만이 쉽게 설명한 6일 간의 강의. 감각을 건강하게 발달시키지 못한 오늘날 아이들과 알 수 없는 고통과 어려움에 시달리는 어른들을 위한 해답을 찾을 수 있다.

150×193 | 392쪽 | 28,000원

7~14세를 위한 교육 예술

루돌프 슈타이너 강의 **최혜경** 옮김

루돌프 슈타이너의 생애 마지막 교육 강의. 최초의 발도르프학교 전반을 조망한 경험을 바탕으로, 7~14세 아이의 발달 변화에 맞춘 혁신적 수업 방법을 제시한다. 생생한 수업 예시와 다양한 방법으로 교육 예술의 개념을 발전시켰다. 전 세계 발도르프학교 교사들의 필독서이자 발도르프 교육에 대한 최고의 소개서

127×188 | 280쪽 | 20,000원

내 삶의 발자취

루돌프 슈타이너 저술 **최혜경** 옮김

루돌프 슈타이너가 직접 어린 시절부터 1907년까지 인생 노정을 돌아본 글. <인지학 협회>가 급속도로 성장하자 기이한 소문이 돌기 시작하고 상황을 염려스럽게 본 측근들 요구에 따라 주간지에 자서전 형식으로 연재하였다. 인지학적 정신과학의 연구 방법이 어떻게 생겨나 완성되어 가는지 과정을 파악하는 데 중요한 자료이다.

127×188 | 760쪽 | 35,000원 | 양장본 e북

신지학 : 초감각적 세계 인식과 인간 규정성에 관하여

루돌프 슈타이너 저술 **최혜경** 옮김

인지학을 이해하는 기본서로 꼽힌다. "감각에 드러나는 것만 인정하는 사람은 이 설명을 본질이 없는 공상에서 나온 창작으로 여길 것이다. 하지만 감각 세계를 벗어나는 길을 찾는 사람은, 인간 삶이 다른 세계를 인식할 때만 가치와 의미를 얻는 다는 것을 머지않아 이해하도록 배운다."_책 속에서

127×188 | 304쪽 | 20,000원

인간 자아 인식으로 가는 하나의 길

루돌프 슈타이너 저술 최혜경 옮김

인간 본질에 관한 정신과학적 인식, 8단계 명상. 『고차세계의 인식으로 가는 길』의 보충이며 확장이다. "이 책을 읽는 자체가 내적으로 진정한 영혼 노동을 하도록 만든다. 그리고 이 영혼 노동은 정신세계를 진실하게 관조하도록 만드는 영혼 유랑을 떠나지 않고는 견딜 수 없는 상태로 차츰차츰 바뀐다."_책 속에서

127×188 | 134쪽 | 14,000원

백신과 자가 면역

토마스 코완 지음 김윤근·이동민 옮김

건강을 위해 접종하는 백신이 오히려 만성적인 자가 면역 질환을 유발할 수 있다면? 급성이던 아동기 질환이, 평생 안고 살아가야 하는 만성적 자가 면역 질환으로 성격이 변하고 있다. 백신과 자가 면역, 아동기 질환의 연관성에 대해 수십 년에 걸쳐 연구한 저자는 그 내용을 정리하면서 코완식 자가 면역 치료법을 소개한다.

136×210 | 240쪽 | 15,000원  e북

김준권의 생명역동농법 증폭제

김준권 지음

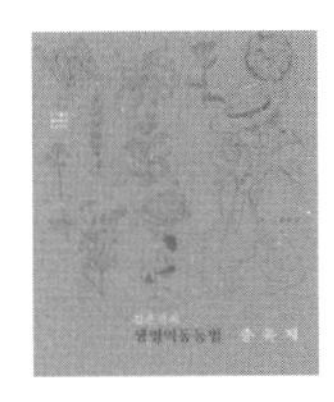

50년 가까이 유기 농업을 지켜 온 농부 김준권이 <생명역동농법>의 실천을 통해 건강한 농업의 미래를 제시하는 책. 증폭제를 만들고 농사에 적용한 경험을 사진과 그림으로 엮어 생소한 생명역동농법을 누구나 실천할 수 있도록 소개하고 있다.

188×235 | 228쪽 | 25,000원

재생 종이로 만든 책

이 책은 재생 종이에 콩기름 잉크로 인쇄합니다.

겉지_ 한솔제지 인스퍼에코 210g/m²
속지_ 전주페이퍼 Green-Light 80g/m²
인쇄_ 도담프린팅 | 031-945-8894
본문 글꼴_ 윤서체